D0967902

CAHIERS GIONO

2

CAHIERS
GIONO

2

Dragoon

suivi de

Olympe

RÉCITS
ÉDITÉS ET PRÉSENTÉS
PAR HENRI GODARD

GALLIMARD

ISBN 2-07-021881-3

Imprimé en France

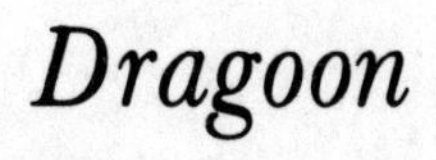
Dragoon

Ce roman, dont Giono n'a finalement écrit que les quelque cent cinquante pages qu'on va lire, devait être une œuvre de grande ampleur. Il en a médité le projet et accumulé dans ses carnets notes, « pilotis » et esquisses pendant cinq ans au moins, de 1962 à 1967, et peut-être davantage, dès 1961 et jusqu'à sa mort en 1970. Pendant cette période, selon son habitude, il a plusieurs fois fait à des amis ou à des journalistes des récits oraux de ce que devait être l'histoire racontée dans le roman. A deux reprises, il en a commencé la rédaction : la première au printemps de 1965, semble-t-il, donnant lieu bientôt après à de nouvelles rédactions fragmentaires; la seconde en 1967. Mais cette seconde version était destinée à être également interrompue au profit d'un autre récit, Olympe, *lui-même abandonné pour* L'Iris de Suse, *écrit de juin 1968 à octobre 1969, et qui restera le dernier récit mené à bien. A cette date, le projet de 1965 s'est assez transformé pour que des éléments de l'histoire prévue alors soient intégrés à* L'Iris de Suse, *ou doivent faire l'objet de récits séparés que Giono annonce ici et là. Mais le cœur du projet est intact : en février 1970, l'un des titres donnés comme « à paraître » dans l'édition originale de* L'Iris de Suse *est encore ce* Dragoon, *auquel il pense depuis si longtemps, et qu'il ne pourra achever. Il en subsiste les deux débuts de rédaction (qui par chance prennent l'histoire chacune par un bout et dans des perspectives différentes, ce qui fait qu'ils se complètent), plusieurs réfections partielles, et d'abondantes traces du travail de genèse dans les carnets. A défaut de pouvoir lire* Dragoon *dans son entier, nous avons, grâce à ces documents, le plaisir de reconstituer le roman du roman, puis, une fois lues les parties rédigées, de laisser notre imagination poursuivre, à partir des indications conservées. Le jeu en vaut la chandelle : les circonstances le permettant,* Dragoon *aurait sans doute été un roman neuf et fort, qui aurait compté parmi les grandes réussites de l'œuvre. Dans la très riche matière narrative qu'il devait brasser, certains éléments font écho à des récits antérieurs, mais ceux qui se trouvaient au centre de la nébuleuse et devaient l'entraîner touchaient au plus vif de l'imagination de Giono. L'histoire d'une passion impossible, prenant ici la forme d'un amour incestueux, portait à la limite cette relation de fraternité qui hante plusieurs autres œuvres. Simultanément, Giono se proposait de mettre en scène dans* Dragoon *quelques-unes des réalisations les plus spectaculaires de la technique contemporaine, notamment dans le domaine des travaux publics, et il prévoyait de montrer ces machines ou ces installations non plus seulement comme destructrices du monde naturel, mais aussi bien comme incarnant désormais la féerie. A elles seules, les parties rédigées et les notes de préparation ouvrent d'innombrables pistes au commentaire et à l'interprétation critique. Je me bornerai ici à retracer dans son progrès la genèse de* Dragoon, *autant que possible à l'aide de citations de Giono. Il s'agit de permettre au lecteur de suivre la démarche de l'invention, en choisissant parmi les milliers de notes des carnets celles qui jalonnent cette démarche, en les mettant en relation, en les éclairant lorsque cela est nécessaire. Pour cela, en l'absence du texte écrit dans lequel ces indications auraient été développées, il faut souvent se tourner vers les récits oraux rapportés par différents témoins. Ce sont eux qui donnent les grandes lignes de l'histoire. Superposées, ces vues cavalières recomposent le dessin du roman; elles permettent de situer l'une par rapport aux autres les parties volontairement entrecoupées des deux versions écrites et d'en déchiffrer les allusions. Carnets et récits forment deux séries dont les données complémentaires portent aisément le lecteur au-delà de la dernière ligne écrite* [1*].

* Voir les notes en fin de volume, p. 306 et suivantes.

Parmi diverses indications, il est vrai peu précises, que donne Giono, la date la plus ancienne à laquelle il fasse remonter l'idée de Dragoon *est 1961* [1]. *Or cette année est celle où le projet de création d'un centre nucléaire à Cadarache, contre lequel il proteste* [2], *rappelle plus particulièrement son attention sur ce lieu, tout voisin de Manosque, qui était destiné à devenir le décor d'une des toutes premières scènes de* Dragoon. *Plus souvent, Giono situe en 1962 le début de son travail* [3]. *Parmi les documents actuellement disponibles, c'est dans le carnet commencé en juillet 1963, dont le début est consacré à* Ennemonde, *qu'apparaissent les premières séries de notes touchant au futur* Dragoon. *Elles font d'emblée allusion, sans s'y attarder, c'est-à-dire comme à un point acquis, au « frère » et à la « sœur ». Et de fait, dès la première fois où Giono parlera du roman à venir à un journaliste, il précisera : « Le nœud de* Dragoon, *c'est l'amour entre un frère et une sœur* [4]. *» L'histoire, dans ces premières notes du carnet, est abordée par un épisode que l'on retrouvera mentionné dans la version de 1965 : la démolition pierre à pierre de la maison familiale dans laquelle ils ont passé leur enfance et leur adolescence, et où leur amour s'est donc révélé. En la faisant démolir, le « frère » espère faire revenir la « sœur » qui l'a fui.*

Cette maison a déjà un nom, qui existe bien dans la région [5] *: « Dans le pays, on l'appelle Longagne, ce qui signifie : "J'ai le temps", ou "Rien ne presse", ou "Tu n'as pas fini d'en voir" (carnet « Juillet 1963 », f°s 20-21* [6]*). Cette glose est en elle-même un gauchissement du sens originel. Longagne vient du provençal* loungagno, *qui signifie à la fois « retard, lenteur » et « personne qui se met en retard, lente ou nonchalante » (Mistral,* Lou Tresor dou Felibrige*). Tout se passe comme si l'histoire de l'amour différé entre Stephen et Florence s'était ébauchée en relation avec le sens du nom de lieu sur lequel s'étaient arrêtées l'attention et l'imagination de Giono* [7]. *On le verra plus tard, à un moment d'arrêt de l'invention, repartir en imaginant de même une origine au nom du second des deux lieux entre lesquels se partage l'histoire de* Dragoon, *le « Ménage d'Espagne »* [8].

En même temps qu'il note le nom de Longagne, Giono esquisse le dialogue du frère — encore sans nom, mais qui recevra le sien trois pages plus loin dans le carnet — et de l'entrepreneur de travaux

publics, son ami, auquel il s'est adressé pour la démolition :
« Je ne veux pas de bulldozer. Tu viens avec trois hommes. Vous commencez par le haut, tout doucement, je ne suis pas pressé. Les tuiles. Les poutres.

— Ce sont de vieilles tuiles. Si tu me les laisses, je te fais un prix. J'ai toujours preneur pour des vieilles tuiles.

— Tu ne me fais pas de prix, mais tu casses toutes les vieilles tuiles en petits morceaux, même en poussière, de même pour les pierres des murs. Ce n'est pas une démolition ordinaire, fais ce que je te dis et ne raconte rien à personne (f° 21). »

La même page du carnet apporte deux précisions sur cet épisode de la démolition. La première est chronologique, et il n'est pas exclu que les deux dates successivement assignées à ce moment de l'histoire soient aussi bien celles de la rédaction même de la note : « On commença à démolir la maison le [*5 mai*] *23 juin 1964*[1]. *» La seconde considère un malentendu à prévenir : « Cette démolition n'est pas un symbole (le dire). » Comme toujours, Giono mêle les notes qui enregistrent au fur et à mesure le progrès de l'invention et les réflexions portant sur la technique narrative. D'un côté, parce qu'à ce moment il envisage, semble-t-il, de prendre le temps de cette démolition pour cadre de tout le récit, il écrit : «* Les Ames fortes *ne duraient qu'une nuit. Là on aurait au moins trois semaines et donc des événements extérieurs modernes, des arrivées et des départs » (f° 21), ou encore il imagine de mêler aux paroles prononcées par Stephen le discours intérieur qu'il se tient au même moment, imprimé en italiques. D'autre part il pose immédiatement le second pôle du futur roman en écrivant : « Il serait très facile de rattacher le drame à tout ce qu'on voudra : Shell-Berre si on veut » (f° 21). Il faut rappeler que, l'année précédente, Giono a fait, dans une préface à* Tristan[2], *une description lyrique des raffineries de pétrole de Shell-Berre, présentées comme un « château-fée » des temps modernes. Il n'a d'ailleurs pas manqué d'indiquer le revers de la médaille : ces merveilles techniques de notre temps sont si fascinantes que les garçons en viennent parfois, pour une auto, une moto, un poste de radio, à délaisser l'amour — d'où, au contraire, l'exaltation de la peinture qui en est faite dans* Tristan. *Ainsi, avec la passion de Stephen et de sa sœur et la référence à Shell-Berre, sont déjà* virtuellement réunis dans le dynamisme de leur opposition les deux éléments autour desquels devait se développer Dragoon. A ce moment, le récit est désigné dans le carnet sous le titre de « Cœur » ou de « Cœurs » (fos 5, 25, 27, etc.[1]).

Le projet ne tarde pas à s'enrichir dans chacune des deux lignes esquissées. Quelques pages après ces premières notes, on lit, juxtaposées, ces deux indications : pour ce qui est du frère et de la sœur, cette formule de leur désir : « Abolir le monde des formes dans lequel leur passion est anormale. Aller vivre devant le paysage de l'usine Shell-Berre comme les amants romantiques allaient vivre à Val de Mossa[2] »; pour la représentation de la technique moderne, cette précision : « Dès le début, description du gros engin à asphalter les routes » (fo 27) : ce sera le « Dragoon » (naturellement prononcé à l'anglaise : « dragoun ») destiné à donner son titre au roman. Désormais, dans cette période préparatoire qui précède le début de la rédaction, les notes se succèdent régulièrement. Cependant qu'il réunit les morceaux épars de Deux cavaliers de l'orage, qu'il médite de nouveaux Récits de la demi-brigade et écrit « La Belle hôtesse », Giono fait peu à peu sortir du néant ses personnages, les humains et les autres. Il précise — ou du moins il esquisse en la qualifiant — la manière dont le frère et la sœur acceptent la passion qui leur est donnée à vivre : « GREC. Stephen et Zoé [premier prénom de celle qui deviendra Florence] considèrent leur amour comme les héros d'Eschyle, Sophocle, Euripide considéraient leur passion. Ils sont obligés. Ils doivent obéir. Au milieu de tout le reste qui "n'est pas grec" » (fo 29). Prévoyant de faire intervenir cette soumission à leur destin à la fin du roman, il imagine une « double déclaration par termes interposés [...] C'est dans ce dernier dialogue qu'il faudra être grec » (fo 30). On peut sans doute rattacher à cette référence « grecque » l'indication un peu postérieure : « Le frère et la sœur, le couple, aussi beaux ensemble que deux beaux chevaux » (fo 49). Contemporain de ces notes, apparaît un titre nouveau, que l'on retrouve pour désigner le roman dans une lettre de décembre 1964 : « Une Rose secrète » (fo 31[3]).

A cette époque, Giono rédige de nombreuses chroniques pour des journaux. L'évocation, toujours sévère, du monde contemporain, et sa comparaison avec celui que Giono a connu dans son enfance sont un des thèmes favoris de ces chroniques. Est-ce pour cela? L'idée du « passage d'un temps à l'autre » dans le roman en projet se fait jour à ce moment du travail : « Dans la période moderne, rattacher les personnages dramatiques modernes aux anciens, par les noms et les caractères (l'habitat aussi). Le paysage seulement décrit dans l'ancien, le moderne ne présentant que les modifications qui y ont été apportées » (f° 49). Giono retrouve là le schéma narratif qui devait déjà structurer le cycle du Hussard, dans le projet initial en dix volumes. Il n'a pas fini de rêver sur les possibilités qu'offre à l'imagination et au plaisir de conter l'histoire d'une famille (ou plus) sur plusieurs générations. « Des thèmes, des obscurités, des résurgences. Poser d'abord les caractères pour qu'on puisse en attendre avec anxiété les retours héréditaires jusqu'à l'époque moderne. L'incapacité d'aimer. Le brigandage. Et pour l'inceste? » (f° 47.)

Dès lors, l'invention va se jeter dans le champ qui lui est ainsi ouvert, cependant que Giono commence à rédiger la première version de Dragoon. Sur des pages et des pages du carnet de travail, il va remonter de génération en génération les deux lignées qui ont abouti d'un côté au frère et à la sœur, de l'autre à l'entrepreneur de travaux publics chargé de la démolition de Longagne, qui est aussi l'acquéreur de l'asphalteuse. Celle-ci est maintenant passée au premier plan et ne va pas tarder à trouver son nom. « Faire de la “machine” (G.R.C. 2) un personnage central, énorme, comique, entouré de X [le futur Zacharie] et ses quatre fils (quatre Vulcains). Cette machine dans un pays sans route, et qui fait les routes si vite que toutes les entreprises des quatre fils sont finies en 5 à 6 minutes (une heure) » (f° 55). Deux pages plus loin, voici son nom, à la fois technique comme il se doit et chargé de connotations dont nous aurons à suivre les élargissements successifs, comme des ondes autour d'une pierre jetée dans l'eau : « Dragoon Fortragbaren Md 6 » (f° 57). Et Giono de relancer immédiatement le mouvement de l'invention en se posant la question de « l'origine de l'argent pour acheter le monstre ». La réponse immédiate à cette question est dans le personnage et dans l'histoire de Magloire Le Duc, le père de Zacharie, telle qu'on peut la lire dans la première version du récit. Mais, au-delà de ce père que

Zacharie a connu, il y a des ascendants, et d'abord son grand-père, Ebenezeh, dont il ne sait rien, mais sur le compte de qui il s'interroge, et la question dépasse celle qui concerne l'origine de la fortune : « De quoi suis-je fait ? » (f° 89). Dans le texte rédigé, finissant d'évoquer les mystères de Longagne, Zacharie se demandera : « D'où vient que j'étais à mon aise dans ces coups de lumière sur d'étranges figures et ces ombres retentissantes de profondeur ? » (ci-dessous p. 71). Sur ce point, les esquisses du carnet étaient plus précises : « Z. à la fin de ce chapitre : "Je ne sais pas, il me semble que j'ai en moi beaucoup d'ombre. D'où me viennent ces idées ? " Et on passe à Ebenezeh » (f° 85[1]).

Pour doter Ebenezeh d'une histoire et d'un environnement, plus exactement d'un contexte, Giono n'a pas eu loin à aller. Ces premiers mois de 1965 sont ceux où, tandis qu'il laisse se former en lui Dragoon, il rédige le dernier des Récits de la demi-brigade qu'il écrira, « La belle hôtesse »[2]. Et si Ebenezeh était un de ces brigands avec qui Martial joue à cache-cache ? Ou du moins un brigand de la génération précédente, puisque lui opère en 1804[3]. De même que dans la première page de « La belle hôtesse », l'histoire d'Ebenezeh sera présentée sous la forme d'un interrogatoire au cours d'une instruction criminelle. Quant au « Ménage d'Espagne » par lequel passait Martial en chemin vers Ginasservis[4], il va devenir après Longagne le second foyer des histoires racontées dans Dragoon.

Sans doute ces histoires ont-elles atteint le point de maturation, entre une trop grande imprécision et une trop grande précision, qui déclenche le désir d'écrire : deux pages après l'apparition du nom de Dragoon s'inscrivent dans le carnet les premières esquisses de phrases que l'on retrouve, parfois identiques, dans le récit; Giono a commencé à rédiger ce qui ne sera que la première version du début de son roman. Diverses indications chronologiques, dont une dans le texte même[5], permettent de situer au printemps de 1965 ce premier début de rédaction.

De toute évidence, c'est à cette partie de récit déjà rédigée que se réfère Giono lorsqu'en septembre de la même année, dans une interview, après avoir dit un mot du « nœud » du roman à venir, c'est-à-dire de l'amour du frère et de la sœur, il ajoute : « Pour expliquer *certains caractères, nous devrons remonter dans le passé, à la* Demi-brigade *par exemple.* [...] *Et savez-vous où s'exerçait le brigandage? Dans un lieu appelé Cadarache, devenu aujourd'hui usine atomique, à huit kilomètres de Manosque. Quand j'étais enfant, j'entendais parler de Cadarache comme d'une Babylone. Dans* Dragoon, *on retrouvera aussi Cadarache. C'est là que la femme de Zacharie, Mafalda, piégeait les renards. Quand elle attrapait un mâle, elle le suspendait à un arbre et les femelles ne tardaient pas à rappliquer. Il y aura tout un imbroglio, une scène comique entre Mafalda, qui veut revoir son arbre aux renards, et le C.R.S. qui le garde et qui n'y comprend rien*[1]. »

On trouvera effectivement, dans les pages qui suivent, des histoires qui, sous la forme des « aveux » d'Ebenezeh Le Duc, renouent avec les Récits de la demi-brigade, *puis la scène qui place Zacharie et Mafalda devant le Cadarache moderne, enfin l'évocation des anciennes captures de renards. Quant aux circonstances dans lesquelles l'amour s'est révélé entre Stephen et Florence, elles se sont précisées dans les mêmes pages des carnets. Il y a eu, pour commencer, cette mention isolée : « Les deux enfants (le frère et la sœur) perdus* dans le désert d'amandiers *» (f° 68). La scène s'est ensuite immédiatement imposée : « La rencontre du cadavre de résistant après un combat dont ils n'ont rien entendu. Elle et lui se sentent enfermés* dans l'horreur et la cruauté. *Ils n'ont déjà de ressources que l'un dans l'autre. Naissance de l'amour. A ce degré (âge), on peut* décrire l'amour » (f° *68). Cinq pages plus loin, de nouveaux détails s'ajoutent : « Les enfants devant le cadavre. L'amour et la mort. Devant la mort ils se réfugient dans l'amour. Ils sont attirés par le spectacle de la décomposition. Rapidement plus de mauvaise odeur (qui n'est pas si mauvaise) — le travail des vers et des bêtes* — renards — *C'est un spectacle dont ils ne peuvent pas se détacher et qui renforce leur amour (décrire cet amour, semblable à celui des grandes personnes, dans ces enfants frère et sœur) » (f° 73). Cette « description », nous la retrouverons en effet dans le texte de la première version.*

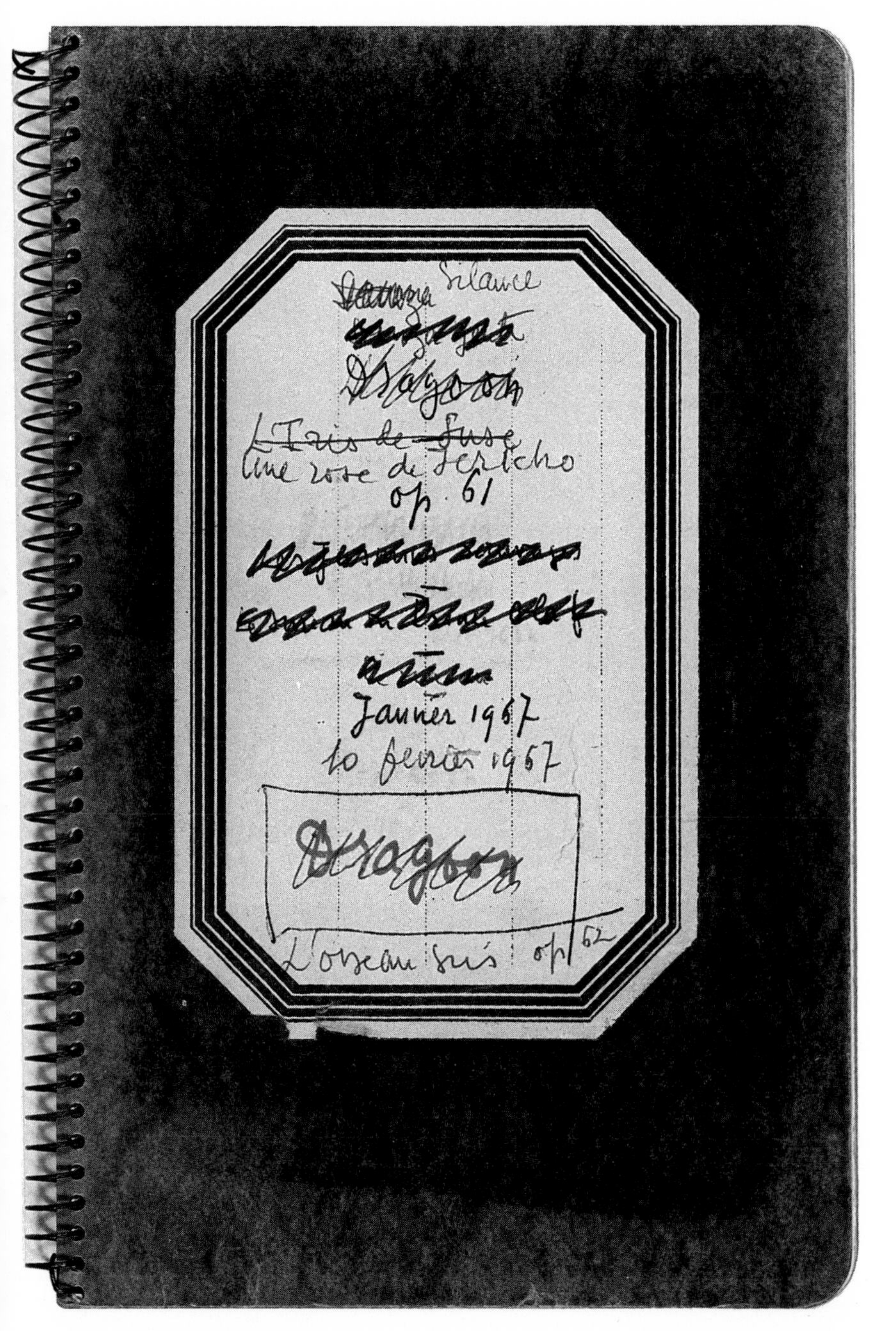

Couverture du carnet « janvier 1967 ».

Dragoon

Dragoon Fortragbaren M et 6

Zacharie Le Duc

Magloire — (père de Zacharie

~~Zebulon~~ Le Duc — père de Magloire grand père de Z

Noma — Piénine mère de M et grand mère de Z.

guerre du Transvaal

mort à Gémenos

Carnet « juillet 1963 », folios 58-59.

C'est ~~[illegible]~~ Zaca (Zacharie) le Duc
qui eut l'entreprise de cette rectification.
Il avait toutes les entreprises de route. (concassems,
discupt. entreprise et famille Zaca.
puis fortune et retour à celle qui faisait jouer au
Rokes (mais qui avait déjà la morve, par son mari
sur le route de [illegible]
Le plan de Barjette, les grands fumiers
Rigaudon, Le vallon du menuisier, le chêne de
l'assassin Mal HIVERT. Le grand Rin.
Colline noire

Il légua le meilleur de cette tête à Mafalda

~~Nous~~ renards
vois l'endroit où ma
sœur aînée pensait des renards.
Quoi, c'est l'Ange : qu'est ce qu'elle faisait
moi aussi je pensais des renards, dit Mafalde
mais, plus bas : à Mal-Hivert, à une jeune
a qui c'est l'ange
à un chêne vert.
sont les feuilles dans le
sont légers par le haut
Elle expliqua qu'elle et
ses sœurs gardaient toutes
les nuits les lacets de course
entre leurs cuisses, pendant
des mois.

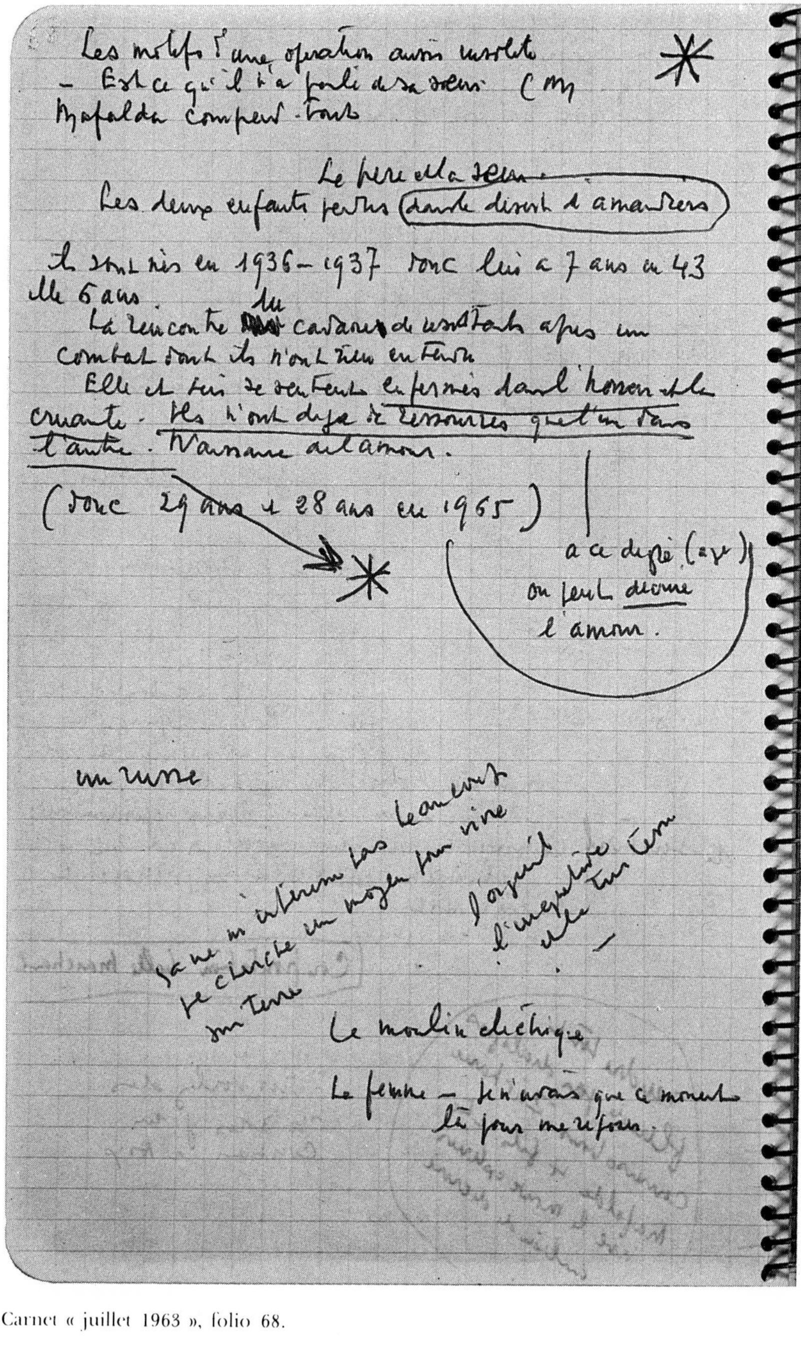

Les motifs d'une opération aussi insolite
— Est-ce qu'il l'a poussé à sa sœur (cf
Mafalda [illegible]

Le père et la terre
Les deux enfants perdus (dans le désert d'Amanders)

Ils sont nés en 1936-1937 donc lui a 7 ans en 43
elle 6 ans.
La rencontre des cadavres de résistants après un
combat dont ils n'ont rien entendu
Elle et lui se sentent enfermés dans l'horreur et la
cruauté. Ils n'ont déjà de ressources que l'un dans
l'autre. Naissance de l'amour.

(donc 29 ans et 28 ans en 1965)

à ce degré (âge)
on peut donner
l'amour.

un russe

ça ne m'intéresse pas le bonheur
je cherche un moyen pour vivre
sur terre

l'orgueil
l'inexplicable
de la terre —

Le moulin électrique

La femme — je n'aurais que ce moment
là pour me reposer.

Carnet « juillet 1963 », folio 68.

Première version

...et procédant en continuation d'information, avons fait amener Ebenezeh Le Duc, de Rians, lequel libre et sans fers a été interrogé comme suit :

Demande : Je vous interpelle de désigner parmi ceux que vous avez déclarés dans vos précédents interrogatoires et réponses pour avoir fait partie des bandes de brigands et pour avoir coopéré activement à des expéditions, qui sont ceux à votre connaissance qui sont morts?

Réponse : Il est à ma connaissance qu'Archier, d'Auriol, a été fusillé par jugement de la commission militaire; qu'Esprit Arbaud [1], de Jouques, a été tué à l'expédition de Varages, par sa faute, s'étant attardé pour des outrages sur la petite Claudine Jaïs qui avait encore un couteau; qu'Isnard, de Saint-Julien-d'Asse, se trouve encore détenu aux prisons de Digne, ayant déjà été condamné à vingt ans de fers pour être jugé à raison d'autres crimes; qu'Auzet, de Rians, fut fusillé à Vinon par des militaires; que Brunet, de Saint-Just, fut assassiné par des paysans à Saint-Just même; que Joseph Gouin, de Moustiers, a été fusillé à Digne; que Joseph Buisson, de Trets, fut tué dans le terroir de cette commune, dans le verger d'amandiers entre le pont de Farges et le puits du Languedocien par la colonne des éclaireurs et les carabiniers; que Bergier, de Trets, a dû être guillotiné à Draguignan; que Laurent Bidoit, de Rians, a été fusillé à Rians au devant de sa maison en vertu d'un jugement de la commission militaire; que Charles, de Cadenet, a été fusillé par la colonne mobile de Peyruis; que Teste, de Cadenet, parallèlement, mais à Montfuron; que les frères Canton doivent avoir été guillotinés, à ce que je crois, à Aix. Castinel, d'Aix, doit avoir été guillotiné ou fusillé. Camille doit avoir subi le même sort. Doré, de Salon, a péri à l'explosion d'Aups. Pierre Isnard, de Tourves, fut tué par deux ou trois charretiers qu'il arrêta sur la grand-route dans le voisinage de Pourrières, et à ce que je crois au quartier dit de la Porte-rouge. Honoré Leth, de Rians, a été pris pour guide par des militaires et fusillé par eux au terroir de Vinon. Joseph Martin a été fusillé par ses camarades pour une femme. Marcel, d'Auriol, a été éventré à coups de faux par des paysans. Jean-Baptiste Moutte, dit le Boiteux, parce qu'il l'était réellement, a dû mourir à Draguignan, aux prisons ou à l'hôpital. Nîmes, le gendarme, périt au terroir de Pourrières dans une chasse ou battue que fit faire le général Guillot. Péchant, d'Aix, fut fusillé l'an passé dans le bois de Cadarache par les gendarmes déguisés. Payan, de Forcalquier, a été condamné à vingt-deux ans de fers, ce qui équivaut bien à la mort, par le tribunal criminel de Digne.

J'ajoute qu'il y avait un autre Payan, de Forcalquier, gros de taille, que je crois cousin du précédent, lequel a pareillement fait partie des bandes et concouru à plusieurs expéditions de brigandage en ma compagnie, et notamment à l'arrestation de plusieurs voyageurs qui retournaient de la foire de Barjols, parmi lesquels les citoyens Barrême, Vincent et Bonne, négociants de Rians. Cet autre Payan de Forcalquier se trouve actuellement à faire le marchand de dentelles du côté de Lyon. Les uns meurent, les autres ne meurent pas. Trophime Romané[1] a été guillotiné à Draguignan. François Silvy a été tué dans Pourrières par les militaires du Camp du Logis-Neuf. Ce Silvy est surnommé le Duc, mais ce n'est qu'un surnom et il n'y a aucun lien de parenté entre lui et moi. Le petit conscrit de Saint-Martin-de-Brômes a été blessé par des gendarmes déguisés dans le bois d'Ollières, dans la cabane que nous avions faite, et il vint ensuite périr dans la bastide de sa marâtre au terroir de Simiane, au quartier de Saint-Martin-le-Darnagas.

Souques, de Beaumont, a été tué par les éclaireurs, à Jouques, chez une de ses tantes. Tiste, dit le Poil-Rouge, de La Verdière, ainsi que son frère et un nommé Pierre furent fusillés alors qu'on les traduisait à la prison, s'étant rebellés quoique enchaînés, dans la traversée des bois de Cadarache. Je me rappelle qu'avec les trois précédents le nommé Joseph de Cadenet avait été saisi et arrêté à Ginasservis, et qu'on avait commencé de l'assassiner en même temps que les trois autres, mais que ledit Joseph de Cadenet avait eu le bonheur de s'échapper en s'enfuyant, car il n'avait pas les jambes entravées, et en se cachant dans les bois, malgré les soixante blessures environ qu'il avait reçues, des coups de baïonnette dont presque tout son corps était criblé, chose que j'aurais peine à croire si je ne l'avais vue de mes yeux, pendant le séjour long et nécessaire pour se faire panser et guérir dans une bastide dite Vaubelle, au terroir de La Verdière, où il resta longtemps caché, et où un chirurgien de La Verdière venait assidûment et régulièrement le traiter pour sa guérison, et en effet ledit Joseph de Cadenet fut tiré d'affaire. Louis Payan, de Rians, fut brûlé dans le four. Ce four est à l'entrée du village du côté de Vauvenargues et de Saint-Maximin, près de la fontaine soi-disant salée (qui a un petit goût); les gens de Rians viennent y enfourner leur pain particulier. Il se trouva que ce jeudi, vers les dix heures du matin, on venait juste de défourner les pains de Virginie Ripert et de Madon Icard. On s'apprêtait à chauffer pour les fournées d'Adélaïde Baron, de Cataud la belle hôtesse qui faisait auberge[1], et de quelques femmes du Bourg-Neuf.

Tout ce monde, et quelques hommes, parmi lesquels il y avait cette grande gueule de Baumont dit Poil-de-Soie, était très excité par l'assassinat de Christine Coulomb et d'Alexis Rougier, survenu l'avant-veille, au quartier dit le Ménage d'Espagne [1]. Assassinat fait au moule pour l'émotion populaire.

Christine Coulomb, la Christine qui était bien connue, qu'on voyait toujours au marché derrière son panier d'œufs, avait été frappée d'un coup de poignard du haut en bas, lequel, pénétrant un peu par-dessous le cou à défaut du devant de l'épaule, vint sortir de la poitrine; on lui avait aussi martelé les pieds, probablement pour lui faire avouer la cachette de ses picaillons. Quant à Alexis Rougier, c'était encore plus joli : on l'avait étouffé en lui enfonçant des chiffons dans la gorge, et pendant qu'il mourait on avait outragé sa jeune femme, de telle façon qu'elle en était estropiée pour la vie. Il y avait de quoi avoir peur. Poil-de-Soie disait de Violette Rougier des choses à faire frémir. C'était son rôle de bel homme au milieu de toutes ces femmes. Ils étaient donc là une trentaine de personnes devant le four, en train de mélanger la peur et la distraction, quand arriva du côté de Vauvenargues ledit Louis Payan entre deux gendarmes. Il fut troussé en un rien de temps et, d'un mot à l'autre, fourré la tête première dans le four, où l'on enfourna à sa suite des fascines de bois sec avec un luxe insolent.

Ce four ne fut détruit qu'en 1964, quand on élargit l'étroit virage et le carrefour dans lequel les gros camions de trente tonnes qui transportent la bauxite à l'usine de produits chimiques de Saint-Auban restaient coincés et étaient obligés de manœuvrer péniblement. Cette rectification de route déplaça d'abord la fontaine (à cette occasion on fit analyser l'eau et on s'aperçut que depuis cent cinquante ans on buvait de l'eau non potable). On prit ensuite un grand morceau au jardin d'Honoré Leth le garagiste, et on démolit le four. On y avait fait du pain régulièrement jusque vers 1880, 1890; on recommença pendant l'Occupation en 1940-1941; après il servit de cachette aux enfants.

C'est Zaca (Zacharie) Le Duc qui fit cette rectification de virage. Dans la région il avait l'exclusivité du travail pour les Ponts et Chaussées. A un moment donné, il faillit avoir la concurrence des G.E.M. (Grandes Entreprises du Midi) ; mais cette société se garde bien d'aller franchement à l'encontre des intérêts particuliers quand ils sont solidement établis et qu'on peut s'entendre avec eux. Zaca était très bien outillé ; ses quatre comptes en banque étaient largement créditeurs ; il honorait ses contrats mot à mot, il travaillait vite et bien, sans la moindre histoire. Il perdait de l'argent quand il fallait, et même quand il semblait qu'il ne fallait pas, mais à des moments bien choisis. Les G.E.M. firent le poker habituel ; quand ils virent que Zacharie suivait sans effort, ils arrêtèrent les frais. Ils étaient un peu épatés.

Zacharie naît en 1895 de Magloire Le Duc et d'une fille Taxil Élisabeth, installés à la bastide dite Domaine d'Espagne, terroir de Pourrières, à deux heures de chemin de Rians, du côté de Ginasservis, sur la droite. Cette bastide appartenait à une dame d'Astos. Les Magloire l'achètent, recta. C'est même ce recta qui fait qu'ils emportent l'affaire : jusque-là, Béatrice d'Astos n'a pas voulu vendre. Elle ne résiste pas à la vue de l'or comptant. Magloire n'est pas paysan ; il vient de Toulon. Élisabeth aussi.

Zacharie fait la guerre de 14 dans l'infanterie. Il s'en tire, non seulement sans blessure, mais sans traces. Il ne réclame pas la retraite du combattant ; il n'adhère à aucune association de grognards. Il ne dit jamais : « Moi, à Verdun. » Il n'est pas décoré, ou s'il l'est ça ne se voit pas. Il rentre à Espagne et en 1920 il se marie avec une Italienne, plus exactement une Piémontaise nommée Mafalda, fille des Martano, les bouscatiers qui font du charbon de bois dans Cadarache. Zacharie et Mafalda ne commencent à avoir des enfants qu'en 1927. Jusque-là Zacharie grignote des collines : il fait du gravillon pour les routes. Puis, peu à peu, il se lance à faire les routes elles-mêmes, d'abord des petites, ensuite des grandes. Il achète du matériel un peu partout, en Allemagne, en Italie. C'est ce matériel qui épate les G.E.M. Il y en a pour des millions. En 1927, Zacharie est chargé de refaire le tronçon de la Nationale 7 entre le carrefour de Rousset et le Logis-Neuf.

A partir de là il a quatre fils : Auguste en 1927, Octave en 1928, Aurélien en 1929, Titus en 1930. Il travaille pendant cinq ans, toujours sur la 7 entre Avignon et Aix. Il ne se mêle pas de la guerre de 39, et tout de suite après il achète toutes les machines qui viennent d'Amérique : Bulldozers, Wheel-Ditchers, Super Lodmasters 1000, 2000, 3000, Big Craders, Scrapers, Conveyers, Dumpers, tanks à bitume et à fuel, etc. [1]. Il a déjà ses quatre garçons avec lui. Il les avait mis au lycée d'Aix, il a été obligé de les retirer, ils faisaient le mur pour aller travailler gratuitement dans des garages. On lui donne le kilomètre quatre, puis le kilomètre neuf et tout l'arrangement de la boucle double zéro sur l'autoroute de l'Esterel, et c'est à lui qu'on fait appel après la faillite de l'entreprise Gastinel pour aménager la sortie sur Cannes, avec les trois ponts.

Pendant la guerre de 14, Mafalda faisait donc du charbon de bois dans Cadarache avec Martano, son père, le Sicilien [2] comme on l'appelait, sa mère et ses trois sœurs. Le domaine n'était plus ce qu'il avait été jusqu'au début du siècle, c'est-à-dire le plus grand ménage de tout le pays, avec ses bâtiments de ferme, maison de maître et chapelle bâtis dans le lit même de la Durance sur un énorme rocher fait de cent milliards de coquilles d'huîtres et ses treize cents hectares de bois répandus jusqu'à Ginasservis et Rians.

A la fin du siècle précédent (le XIXe), quand on avait dit : « le Ménage de Cadarache », on avait tout dit. C'était Babylone ! Trente mille moutons, quarante bergers, des laboureurs, trois cents moissonneurs. Vers 1914-1915, cette Babylone était bien endormie. On ne labourait plus qu'en bordure de la Durance et on avait cédé (pour la première fois) une coupe de bois au Sicilien, à condition qu'il fasse un peu le garde-chasse. Martano était habile à piéger le renard. Ce n'est pas rien. Même avec du poison, c'est difficile, et Martano ne se servait que de fil de fer. Il fallait de la tête.

Un peu avant son mariage, Mafalda avoua à Zacharie que c'était elle (et ses sœurs) qui piégeaient les renards. « C'est un travail de femme », dit-elle. Son père était tout juste bon à construire les charbonnières et sa mère à faire la soupe. Mais les trois sœurs avaient beaucoup appris et s'étaient beaucoup perfectionnées en frappant du museau contre le bronze des forêts pour sortir de la ratière. Elle fit remarquer à Zacharie (qui la courtisait et dont elle était le saint Jean Bouche d'or) qu'elle n'attrapait couramment dans ses pièges que des mâles. Elle lui fit cette remarque un jour où elle avait précisément attrapé un superbe mâle qu'elle avait pendu à la branche d'une yeuse. L'animal, un peu étiré il est vrai par la raideur de la pendaison, faisait plus d'un mètre cinquante, des babines à la pointe de la queue. C'était au quartier de Mal-Hivert, au-dessus du Plan de Bargette. Zacharie avait laissé sa moto en bas dans le fossé de la route et il était assis à côté de Mafalda à cinq ou six mètres à côté du pendu. Ils ne parlaient pas, et au bout de peut-être une heure de ce silence où l'on n'entendait que le frémissement des chênes blancs, ils entendirent des soupirs très tendres. Il y en avait de tous les côtés : dans le vallon à leurs pieds, sur les pentes de la colline en face, sur les crêtes qui les dominaient, dans le vallon de Jauffret, à la combe Buisson, au ravin du Médecin, sur les crêtes de Curviel et de Camp de l'Eguies, dans le Deffens du petit parc, partout! C'étaient de petits gémissements très tendres, très agaçants pour des amoureux, et qui finalement avaient quelque chose de funèbre. « C'est la chanson des veuves », dit Mafalda. Elle expliqua à Zacharie que du mâle pendu devait suinter une sorte d'odeur particulière qui prévenait les renardes de sa mort. Elles allaient maintenant chanter pendant plus de quarante-huit heures autour du cadavre, certaines s'approcheraient jusqu'à une quinzaine de mètres d'ici et feraient le cercle, cette nuit, en continuant à chanter.

Zacharie avait été très impressionné par le renard pendu,

raide comme balle, qui ne pourrissait pas, que le vent et les abeilles desséchaient.

« Bien sûr, dit Mafalda un autre jour, il y a un truc, et c'est très simple. D'abord je ne les attrape pas avec un fil de fer. Je les pends avec un fil de fer, mais à ce moment-là ils sont déjà morts. Je les attrape avec un lacet de cuir.

– Mais, dit Zacharie, ton lacet de cuir, d'un coup de dent, il te le coupe.

– D'abord, dit-elle, ce n'est pas n'importe quel cuir. C'est de la peau de blaireau, avec son poil, et si je te dis qu'il y a un truc, c'est qu'il y en a un. Regarde. »

Elle releva ses jupes et elle lui montra une lanière de peau de blaireau toute crue qui lui entourait le ventre.

« Mes sœurs et moi nous les portons sur la peau pendant cent vingt-cinq jours avant d'aller en faire des lacets dans les taillis. Tu vois que mon père ne pourrait pas réussir ces coups. Il faut notre odeur pour que les mâles se laissent étrangler. »

Il y a maintenant quarante-cinq ans que ce renard mâle était pendu à la branche de l'yeuse, au flanc de Mal-Hivert, au-dessus du Plan de Bargette, et le miel que les abeilles en ont fait a été mangé depuis longtemps. Ce pauvre Plan de Bargette a bien changé. C'était une terre d'alluvions le long du ruisseau, sur laquelle ceux de Cadarache venaient faire un peu de trèfle et d'esparcette. Ce plan-là, on ne peut plus l'approcher. Sur lui, sur Mal-Hivert, sur Rigaudon, le vallon du Ménétrier, le Chêne de l'Assassin, sur le Grand Pin, la Colline Noire, les Grandes Fumées, sur tous ces lieux-dits, on a installé une usine atomique, le Centre de Recherches nucléaires de Cadarache, où on construit le moteur du sous-marin atomique, paraît-il.

Aujourd'hui (1965), Zacharie a soixante-dix ans et Mafalda soixante-huit; ils se suivent de près. Pour le Mardi-Gras (2 mars), ils sont revenus à Mal-Hivert faire un tour, l'après-midi, pendant qu'Auguste et le comptable sont aux prises avec la déclaration d'impôts sur la table de la cuisine. Ils sont passés par Ginasservis, comme faisait Zacharie avec sa moto quand il courtisait Mafalda. Ils viennent donc par le nord. Ces hauteurs sont bruyantes; le vent ne les laisse jamais en repos; les rafales y soulèvent de grands oiseaux. Certains, déséquilibrés par l'air bourru, viennent presque se plaquer sur le pare-brise. En tout cas, un, on l'a bien entendu, a frappé le capot avec son aile.

On voit loin : on voit Lure où il y a un peu de neige; on voit les Trois Évêchés où il y a beaucoup de neige; on voit le bleu qui dort, malgré la bourrasque, sur la vallée de la Durance. Puis la route descend dans le vallon du Médecin et on ne voit plus que le vallon qui est intime.

Il y a bien vingt ans qu'ils ne sont plus venus par ici. La dernière fois, c'était pour le premier quatorze juillet après la guerre. Maintenant, à un certain endroit, il y a un carrefour d'où une route toute neuve part pour Aix d'après ce que dit la pancarte; l'ancienne route est marquée route privée. C'est pourtant celle-là qu'il faut prendre si l'on veut retrouver le chêne vert à la branche duquel Mafalda pendait ses renards. Il y a vingt ans, Mafalda a cru le reconnaître, et pour couper court à la discussion, Zacharie l'a aussi reconnu. Depuis, il est revenu vingt fois sur cette reconnaissance. Il prétend qu'en réalité le vrai chêne était plus haut dans la pente et plus au sud vers Cadarache.

Un kilomètre après le carrefour de la nouvelle route (qui remplace l'ancienne, se dit Zacharie, qui n'en dit rien à Mafalda), l'ancienne route est barrée par une grille en fer, qui est une sorte de porte, mais fermée, et pas fermée comme le sont habituellement les portes, fermée avec des sortes de grosses boîtes rondes et rouges, semblables à des cachets de cire, et qui sont, se dit Zacharie, probablement des fermetures électriques commandées à distance par des postes de garde. Il regarde Mafalda du coin de l'œil : elle est fraîche comme la rose. Le froid lui donne des couleurs, elle est toujours aussi dodue que lorsqu'elle pendait les renards et elle a l'œil candide, innocent, d'azur, de Bon Dieu sans confession, qui ne présage rien de bon (Zacharie le connaît bien, cet œil). Mafalda n'a pas l'air de beaucoup aimer cette porte en fer en travers de sa route. Elle demande : « Qu'est-ce que c'est? » mais c'est à elle-même qu'elle pose la question et Zacharie se garde bien de répondre. Il arrête la voiture à un mètre de la grille. De chaque côté de cette grille partent des grillages métalliques énormes, renforcés, épais d'un doigt, hauts de deux mètres, crêtés de pointes, qui escaladent la colline en Muraille de Chine et s'en vont, à perte de vue, de droite et de gauche. « Ils ont fait du beau », dit Mafalda. C'est toujours pour elle qu'elle parle. Zacharie ne souffle pas mot, surveille l'œil : il ne se risque même pas à rouler une cigarette; il range la voiture, et, dans ce rangement, il fignole, il s'attarde, marche arrière, marche avant : enfin, il lui faut mettre pied à terre et s'approcher de Mafalda qui arpente le seuil de la terre interdite. Cette fois Mafalda s'arrête, et le regarde lui. Muette!

« Eh bien, tu vois, dit-il, Aurélien me l'avait dit. »

Il s'est empressé de parler d'Aurélien parce que c'est le favori de Mafalda. Si Aurélien l'a dit... L'œil est un tout petit peu moins bleu, tout doucement il vire au gris, puis au gris très clair presque sans couleur. On va pouvoir reprendre la conversation. Zacharie tire de sa poche son cahier de papier à cigarettes et la boîte de pastilles Valda où il tient son tabac.

Aurélien a également dit qu'il ne faut pas trop s'approcher de la Muraille de Chine. Zacharie n'est pas rassuré, à cause des gros cachets de cire rouge qui ferment la grille. L'électricité, on sait où ça commence, on ne sait pas où ça finit. Il connaît sa Mafalda; elle est capable de... il est préférable à l'avance de faire parler Aurélien.

Ils montent tous les deux dans ce qui reste libre de Mal-Hivert pour tâcher de trouver ce fameux chêne. Il vaut mieux d'ailleurs le trouver de ce côté-ci de la Muraille de Chine, et que les yeux de Mafalda restent gris clair. C'est peut-être bien, d'ailleurs, celui qu'elle a reconnu, il y a vingt ans, et qui est là devant, juste un peu plus haut, en trois pas ils seront dessous. Ils y sont. « Non, dit Mafalda, le mien était plus petit. » Et elle regarde au-delà de la grille vers d'autres yeuses qui sont enfermées hors de portée. Zacharie fait remarquer qu'en quarante ans, le chêne a forcément changé de dimension. « Comme moi j'ai changé de poumons, je souffle comme un phoque. Avant je te montais ça en dansant. » Mafalda ne se laisse pas facilement enlever les idées de la tête. Elle s'approche de la clôture métallique. Zacharie suit. Il faudrait bien faire parler de nouveau Aurélien, mais lui faire dire quoi? Il a déjà tout dit. Finalement, ça n'est pas grave. La Muraille de Chine impressionne Mafalda elle-même. Elle s'arrête cinq ou six mètres avant. « Non, dit-elle, c'est peut-être bien celui d'ici, tu as raison. »

A ce moment-là, de l'autre côté, ils voient arriver un soldat. Chose curieuse, il a l'air de fort bien se débrouiller sur ce flanc de colline. Il pose son pied où il faut, il n'a pas l'air emprunté du tout. A mesure qu'il s'approche on voit que ce n'est pas un soldat, c'est un genre comme les anges de la route. Il s'approche du grillage et il demande :

« C'est à vous la voiture en bas?

– Oui, dit Zacharie.

– Il y a un panneau au carrefour, dit l'ange, vous avez dû le voir. C'est un chemin privé.

– Je l'ai bien vu, dit Zacharie. Mais nous voulions retrouver le chêne vert où ma femme pendait les renards quand elle était fille. »

L'ange regarde ces deux petits vieux, car Zacharie et Mafalda sont petits tous les deux : un mètre cinquante-six pour elle, un mètre soixante-deux pour lui. Il est rond. Elle est dodue. Qu'est-ce que c'est que cette histoire de renards?

« Il ne faut pas rester là, dit l'ange. Il faut vous en aller.

– J'habitais Cadarache quand j'étais jeune fille, dit Mafalda. Et...

– Non, moi je n'habite pas Cadarache », dit l'ange. Et le bleu qui montait aux yeux de Mafalda s'efface, et elle est sérieusement épatée, car, en effet, elle allait demander : « Et vous, est-ce que vous habitez la maison de maître ou la ferme? »

« Bon », dit Mafalda.

Ils redescendent de Mal-Hivert (enfin, de ce qui en reste libre), ils remontent en voiture, Zacharie manœuvre en marche arrière, tourne dans un petit chemin de terre, et les voilà repartis. L'ange ne les a pas perdus de l'œil.

Arrivés au carrefour :

« Attends, dit Mafalda, prends un peu cette route qui, soi-disant, va vers Aix. Pour voir. On est bien libres d'aller à Aix?

– Je crois.

– Eh bien, prends-la. A la façon dont elle monte, elle va sûrement passer par l'Adrech de l'Escalade. Je t'y ai mené une fois. C'est là que ma sœur aînée pendait les siens de renards. »

Zacharie se souvient de cette fois-là et de bien d'autres. Et Mafalda sait qu'il se souvient. Si elle le surprenait en train de ne pas se souvenir, quel bel azur elle aurait dans l'œil. Zacharie est très difficile à prendre en défaut. Il a Aurélien, il a...

La route les conduit avec un grand virage sur une hauteur qui est (ils le savent tous les deux) le lieu-dit Champagne. Il y avait là des pigeonniers; ils y sont encore mais ruinés. C'est bien en effet la direction de l'Adrech de l'Esclade. De là ils dominent les fonds où ils étaient tout à l'heure et ils sont éberlués de ce qu'ils voient.

Mafalda se souvient, et Zacharie aussi, d'un Cadarache qui était, de façon légendaire, le « plus grand ménage » des

Alpes. On avait beau y entasser laboureurs, moissonneurs, bergers, charbonniers, et chaudronniers, et menuisiers, et bourreliers, et vignerons, et même cordonniers, ramoneurs, couturiers et couturières, c'était toujours le plus grand ménage des Alpes, et au ras des murs de ses bâtisses commençaient le désert et la solitude. Ses labours avaient cinquante kilomètres de côté, ses bois quarante kilomètres de large. Où qu'on soit dans Cadarache, on était perdu pour le monde. C'était le monde. Pour venir au rendez-vous de Zacharie, Mafalda faisait vingt-six kilomètres aller-retour à pied sans rencontrer âme qui vive, dans des taillis où se succédaient chênes blancs, chênes verts, chênes rouvres, pins, cèdres, tilleuls, arbousiers, landes à cystes, plateaux à lavande. Ils se souviennent de tout, et maintenant ce qu'ils voient n'est plus rien, n'a pas de nom. A la place du Plan de Bargette, il y a un bâtiment rectangulaire de plus d'un kilomètre de long, surmonté d'une coupole aussi grande, à elle toute seule, que l'église de Saint-Maximin, et passée à l'aluminium, ou à quelque chose qui y ressemble (car sûrement ce n'est pas de l'argent!) et qui brille comme si les grilles et la Muraille de Chine protégeaient une population de récureurs toujours au travail avec la paille de fer, la pâte au sabre et l'huile de coude. Rien que pour faire reluire cette coupole il y a du travail à l'année pour au moins deux mille bonshommes. De chaque côté du long bâtiment rectangulaire il y a des maisons, des sortes d'usines, des choses qui ressemblent à des rues, ou même des avenues, et cela s'étend à l'infini, jusqu'au lit de la Durance, on dirait (et il est à seize kilomètres d'ici, Mafalda le sait bien, elle faisait ce chemin à pied).

« Aurélien me l'avait dit, mais j'ai mis du temps à le croire », dit Zacharie.

Mafalda a l'impression que, maintenant encore, il ne le croit pas. Elle non plus. Il a beau y avoir le témoignage de ses yeux, il y a le témoignage de son souvenir : trop de jappements de renards, trop de chœurs des veuves, trop de

Zacharie et de vent dans les arbres, de grands oiseaux, et de blaireaux qu'il fallait aller tuer au terrier avec des chiens fox et des pioches.

« Enfin, dit-elle, c'est comme ça ! »

Mais du moment qu'elle est à Champagne, ils vont aller voir l'endroit où la sœur aînée pendait ses renards. Mafalda a toujours appelé cette sœur « la sœur aînée », ou « mon aînée » sans prénom. Ils voient très bien l'endroit de là où ils sont. C'est à sept à huit cents mètres sur la droite en restant dans la hauteur. Et ils y vont, pendant que sous eux, à mesure qu'ils se déplacent, le Centre Nucléaire de Cadarache se développe et roue comme un paon, en dévoilant d'ici et de là de nouveaux alignements de constructions, et même des sortes de boulevards plantés de réverbères.

Les voilà sur l'emplacement. Il faut malgré tout convenir que, depuis le temps, les lieux ont changé d'aspect, même s'il ne s'agit plus de centre nucléaire, mais simplement de buissons, de taillis et d'asparagus. Et les voilà de nouveau à côté de la Muraille de Chine. Et tout de suite arrive l'ange. Ce n'est pas celui de tout à l'heure, il est plus grand et plus gros, mais il a le même costume, le même casque, le même baudrier et la même façon d'interpeller, pas arrogante du tout mais ferme.

« Qu'est-ce que vous cherchez par là, Messieurs Dames ? Vous savez que c'est défendu.

– Non, répond Mafalda, on ne sait pas. On voit bien que là-bas où vous êtes ce doit être défendu puisqu'il y a une barrière, mais de ce côté-ci, pourquoi voulez-vous que ce soit défendu ? C'est le plein air.

– Ce n'est pas le plein air, ma bonne dame », dit l'ange. (Il ne devrait pas dire « ma bonne dame », Mafalda n'aime pas ça du tout. Il devrait parler d'Aurélien.) « Il y a des pancartes un peu partout. Tenez, moi j'en vois une là-bas sous le grand pin ; vous êtes passée à côté, vous savez lire ? »

Mafalda convient gentiment qu'elle sait lire.

« Alors? » dit l'ange. (Il ne sait pas ce que signifie l'azur dans l'œil de Mafalda.)

Mais il voit très bien ces deux petits vieux qui n'ont pas du tout l'aspect atomique; on lui a d'ailleurs recommandé de ne pas être cassant envers l'indigène.

« D'autant plus, dit l'ange, qu'il n'y a rien à voir ici dessus.

– Pour vous, certainement, dit Mafalda, mais moi, je viens voir l'endroit où ma sœur aînée pendait les renards.

– Pendait quoi? » dit l'ange.

Il a l'air dégoûté.

Alors Mafalda explique. Elle a l'œil d'un bleu de martin-pêcheur. Et, à mesure qu'elle parle, commence à se réinstaller dans l'espace le vieux Cadarache, le légendaire, « le plus grand ménage des Alpes » avec ses déserts.

Mafalda n'a pas réussi son coup avec l'ange d'en bas qui lui a coupé tout de suite le sifflet, mais ici, l'ange des hauteurs, elle sent qu'elle l'a à sa main, que tous les mots portent : laboureurs, bergers, charbonniers, maître d'attelage, renards, surtout renards, et elle lui en aligne! L'ange des hauteurs semble très impressionné par les renards, surtout pendus, surtout pendus par des jeunes filles; et pourquoi pendus? Il ne comprend rien à rien.

« Moi, dit Mafalda de plus en plus bleue, je les pendais en bas dans le ravin du Médecin, sur le flanc de Mal-Hivert. »

Et voilà qu'elle parle des veuves. L'ange a l'air de flotter dans un coup de nord-ouest et il jette un regard égaré vers l'endroit d'où il est venu. Mais il est sauvé par une sonnerie électrique qui retentit dans une boîte en fer fixée sur un des montants de la barrière. Il s'approche de la boîte et il l'ouvre. C'est une sorte de haut-parleur. Non pas un téléphone, tout le monde sait ce que c'est qu'un téléphone, mais un « machin » à surprendre, un truc à vous en mettre plein la vue : c'est une rondelle d'on ne sait quoi, noire, qui parle.

« Avez-vous des difficultés? dit la rondelle.

– Non, dit l'ange.

– Votre conversation est bien longue.

– C'est une femme qui cherche l'endroit où sa sœur pendait les renards.

– Ma sœur aînée, dit Mafalda. Précisez bien ma sœur aînée. La cadette les pendait de l'autre côté du vallon à La Roque. On le voit d'ici. Juste à côté du pin parasol.

– Je vous en prie, Madame, dit l'ange. Je n'entends plus ce qu'on me dit. »

Et d'ailleurs, on ne dit rien, la voix s'est tue. Ils ont tous besoin d'un petit moment pour digérer les renards.

« Ils ont essayé de pénétrer en bas, au poste 4, il y a une demi-heure, reprend la voix. Nous les avons signalés et on les a refoulés. Ils ont laissé leur voiture dans le virage de la côte 228. Mal garée. Dites-leur d'aller garer correctement leur voiture et de se borner à se promener sur la route s'ils veulent marcher à pied.

– Ce n'est pas qu'on tienne tellement à marcher à pied », dit Mafalda d'une voix haut perchée qui ne s'adresse plus à cet ange-ci, mais à la rondelle noire, qui non seulement parle mais a également l'air d'écouter. Et son intention est si claire qu'instinctivement l'ange s'est reculé pour ne pas intercepter la conversation. « C'est Zacharie qui ne veut pas comprendre. Il faut que je lui fasse toucher du doigt, sinon, quand nous serons à la maison, il recommencera à prétendre que je me suis trompée.

– Trompée en quoi ? » dit brusquement la rondelle noire, prise au piège elle aussi.

Mafalda reprend son récit, posément, comme pour des enfants, mais elle s'adresse à la rondelle noire cette fois-ci par-dessus la tête de l'ange ; à la grande satisfaction de ce dernier, qui prend l'attitude de quelqu'un tout à fait en dehors du coup, et semble s'apercevoir pour la première fois de la présence de Zacharie, lequel se garde bien de regarder quoi que ce soit et tète sa cigarette éteinte.

Mafalda est encore une fois à son affaire. Elle tient absolument à river son clou à cette longue construction avec sa coupole en argent, à toute cette ville de petites maisons blanches, à ces rues, à ces avenues, à ces boulevards bordés de réverbères dans lesquels on ne voit pas âme qui vive, à tout ce qui s'est implanté sur le plus grand ménage des Alpes. Elle comprend qu'elle a un très bon truc avec ses renards. Elle en accroche un peu partout dans ces immenses bois taillis qu'elle reconstitue dans tous les lieux-dits d'alentour. Elle fourre des renards dans les pins, dans les tilleuls, dans les acacias, dans les alisiers, les tuyas, les cyprès; elle en accroche à toutes les branches. C'est le verger du roi[1]. On la voit, elle et ses sœurs, se faufiler sans arrêt sous le couvert, occupées du matin au soir à cette besogne anormale. Elle dirige le chœur des veuves, les renardes gémissent dans tous les taillis. Et brusquement, avec sa voix de soixante-huit ans, elle fait la renarde, comme si elle était la veuve d'un mâle pendu.

Elle ne se rend pas compte (ou bien elle se rend parfaitement compte) que c'est un jappement de jeune femme qu'elle vient de faire entendre, devant cette sorte de soldat. Il faudrait vite faire parler Aurélien : mais quoi lui faire dire?

« Écoutez, Bergeon, dit la rondelle noire, on ne comprend rien du tout à cette histoire de fous. Faites-moi déguerpir ces zèbres en vitesse. Allez, qu'ils débarrassent le plancher. Vous entendez, Bergeon? »

Oui, il entend. Mais, débarrasser le plancher n'est pas la formule qui convient pour cette vieille dame si dodue, aux si beaux cheveux blancs, aux yeux si bleus, qui vient de gémir de façon si troublante! Il explique à Mafalda que dans cette tour blanche qu'on voit plantée au sommet de la colline là-bas en face – « Oui, Chaberte, dit Mafalda. – Chaberte si vous voulez, dit Bergeon » – dans cette tour blanche, il y a un radar qui signale tout ce qui s'approche de la barrière, et que de là-haut, avec des longues-vues très puissantes, on voit tout : qu'avec le système de la boîte on peut parler partout et entendre tout ce qui se dit ou se fait sur le pourtour de toute la Muraille de Chine.

« Ah, c'est comme ça, dit Mafalda[1]. Bon. Alors on s'en va. »

« Voilà mon Zacharie, se dit Mafalda. Il est travailleur, il est fort, il est gentil, il est propre, il ne boit pas, il ne joue pas, il ne court pas, il est un peu fou, mais il a un grave défaut : il est humble devant les puissants. Il n'a pas soufflé mot. Mes renards lui mangeaient les oreilles. C'est pourquoi j'en ai rajouté. Qu'est-ce que c'est ce Bergeon? Avec son drap bleu, ses courroies, son casque, ses bottes? Je vais prendre des gants avec cet acolyte, tu peux courir. En parlant de ça, il en avait aussi, des gants.

« Il faut toujours vérifier la puissance des gens, mon petit Zacharie, se dit-elle encore. On proclame : je suis une autorité! Tu tires ta casquette. Non. Vérifie l'autorité. S'il faut tirer ta casquette, tu la tireras. Rien ne presse. »

Mafalda ne sait pas qu'elle est là devant quelque chose qui vient d'Ebenezeh, et qui n'est pas tout à fait ce qu'elle croit. Qui connaît Ebenezeh? Personne : il est mort en 1852. C'est cependant le grand-père de Zacharie.

Le 11 germinal an 12 (vieux style : 1804), le Commissaire du Gouvernement près le tribunal spécial du département des Basses-Alpes écrivait à son collègue du Var :

« Je vous transmets, citoyen collègue, des notes extraites des interrogatoires de Ebenezeh Le Duc. Vous y trouverez des renseignements précieux sur le brigandage qui a désolé nos départements voisins. Le jugement de compétence rendu par le tribunal spécial de ce département contre Ebenezeh Le Duc a été envoyé au Grand Juge le 7 germinal dernier : cet accusé sera mis en jugement dès que j'aurai reçu le jugement confirmatif du tribunal de Cassation.

« Quelle que soit la condamnation qui pourra être prononcée contre Ebenezeh Le Duc, je suis autorisé par le gouvernement à en suspendre l'exécution; cette mesure déterminera sans doute l'accusé à tout déclarer. Si, après ce jugement, sa confrontation avec d'autres accusés paraît utile, rien ne s'opposera à ce qu'il soit traduit, soit à Draguignan, soit à Aix. Cet homme a commis nombre de crimes. Il était dans les bandes depuis six ans. Comme il en a aujourd'hui vingt, il y est donc entré à quatorze ans : d'abord dans la bande des bois de Cadarache, puis dans celles de Rians et des bois d'Ollières. Il a assisté à presque toutes les expéditions, il sait tout; il peut avoir menti dans ses premiers interrogatoires, mais il est persuadé actuellement que son intérêt exige qu'il dise la vérité. J'ai toutefois reconnu qu'il a dit vrai sur tous les faits que j'ai pu vérifier jusqu'à présent[1].

« Malgré son jeune âge, il se fait une arme d'une sorte d'humilité qui semble le pousser à complète soumission. Ce sentiment est inventé; il cache un orgueil dont on peut tirer parti quand on en est prévenu. »

Ebenezeh Le Duc fut traduit à la prison de Brignoles le 1er thermidor an 12. A cette occasion, le commissaire du gouvernement près le tribunal spécial des Basses-Alpes écrivait encore à son collègue du Var :

« La garnison de Digne est à peine suffisante pour le service de la place et la gendarmerie s'oppose à ce qu'on fasse traduire les détenus par toute autre voie que celle de la correspondance. Je ferai tout ce qui dépendra de moi pour que cet homme parte au premier jour. Il est couvert de crimes. Si le Premier consul accorde à ce grand coupable une commutation de peine, il est à espérer qu'il aura pris des précautions pour qu'il ne rentre plus dans la société. Je vous ai mis en garde contre sa fausse humilité. Songez à son orgueil. »

Ebenezeh arriva le 6 thermidor à Repentance, prison de Brignoles. C'était un petit blondin.

Trois jours après, Jean-François Pissin-Barral, juge au tribunal spécial du département du Var, délégué par le président pour instruire la procédure, se fit amener le prisonnier libre et sans fers.

« Parlez, lui dit-il. Déclarez ce que vous avez à révéler.

– Par où voulez-vous commencer ?

– Où vous voudrez. Je ne veux pas de romance. Tout sera vérifié, vous serez confronté, je veux des noms.

– Vous en aurez. Mais les noms ne sont pas tout. Il y a les circonstances. Et là, vous serez bien obligé de me croire sur parole.

– On m'avait dit que vous étiez humble. Vous ne l'êtes pas.

– Je le suis puisque je parle pour sauver ma peau.

– Elle n'est pas sauvée. On ne vous a rien promis.

– On me promet puisqu'on me sollicite. Je peux me taire.

– Je peux rendre exécutable la sentence de mort qui vous a frappé à Digne.

– Mais vous aimeriez connaître les assassins du citoyen Auzet : j'en prends un au hasard.

– Oui.

– Il y en avait trois. Joseph Aubert, aubergiste (il l'est encore), Guillossier fils aîné, boulanger, et François Amphoux, charbonnier, tous les trois de Rians. Ils le tirèrent d'abord à vue comme un lapin. Il alla se cacher dans une citerne, blessé au ventre. Il y fut découvert à six heures du soir. Il surnageait, l'eau était rouge. On l'acheva sur l'aire au stylet. On en était aux travaux de roulage, il y a eu trois ou quatre ans aux moissons dernières.

– Vous serez confronté avec ceux que vous venez de nommer.

– Avec le premier je veux bien, il est vivant. Avec les autres je refuse : ils sont morts : Guillossier à la prison de Draguignan, Amphoux tué par ses amis le 16 avril 1803 (vieux style).

– Drôle d'amis !

– En raison précisément de circonstances.

– Et le nom de ces amis ?

– Je ne connais pas de noms d'amis.

– Continuez.

– Coulomb de Rians, dit le Représentant, et Revest de Tourves se portèrent à une bastide dite Blanchon, terroir de Peyrolles, à la limites de Cadarache, appartenant au citoyen Brémond d'Aix qui s'y trouvait avec une femme. Le citoyen Brémond fut d'abord maltraité et la femme violée sur une table.

– Comment connaissez-vous ce détail ?

– Chaque fois qu'une femme était violée, on donnait des détails. Les bois sont profonds, les jours longs et les nuits sèches.

– Parlez-nous du Brémond dont on découvrit le cadavre en avril dernier – vieux style – sur le chemin de la Sambuque.

– C'est celui-là.

– Et la femme ?

– L'histoire est longue.

– Nous avons le temps.

– Pas longue à raconter, c'est trois mots : on la garda. Longue à imaginer avec tous ses détails.

– Passons sur les détails.

– Alors rien d'autre : on la garda.

– Qui ?

– Tous.

– Qui, plus spécialement. Et de quelle façon ?

– Personne, et comme on garde les femmes. N'allez pas croire qu'elle était attachée.

– Après ?

– Sur cette femme ?

– Non : laissez-la. Après ?

– A douze, on arrête une voiture près du Logis d'Anne. Dans la voiture, cinq ou six personnes. Trois femmes : une d'environ cinquante ans, les deux autres vingt ans, à peu près. On ramasse une quantité d'effets, d'habillement, de linge, de bijouterie. On prend une montre à répétition à un homme d'environ cinquante à cinquante-cinq ans, petite taille, cheveux blancs. Romanin, de notre bande, le connaissait, il voulut lui faire rendre sa montre. On refusa, et pourtant cet homme offrait un billet de six cents francs. Mais pour nous la répétition n'avait pas de prix.

– Je ne comprends pas. Expliquez-vous.

– La solitude; une montre qui sonne et il n'y a rien à expliquer. De même, cette fois-là, remarquez, pas de mort, pas d'outrage, et pourtant il y avait deux poulettes. Pas même un mot plus haut que l'autre. Pourquoi? Parce qu'après le vol on doit aller à Cadarache, à la bastide tenue par Martin, surnommé Le Prince. Et il a trois sœurs. On donne les bijoux aux trois sœurs. A Henriette, qui depuis s'est mariée avec un négociant de la commune de Saint-Julien-Le-Montagnier, une bague et des boucles d'oreilles. A Pauline et Marie, qui sont encore dans la maison paternelle, un collier en or et des bagues. Nicolas d'Auriol garde la montre.

– Ces filles Martin étaient vos amies?

– Nous n'avons pas les mêmes idées sur les amis.

– Elles avaient des complaisances pour vous?

– Ni sur les complaisances. Nous sortions du bois avec des fusils.

– Je ne perds rien de vos réponses, croyez-moi. Je comprends aussi le ton sur lequel vous les faites. Il y a plus de malice que vous ne croyez dans mon indulgence. Continuez.

– Coulomb de Rians. Vous voulez que j'en parle?

– De celui-là et de tous les autres.

– Coulomb, dit le Représentant. Il était de l'expédition du Logis d'Anne. Il voulait la montre. On lui fit remarquer qu'il avait toutes facilités pour faire des apparitions secrètes dans sa maison de Rians. Donc, pas de montre. Il est actuellement fuyard mais il retourne souvent chez lui. Si on veut le prendre, on peut. Il suffit de surveiller Jarrou Nanette, celle qui a une tache à l'œil. Si elle achète trois pains au lieu d'un, Coulomb est là. Elle peut aussi se les faire prêter. Elle n'est pas bête.

« C'est Coulomb, avec un Geoffroi ou Jauffret, natif de Rians, domicilié depuis l'an neuf à Peyrolles, qui assassina le juge de paix et sa femme. Le juge travaillait dans une terre au quartier dit Blaconis. Il fut atteint dans le rognon d'une balle qui avait été mâchée et roulée dans du poison. Il survécut cinq jours. Sa femme fut abattue au retour de l'enterrement, comme elle était sur le pas de sa porte pour rentrer chez elle. Le coup de feu était parti du platane en face. La balle avait été également mâchée et empoisonnée. On ne lui avait pas laissé une chance sur mille.

– Pourquoi?

– Juge de paix. On fait toujours la paix sur le dos de quelqu'un. Il mâche des balles. Le poison, c'est une question de caractère.

– Vous savez lire?

– Oui, et signer. Écrire, non.

– Vous semblez avoir lu; et retenu.

– J'ai retenu des noms et des circonstances. C'est ce qui vous intéresse?

– Les noms, oui.

– Vous viendrez aux circonstances.

– J'irai où je voudrai. Je vois ici que vous prétendez connaître des caches où le butin et parfois des hommes se dissimulaient.

– Je ne prétends rien. Je n'ai jamais rien prétendu de ma vie.

– Ne vous flattez pas. Elle est courte.

– Courte, mais dix ans de bois, c'est long.

– J'ai trente ans de magistrature, nous pouvons lutter à armes égales.

– Je ne sais pas.

– Je sais, croyez-moi. Continuez.

– Vous voulez des précisions? En voilà. Bastide La Verrière, dans le bois de Cadarache, au-dessus du chemin, tenue à ferme par un nommé Chéchin qui vient du Nord. Bien avec l'autorité. La cache est dans le grenier à foin, en haut à gauche, à cinq ou six pas loin de la porte, le long du mur. L'entrée de la cache qui est sur le plancher est couverte par une pierre carrée sur laquelle on a l'attention de tenir toujours du foin et de la paille.

« Bastide Le Grand Vacon, terroir de Rians, à une heure et demie de chemin de la vieille route d'Aix, tenue à ferme par un nommé Joseph Vacon, dont la femme estropiée marche avec des béquilles. C'était l'asile de Laurent Silvy, dit le Duc, et Étienne de Tourve. La cache est à vingt-cinq toises environ de distance de la bastide et à quinze toises environ au-dessous de la muraille du jardin. C'est une urne de grès couverte d'une peau de veau ou de mouton. Elle est enfouie dans un trou à une profondeur d'environ soixante centimètres ou deux pieds.

« Bastide, dite Le Général, appartenant au citoyen Joseph Moutte, dit le Devin. Dans l'écurie, une cache : vers le milieu de l'écurie, sous la litière des bœufs; après avoir écarté le fumier, il faut enlever une couche de terre, on découvre une pierre plate d'environ dix-huit pouces en carré, qui ferme l'entrée de la cache. Elle est assez grande pour contenir deux hommes. Il y a dans cette cache les pièces de monnaie volées à un courrier d'Espagne, entre la bastide de La Pugière et celle appelée Saccarou, terroir de Pourrières. Elles y sont encore. Je le sais. Et si vous n'allez pas les chercher, elles y resteront. Tous ceux qui connaissent ce trou sont morts, sauf moi.

« Attention! Bastide dite Cataran, à demi-heure du chemin de Pourrières, sur la route d'Esparron de Pallières, à main droite. Il faut entrer dans un ancien four dont on ne se sert plus, qui est en entrant dans la maison, à gauche avant de monter à la cuisine. L'entrée de la cache est couverte par une des pierres du milieu du four. Il y a là de l'argenterie, des galons, des épaulettes, et les armes de deux officiers généraux tués à Saccarou l'an 8 et l'an 9. Cinq ou six montres d'or, chaînes de montres, tabatières d'or garnies de brillants, de la bijouterie, une pièce de drap bleu, des galons d'or et autres effets volés à un juif sur la diligence de Nice au mois de floréal an 9. Au même endroit, une autre petite cache dans la cheminée de la cuisine, à gauche en dedans, un peu en dessous du manteau de la cheminée. Elle est fermée par une pierre scellée en plâtre tout autour; cette pierre, ainsi que le plâtre, ont été noircis avec un tison afin qu'il n'y ait pas de différence avec le reste de l'intérieur de la cheminée. Dans celle-là il n'y a que de l'or, mais elle est pleine. Elle est grande comme une cage à serin.

– Voilà en effet des précisions. C'est votre butin?

– Je n'ai pas de butin. Je ne suis pas à l'âge du butin.

– C'est une question d'âge?

– A partir de quarante ans.

– D'où tenez-vous cette philosophie?

– De mes yeux. J'ai beaucoup vu. On a le temps de faire des comptes dans les bois.

– Nous reviendrons sur ces comptes. Parlez-moi des caches où les hommes se dissimulaient[1].

– La plupart sont des tombeaux.

– Je ne comprends pas.

– Il est très facile d'entrer dans une cache. On paie rançon : bijoux, monnaie, dentelles. Une fois dedans, qui vous nourrit si vous n'avez plus rien à donner? Et qui relèvera la pierre pour vous faire sortir, si vous n'avez rien pour payer cette peine? Je vais vous en parler, des caches où les hommes se dissimulaient. Allez les ouvrir : dans la plupart vous trouverez des os.

« La Bastidasse, terroir de Seillons, il y a une cache, hors de la bastide, à la distance à peu près de cent pas, plus ou moins, qui consiste en un grand rocher situé du côté de la bise par rapport à la situation de la bastide. Ledit rocher se trouve ouvert et percé. Il y a de la place pour trois à l'intérieur. Allez voir.

« Allez voir également à la bastide dite Georgette, à main gauche du chemin de Cadarache, à Ginasservis, quartier de Mal-Hivert. Il y a encore là un rocher percé. Il se trouve en haut d'une pinède, derrière la bastide, en face la colline formée en pointe comme un pain de sucre qui s'appelle Carraby. Là, il y a de la place pour quinze. C'est bien rare s'il n'en reste pas trois ou quatre là-dedans. C'est le berger de Georgette qui faisait payer le loyer. Il avait un bâton ferré et trois chiens. Il faisait laisser les fusils dans la grange. Il est mort d'un mal de gorge, d'accord, il fallait bien, à la fin, qu'on règle un peu les comptes, mais avant de mourir il en a fait. Et mort il en fait encore.

« N'allez pas si loin : Aix est une belle ville. Dans cette belle ville, il y a la veuve Dol, aubergiste près de la Poissonnerie. La cache est dans sa maison, derrière la tapisserie d'une grande salle où on arrive en montant un petit nombre d'escaliers. Il fallait payer six francs par jour, par tête, rien que pour la nourriture. Et qui le peut longtemps quand les gendarmes sont tenaces? Ensuite elle exigeait ce qu'elle voulait, à raison de ce qu'elle cachait en marchandise. On pouvait tenir cinq, même six, dans le trou de son mur. La tapisserie est tachée, en bas à gauche. C'est devenu roux, mais c'est du sang. Il a coulé pendant trois jours dans le plâtre et dans la poussière avant d'arriver à imbiber l'étoffe. Ça en fait! Ils étaient deux qui saignaient sans payer. L'odeur du poisson a couvert l'autre odeur. Il suffisait de laisser la porte ouverte. La veuve Dol est morte, de la même manière que le berger de Georgette, mais qui réclamera pour les morts de la tapisserie?

– Moi. Je réclame pour tous les morts.

– J'ai failli mourir, une fois, derrière la tapisserie. Vous m'auriez réclamé?

– Si l'odeur du poisson l'avait permis, oui.

– Laissez donc les morts dans leur petit système.

– Quel âge avez-vous?

– Vingt ans. Pourquoi?

– C'est moi qui pose les questions. »

Il était tard, l'interrogatoire ayant commencé à quatre heures de l'après-midi. Monsieur Pissin-Barral fit reconduire Ebenezeh Le Duc dans sa cellule. On le ferra devant lui.

« N'est-il pas entravé trop serré ?

– Il peut marcher.

– Pour les escaliers ?

– Il saute. Il se débrouille très bien. Ne vous inquiétez pas, Monsieur le juge. »

Zacharie avait des accès de modestie. Dans ces cas-là, il prenait la petite carabine et il allait tirer des rats dans le grenier. C'est un exercice qui ne laisse pas longtemps modeste.

« Tu n'es pas capable de connaître ta grosseur tout seul ? Tu as besoin de la petite carabine ?

– Eh bien, mais oui. Il y a des jours comme aujourd'hui où je me donnerais pour rien. Est-ce que c'est l'âge ?

– Pourquoi l'âge ? »

Mafalda se disait : « Il devrait au contraire se sentir énorme, avec ce qu'il est et les quatre fils qu'il a, plus beaux les uns que les autres ! »

« Je n'arrive pas, disait Zacharie, à aligner trois sous et trois sous. Il me semble que jusqu'à présent je n'aie fait que trottiner en rond. Toutes ces machines, toutes ces entreprises, c'est zéro.

– Bon, dit Mafalda, alors, va tuer des rats. Mais réfléchis que, précisément, si tu peux te permettre d'aller tuer des rats, c'est que tu es quelqu'un.

– Le raisonnement n'y fait guère, dit Zacharie. Ce qui y fait, c'est quand tu vises un bout de museau gros comme un timbre, et que tu l'attrapes. Là c'est signé.

– Ou alors, dit Mafalda qui suivait son idée, c'est une question de temps qu'il fait. Tu n'aimes pas le mois de mars.

– Si, dit Zacharie, et surtout cette année. C'est le temps blanc. Le ciel est blanc, l'air est blanc, et ces fleurs d'amandier et d'amélantier, j'aime au contraire beaucoup. Le brouillard de ce matin me plaît. Non, va savoir d'où viennent les idées ! »

Il avait tué trois rats à dix heures, et ça allait mieux, quand Mafalda l'appela : « Tu as de la visite. »

Il avait entendu arriver une voiture. C'était qui?

« Stephen. »

Le petit Stephen. Il disait toujours le petit Stephen, bien qu'il s'agisse maintenant d'un homme d'une trentaine d'années, et ingénieur des pétroles, sorti dans les premiers de l'École de Nancy. Pour lui c'était toujours le petit bonhomme qui l'avait intrigué, dans le désert des amandiers. Il y avait de ça... oh, c'était en 1943-1944; l'enfant avait alors six à sept ans.

« Fais-le monter. »

Étrange, ce petit garçon, debout, dans la solitude, loin de tout (quand je dis loin de tout, pas très loin de sa maison, évidemment, à un kilomètre ou deux de sa maison, qui ne rassurait pas, au contraire), dans ces temps qui n'étaient pas très catholiques.

« Je ne tombe pas sur un bon jour! dit Stephen en voyant la carabine.

– Depuis un quart d'heure, ça s'arrange. J'en ai tué deux.

– J'en vois trois.

– Le troisième n'est pas bon. Il s'est laissé faire. Pourquoi es-tu ici un jour de semaine? Tu as campo?

– J'ai pris un jour. Je voulais vous voir. J'ai quelque chose à vous demander. Je devrais vous laisser tuer encore deux ou trois rats.

– Non, je me sens déjà quelqu'un, dit Zacharie, au contraire, demande, ça va peut-être m'arranger.

– Je voudrais vous confier un travail.

– Alors, c'est les fils qu'il faut voir.

– Non. Précisément : un travail que vous allez accepter ou non, je n'en sais rien, mais que vous êtes seul à pouvoir comprendre.

– Ça vaut déjà au moins deux rats, ce truc-là!

– Il s'agit de Longagne. C'est difficile à expliquer. »

Longagne est la fameuse maison « qui ne rassure pas » dans

le désert des amandiers; une bâtisse du XVIIe « embellie » en 1900; la maison de famille de Stephen. A l'origine, un donjon de surveillance dans ces quartiers solitaires; puis la garnison se met à son aise, ordonne ses murs en rectangle, élargit son rez-de-chaussée, à l'époque où les routes désertent le plateau pour les vallées. Plus rien à surveiller. Mais toujours à craindre, non plus des gens, mais du ciel avec son envers et son endroit. Longagne doit être à une certaine époque une bergerie amusante : on vient d'Aix l'été s'y faire peur. Pas de voisins, sauf Dieu. On peut tout essayer ici, et sans doute on y a tout essayé : c'est un très beau cabinet naturaliste. Pendant la Révolution de 89, Longagne fut habité par un « avec culotte » qui passa son temps à lire Voltaire et à composer un herbier; les plantes de ce plateau perdu sont sèches avant d'être mises entre deux buvards; ce ne sont que les variétés d'un thym extrêmement ligneux.

« Vas-y, mon garçon, dit Zacharie. Pourquoi difficile?

– Je voudrais faire démolir Longagne.

– C'est du travail pour mes fils.

– Non, c'est du travail pour vous. Démolir, c'est une façon de parler. Je voudrais faire disparaître Longagne.

– Tu viens de me prendre par les sentiments! dit Zacharie; disparaître? Ça me plaît. »

Stephen déjeuna avec Zacharie et Mafalda.

« Tes quatre garçons ne t'ont pas assouvie, disait Zacharie à sa femme. Il te faut encore celui-là et il t'en faudrait mille!

– Non, pas mille. Mais celui-là est beau comme tout. »

Pendant le repas, la télévision leur montra un astronaute qui quittait sa capsule et flottait à côté d'elle.

« Qu'est-ce que tu en penses? demanda Zacharie.

– Rien, répondit Stephen. Je cherche un truc pour vivre sur terre, alors, vous comprenez, les astres... »

Zacharie l'accompagna jusqu'à sa voiture.

« Je reviendrai donc en juin, dit le jeune homme. Vous dites qu'un mois suffira?

– Amplement.

– Malgré tous les détails dans lesquels il faudra entrer?

– Les détails ne retarderont pas. Ce qui retarderait, c'est le mauvais temps, puisque tu veux du travail propre. Mais en juin on peut compter sur le beau temps prolongé. Je prendrai Manuel et Philibert, deux vieux qui ont à peu près ma façon de voir les choses. Ça va beaucoup les intéresser. Compte un mois : disons, du 15 juin au 15 juillet, ou plus exactement du 10 au 10 pour qu'on ne soit pas gênés par les fêtes.

– J'ai droit à deux mois, dit Stephen. Après, je pars pour l'Hadramaout où nous avons deux permis de recherches, et l'établissement d'une raffinerie à Saybut [1]. Je vais faire commencer mes deux mois au 1er juin. »

« Qu'est-ce qu'il voulait? demanda Mafalda.

– Écoute ça, dit Zacharie. Il voulait effacer Longagne de la surface de la terre.

– Explique-toi », dit Mafalda.

Elle essuya ses mains à son tablier et elle lissa les bandeaux de ses cheveux comme si elle s'apprêtait à entrer dans son salon. L'explication n'expliquait rien. Le garçon voulait qu'on prenne Longagne, tel qu'il est, nutécru [2], avec ses meubles et son domaine, et qu'on détruise tout. « Mais attends : tu vois Longagne? Des bâtiments, ma foi, conséquents, et les alentours immédiats de la maison un peu arrangés, comme on peut arranger quoi que ce soit sur le plateau : l'allée de tilleuls, le grand chêne vert; on ne peut pas faire merveille, mais on a néanmoins essayé de donner un petit air humain à ces parages. Tout ça, raclé jusqu'à l'os, voilà ce qu'il veut. Les meubles brisés en petits morceaux et brûlés. Attends encore. On commencera la démolition par le toit. Il ne veut pas qu'on emploie le bulldozer. Tout doit être fait à la main, lentement, précisément, totalement. Il veut du travail d'horloger. Les tuiles seront pilées en poussière, les pierres des murs cassées à la massette de cantonnier; tous ces détritus, y compris les cendres des meubles, des tapis, des tableaux, du linge, les tessons de la vaisselle écrasée, seront emportés en camion pour être jetés dans les déserts de la Durance les jours de grand vent, de façon à être dispersés aux quatre coins. Attends toujours, ça n'est pas fini. Il veut qu'on aille de cette façon du grenier à la cave, sans se presser; qu'on grignote : l'important étant que tout ce qui est susceptible de se réduire en poussière y soit réduit, que tout ce qui peut être brûlé soit brûlé, que tout soit finalement ventilé sur les bords de la Durance. Quand nous aurons fait place nette (et par place nette, il entend qu'il ne reste plus ni fondation, ni poussière, ni trace de Longagne) nous arracherons l'allée de tilleuls; quitte, si nous avons le temps, à aller replanter les tilleuls, sans ordre aucun, sur le plateau, et à la grâce de Dieu, s'ils meurent, ils mourront. Si on n'a pas le temps de les replanter, on les passera tous à la scie mécanique et on donnera le bois à des gens à droite et à gauche; à charge pour eux de le faire partir en fumée dans leurs poêles et dans leurs cheminées. Qu'est-ce que tu en dis?

– Est-ce qu'il t'a parlé de sa sœur?

– Non. Longagne est à lui.

– Je ne dis pas que Longagne ne soit pas à lui. Je demande s'il a parlé de sa sœur.

– Il est libre de faire ce qu'il veut.

– La liberté est une belle chose. Détruire Longagne est une autre chose.

– D'ailleurs, où est-elle, la sœur?

– Si tu m'avais parlé de Longagne avant la soupe, je lui aurais posé la question.

– Qu'est-ce que tu lui veux, à la sœur?

– Je la préfère à son frère. Ce qu'elle fait est plus difficile que ce qu'il fait. »

Zacharie se souvenait de la première fois où il avait vu Stephen. Il exploitait à ce moment-là à Montmeyan une carrière de pierres pour faire du gravillon. Il rentrait chaque soir au Domaine d'Espagne avec sa moto. C'était la fin de l'automne, la nuit tombait vite. Ce jour-là, il était parti de Montmeyan à trois heures, un orage de vent menaçait. Il devait traverser le plateau dans son tiers le plus sauvage. Il n'avait plus guère d'essence. C'était toute une affaire pour trouver de l'essence à cette époque. Il s'en procurait en l'échangeant contre des lapins qu'il élevait à Espagne, mais cette semaine-là, le type de Rians n'était pas venu avec son bidon. Il arriva ce qu'il craignait : il tomba en panne, et naturellement dans le désert. Sur ces entrefaites, l'orage de vent éclata.

Il était au lieu-dit Le Devançon : il avait donc dépassé de quelque dix kilomètres les vastes étendues couvertes d'amandiers sauvages, et il avait pénétré assez profondément dans la région des chênes morts : c'est un quartier où, par suite (on suppose) d'un affaissement du sol, toutes les sources ont été aspirées par un gouffre caché; la terre a été emportée en poussière, il n'est resté que le roc, les arbres sont morts; certains étaient plusieurs fois centenaires.

L'orage de vent est une spécialité de fin d'automne. Jamais le ciel n'est plus noir; et cependant il y a beaucoup de lumière, même (comme c'était le cas cette fois-là) quand il s'agit d'un orage du crépuscule. Il semble qu'une phosphorescence envahisse le ciel. Mais c'est une lumière d'intérieurs; d'intérieurs de très grandes personnes. Les hommes qui sont pris dans cette lumière-là ne se sentent pas chez eux. Ils ont envie de s'en aller à reculons en courbant un peu le dos. « Excusez-moi, je ne savais pas que j'étais chez vous ! » La foudre n'éclate pas : elle fait le bruit d'une compagnie de perdreaux qui s'envole; elle s'allume et s'éteint lentement, comme une grosse lampe à pétrole dont on gratterait la mèche. Il ne pleut pas : il tombe des gouttes larges comme des assiettes. Rien ne se déchaîne, que le vent.

Zacharie luttait contre ce vent en poussant sa moto à la main. Les arbres morts craquaient, la foudre lui soufflait dans le nez, il n'aimait pas, bien entendu, cette lumière. Il n'avait pas beaucoup de ressources : le Domaine d'Espagne était à plus de trente kilomètres, tout ce qu'il pouvait espérer, c'était d'arriver avant la nuit à hauteur de Vaubelle. Il pourrait aller se réfugier à la ferme. Mais, Vaubelle, c'était où? Dans ces cinquante vents qui le frappaient de tous les côtés.

A un moment, il releva le nez pour souffler, pour voir s'il pourrait se reconnaître un peu dans le paysage : il se demanda s'il rêvait! A cinq ou six mètres de la route, à sa gauche, dans le découvert d'un rocher plat comme la main, blanc comme la neige, un petit garçon était debout. Il se dit « C'est une souche », pendant que ses yeux lui certifiaient, de seconde en seconde, que c'était bien un petit garçon (et très beau), tête nue, immobile, les mains dans les poches, comme affronté à quelque chose qu'il examinait attentivement avec un peu de défi.

Zacharie coucha sa moto dans le fossé et alla voir la chose de plus près. « Qu'est-ce que tu fais là, toi? » Le garçon ne répondit pas (il pouvait avoir de neuf à dix ans), il se contenta de porter sur Zacharie un regard où la lueur de défi était encore très allumée. « Comment t'appelles-tu? – Je suis Stephen Romanin », dit le garçon.

Zacharie connaissait les Romanin. Le Domaine d'Espagne avait beau être à plus de trente kilomètres, qui ne connaissait pas les Romanin? Ils habitaient Longagne. Zacharie se rendit compte qu'en cherchant des refuges dans sa tête, il n'avait pas pensé à Longagne, qui n'était pas, d'ailleurs, à proximité, à en juger par ce qu'il avait sous les yeux : Longagne est dans le désert d'amandiers. Le petit garçon était à plus de quinze kilomètres de chez lui. A cinq heures du soir, fin d'automne, par orage de vent, seul, dans la région des chênes morts. L'épine dorsale de Zacharie commençait à peine à se dégeler. Il alla cacher sa moto sous des buissons et il vint prendre Stephen par la main. Il chercha à savoir ce que le petit garçon regardait avec tant d'attention. Il ne vit rien.

Zacharie retourna donc en arrière pour ramener Stephen

à Longagne. Ils y arrivèrent en pleine nuit. L'orage s'était dissipé. Restaient, comme d'habitude, un peu de bise et des étoiles grosses comme des pois chiches. Zacharie s'attendait à trouver la maison en émoi; on ne perd pas un petit garçon aussi beau que Stephen sans allumer quelques lanternes et sans courir de droite et de gauche. Non. Ils avaient l'air de trouver ça tout naturel. De l'extérieur tout au moins. On ne voyait un peu de lumière qu'à une fenêtre du rez-de-chaussée, et encore elle devait provenir du rougeoiement d'un âtre.

Ils entrèrent dans un vestibule, sonore et très obscur. Une petite voix appela Stephen. On frotta une allumette. Apparut une main minuscule, un très beau visage d'enfant, une fillette aux cheveux noirs. « L'orage a fait sauter les plombs, dit-elle. Je t'attendais. » Elle alluma une bougie.

Stephen ouvrit les bras. La petite fille se blottit contre lui. Il lui prit la bougie des mains. Ils montèrent les escaliers enlacés, dans un petit rond de lumière. L'énorme maison d'ombre et d'échos les suivait.

« Ils ne se sont pas souciés de moi, dit Zacharie à Mafalda le lendemain. J'ai compté pour du beurre. »

Quelques semaines auparavant, Stephen et sa sœur (Florence) avaient vécu un étrange moment. Ils n'avaient qu'un an de différence; on les prenait parfois pour des jumeaux, d'autant qu'on avait plaisir à les voir ensemble.

Longagne est en plein milieu du quartier qu'on appelle « les amandiers sauvages ». D'un côté on va à Rians, vingt kilomètres, de l'autre à Montmeyan, dix-sept; entre Longagne et Rians, rien; entre Longagne et Montmeyan, rien. Voilà pour l'est et l'ouest[1]. Au nord, rien jusqu'à la Durance : le plateau commence à onduler, puis se soulève en collines, au-delà de la Durance; de l'autre côté de la Durance, rien jusque très loin. Au sud, le plateau qu'on voit finalement se perdre en brouillard gris, contre de hautes montagnes de bronze. Au-delà de ces hautes montagnes (déchirées de rouge par des bauxites), la mer. Mais c'est très loin. Le plateau proprement dit est une plaque de rochers blancs de quelques centaines de kilomètres carrés. La pluie et les vents, qui dans ces solitudes sont libres, ont creusé le roc de nids de poule, où se sont amassées quelques poignées de terre rougeâtre. On ne sait pas quand, quelqu'un a planté des amandes dans ces poignées de terre : les amandiers sauvages sont maintenant trapus et innombrables. L'amandier est un arbre torturé : il obéit au vent, il se tord, il se crispe, il est noir. Sa beauté, il l'abat d'un coup au printemps, et à peine si cette beauté recouvre le squelette. Avec l'amandier, l'esprit n'est jamais en repos. A partir des fenêtres et des terre-pleins de Longagne, dans toutes les directions de la rose des vents, l'œil était occupé d'amandiers à perte de vue. Le bruit du vent, de l'air immobile dans ces arbres inquiétants, était le fond perpétuel du silence.

Le Romanin (Trophime) qui acheta Longagne en 1825 avait choisi cette situation, qui lui convenait pour des raisons particulières. En 1943, à l'époque où Zacharie exploitait sa carrière de pierres à Montmeyan, le quartier des amandiers sauvages et le reste du plateau étaient parcourus par des hommes réfugiés au maquis. Ils n'habitaient pas ces étendues solitaires, mais trop découvertes aux avions, ils venaient y régler des comptes.

En 1943, au moment de l'orage de vent, et peu après leur étrange découverte, Stephen qui avait sept ans, et Florence qui en avait six, ne connaissaient pas grand-chose des Romanin. Il y avait, certes, leur père, Roger-Hector, mais c'était un homme silencieux, à la longue figure (la beauté ne venait pas du côté des Romanin). Roger-Hector était très gentil ; il posait parfois une main sèche, très électrique, sur la tête de Stephen et sur celle de Florence. Il caressait leurs cheveux, et les deux enfants étaient aux anges, mais aux anges noirs. Maman n'était qu'une photographie, énormément agrandie, presque grandeur naturelle. Elle était morte en donnant le jour à Florence quand Stephen avait un an. C'était une très belle personne, habillée à la mode 1930 (à l'époque de son mariage avec Roger-Hector) qui glissait un regard à la Greta

Garbo sous les bords d'une capeline, dont la photographie ne pouvait pas rendre le rose bonbon, mais que l'avachissement des tulles évoquait bien. Ce personnage en papier glacé, placardé contre le mur du salon, dans un cadre noir, entre le fauteuil à oreillettes (qui jouait un autre rôle Romanin) et l'étagère aux bibelots qui cliquetait par grand vent, était déjà fascinant, mais les deux enfants étaient, de façon exquise, terrifiés par ce regard charbonneux (et en coulisse) devant lequel ils venaient se planter pendant des heures. Ils firent par la suite, tous les deux, et séparément, la découverte que Stephen avait ce regard, et que Florence l'avait aussi. A part le père (Roger-Hector) et la maman en papier, un autre personnage hantait Longagne, à l'époque de l'orage de vent, quand Zacharie raccompagna Stephen pendant la nuit : c'était Mademoiselle Alphonsine.

Il s'agissait d'Alphonsine Babou, mais Stephen n'apprit le nom que plus tard, quand apparut dans sa vie le très honorable Kruger Babou; pour l'instant, c'était simplement Mademoiselle Alphonsine, et il était recommandé d'être gentil avec elle, ce qui n'était pas difficile. Le domaine de Mademoiselle Alphonsine, c'était la cuisine, où elle ne travaillait pas, puisqu'il y avait là les Antonin, mari et femme, lui, homme à tout faire (et tout, c'était peu, depuis la mort de maman), elle, préposée aux petits plats dans les grands : comme disait Roger-Hector, pour Pâques, la Noël et le 6 septembre; le reste du temps, la mère Antonin faisait la soupe et les ratatouilles. Ah, et le café! dont l'odeur était si agréable, le matin dans la maison. Le domaine de Mademoiselle Alphonsine était donc la cuisine, qui était son salon, pour ainsi dire, et le grand couloir du second, avec, naturellement, les quatre pièces qui y donnaient. Où Stephen n'était jamais entré. Mademoiselle Alphonsine avait dans les soixante-dix. Elle mettait du rouge sur ses lèvres, et beaucoup de poudre de riz, ce qui la rendait d'apparence fragile et amicale, comme les bibelots de l'étagère que le vent faisait cliqueter. Elle se parfumait aussi, et généralement à la violette. Stephen percevait sur elle deux odeurs : la violette, bien sûr, mais surtout l'odeur des vieilles chambres fermées.

Par Mademoiselle Alphonsine, il avait comme une ouverture sur la profondeur des Romanin, au-delà de Roger-Hector et de maman. Il y avait certainement une raison pour qu'il soit défendu de monter au second. Il y en avait une, également, pour que, certaines nuits, Mademoiselle Alphonsine soit obligée de se promener sans arrêt dans « son » corridor. Je dis bien : « obligée », car on entendait qu'elle était à bout de forces, et elle allait quand même. Il y avait aussi les noms qu'elle prononçait : Monsieur Sidoine, qui revenait toujours dans ses conversations avec Roger-Hector, et « Madame Florence, qui a donné son nom à cette petite ». Une fois, elle parla d'un nommé Juste Romanin, puis d'une Amélie Romanin, qui devait être une sorte de reine ou d'impératrice, car tout ce qu'elle faisait était bien. Venaient également dans la conversation (ou les soliloques) de Mademoiselle Alphonsine, des mots, parmi lesquels : galeries, arsenal, poker, étaient comme d'imprécis petits Romanin, qui agitaient des étendards de couleurs émouvantes (surtout des rouges) dans les lointains de la famille. Dans les lointains de Stephen et de Florence.

Les deux enfants sortaient chaque jour dans le désert. Ils allaient à un ou deux kilomètres au sud de Longagne, du côté où le plateau a le plus d'étendue, en direction de cette brume argentée qui écume contre les montagnes de bronze. Ils avaient là un arbre familier dans lequel ils grimpaient pour aller s'asseoir dans les fourches de deux branches. Ils passaient dans cette brume des heures à ne rien dire et à faire, en imagination, tout ce qu'on fait quand on regarde le monde de haut.

Un jour, deux à trois semaines avant l'orage et l'intrusion de Zacharie, en arrivant près de leur arbre, ils virent un homme couché sur le rocher nu. Ils le regardèrent longtemps de loin. Il ne bougeait pas. Ils approchèrent pas à pas.

L'homme avait la tête en sang. Il était mort. Florence se mit à trembler. Stephen la prit dans ses bras. Elle s'apaisa.

Le lendemain, ils revinrent au même endroit. Le petit soleil avait beau être gris, il avait déjà fait beaucoup de travail, et sans doute aussi les renards. Florence se mit à trembler. Stephen la prit dans ses bras. Elle s'apaisa.

Ils revinrent tous les jours. Florence tremblait. Stephen avait un grand plaisir à la prendre dans ses bras. Elle s'y blottissait, tremblait encore un peu, puis poussait un gros soupir. Elle pesait alors un poids agréable à supporter. Elle s'apaisait.

En retournant à la maison, ils restaient enlacés. Ils marchaient le plus lentement possible; parfois ils s'arrêtaient.

Ils avaient tout de suite compris qu'il ne fallait pas parler de ce mort à Roger-Hector, ni à Mademoiselle Alphonsine, même pas aux Antonin. Il était dans un endroit où les grandes personnes ne vont pas, et loin de la piste du facteur. Ils pouvaient le garder pour eux.

Le spectacle qu'ils allèrent regarder chaque jour devint très laid. La laideur leur donnait un vertige qui devenait délicieux dès qu'ils s'apaisaient dans les bras l'un de l'autre. Cette laideur les attira de plus en plus. Ils avaient en eux le remède.

Roger-Hector mourut en 1951. Il ne s'était occupé de Stephen et de Florence que pour leur apprendre les mathématiques. Ils étaient même allés tous les trois très loin dans cette discipline. Non seulement les enfants étaient doués pour cette science des nombres, des figures, des mouvements, mais ils s'y livraient avec la soif de ceux qui y trouvent la justification d'un romantisme. Ce raisonnement qui, avec logique, faisait vivre des abstractions, les autorisait à croire que certains actes concrets étaient aussi du domaine des rêves. Jusqu'à quel point le père était-il le professeur des enfants?

Stephen avait maintenant quinze ans, Florence, quatorze. Ils restaient à Longagne avec Mademoiselle Alphonsine, qui avait quatre-vingt-un ans, mais à qui la mort de Roger-Hector avait donné un coup de fouet, et les Antonin, bien entendu, les Antonin étaient de fondation.

La vieille femme se révéla être de caractère froid et implacable. Un matin, Stephen, dans le hall, écouta : elle parlait à quelqu'un dans la chambre du premier étage :

« ...votre chiennerie », disait Mademoiselle Alphonsine à la fin d'une phrase véhémente.

Il entendit Florence répondre :

« Ce n'est pas une chiennerie. C'est même la seule chose qui n'en soit pas une. »

*

Il y avait d'abord ce que Zacharie appelait « l'argent des Boers » – suivant la formule qu'il tenait de son père – à quoi s'était ajouté l'argent Zacharie : tout ce qu'il avait gagné avec sa machine à gravillons qui broyait la carrière au-dessus de Montmeyan, couvrant de poussière de craie dix mille mètres carrés de maquis; depuis quinze ans s'ajoutait au magot l'argent qu'Auguste, Octave, Aurélien et Titus gagnaient sur les routes; à quoi, disait Mafalda, s'ajoutait son argent à elle, car il avait bien fallu qu'elle fasse ces quatre garçons, puis la soupe, puis le reprisage des chaussettes de tout le monde, et tout ça valait de l'argent, qu'elle donnait bien volontiers, mais il fallait en tenir compte.

« Moi, dit Zacharie, j'avais sept ans, ce qui me plaisait, c'était cette carabine qu'ils portaient en bandoulière, croisée avec les cartouchières, ce casque de liège, et puis, bien entendu, le cheval. Il n'y avait pas encore d'automobile, et pas de cinéma : un cheval, c'était le Pérou!

« Leur point de ralliement était le Logis de la Colle, à l'auberge, sur la route.

– Celle qu'on a coupée en deux en faisant le virage, dit Aurélien.

– Exactement. Vous avez vu, il y avait des écuries, qui passaient à l'époque pour immenses. C'est celles que vous avez démolies. Ils se réunirent là au début de septembre. Il en était venu de très loin, des Basses-Alpes. Ils étaient une trentaine. On allait les voir. J'étais petit, mais j'avais de bonnes jambes. Je passais par les communaux de Pourrières, j'en sortais à la ferme du Général. Je prenais par Piconin et je venais tomber à La Grande Rouvère, d'où le Logis de la Colle était visible comme le nez au milieu de la figure. Là, je soufflais, car j'avais couru tout le long. On les voyait d'ailleurs déjà, car ils caracolaient pour s'exercer.

« Ils attendaient un bateau. Il y en eut un fin octobre. Alors, ils s'alignèrent dans le pré. Un d'entre eux, qui s'appelait Arbaud, Esprit[1] : je me souviens de son prénom, à qui ils avaient décidé d'obéir, les passa en revue. Il faisait froid et noir, la pluie cinglait. Cette fois-là, j'étais avec mon père. J'avais ma pèlerine, lui aussi, et le capuchon, lui aussi. Nous n'étions pas nombreux pour assister à ce départ : les filles de l'auberge, le patron, quelques rouliers, mon père et moi. Les chevaux sont plutôt tristes quand il pleut; ils baissent la tête. Ils s'en allèrent vers Marseille, au petit trot. Ce n'était pas flambant.

– C'étaient des Français?

– Tu parles! C'étaient des propriétaires terriens, presque des paysans, enfin des gens de la campagne. Parfois pas riches, et ils devaient s'équiper à leurs frais. Ils avaient pris feu après le passage de Kruger en France[2]. Ils partaient pour le plaisir de tuer des Anglais. Des tas d'enfants ont été prénommés Kruger à ce moment-là. Les Anglais étaient nos ennemis à cette époque. Il y avait des journaux où on voyait la grosse Albion qui troussait ses jupes et montrait son cul à tous les passants, et c'était le portrait de la reine. Les cavaliers que j'ai vus partir ont chargé à Prétoria. Deux ont été tués; les autres ont été faits prisonniers et sont restés cinq ans internés dans les Indes. C'est là que mon père est entré en scène.

– Il n'y a pas de quoi en être fier, dit Mafalda.

– Je n'en suis pas fier, dit Zacharie, c'est de l'Histoire. Tu crois que l'Histoire, c'est Louis XIV, ou peut-être Khrouchtchev? C'est des gens qui sont pris dans un truc, et qui après sont coincés; je ne dis pas que c'est bien, je dis que c'est arrivé. »

Zacharie n'alla pas plus loin dans l'histoire des Boers. C'était dommage. Il avait encore à dire des choses très jolies sur ces cavaliers qui s'éloignaient sous la pluie. Ils faisaient partie de son époque héroïque. Un petit garçon de sept ans ne court pas à perdre haleine à travers les bois communaux de Pourrières pour aller voir des hommes qui s'apprêtent à aller tuer des Anglais sans être porté par tout un monde. Il n'y avait pas grand-chose à se mettre sous la dent, au Domaine d'Espagne, en 1902, à part le domaine de l'invention. Il allait à l'école communale à Rians, à pied, aller-retour. Il y en avait pour des heures, par tous les temps et toutes les saisons. Ça en représentait des coups de pied lancés dans les cailloux, des euphorbes décapitées à coups de badine, des bouquets de muscaris et des messes basses. Mafalda ne pouvait pas s'imaginer comme c'était utile d'avoir trente cavaliers qui s'éloignaient sous la pluie! Quand il allait (avec son père) se faire couper les cheveux à Rians, et qu'il attendait son tour, il regardait les journaux illustrés où on voyait John Bull, les lèvres dégouttantes de sang; en train de broyer dans sa mâchoire de cheval de pauvres paysans hollandais.

« Je vais au chantier avec les enfants », dit Zacharie.

Dans ces cas-là, c'était toujours Auguste qui le prenait en croupe. Quand ils furent sur la route, après le chemin de terre d'Espagne, les motos d'Octave et d'Aurélien vinrent encadrer la moto qui portait le père. Réglé comme du papier à musique. Titus était en flèche vingt mètres devant.

« N'allons pas trop vite », dit Zacharie.

C'était inutile : quand père était là, la vitesse également était réglée. Zacharie chevauchant au milieu de ses quatre enfants était gonflé d'orgueil. Ils se déplaçaient tous ensemble. Ils se penchaient tous ensemble du côté gauche dans les tournants de Malemort, au milieu des bois taillis pleins d'asphodèles.

Quand ils débouchèrent dans la plaine, ils entrèrent noblement tous ensemble dans l'exquise blancheur tiède des vignes, fraîchement taillées et hersées, au sol couvert de pâquerettes Rudica. Tout était blanc, le ciel, la terre, la lumière, les fleurs. C'était le beau printemps d'un mois d'avril très doux. Venaient à leur rencontre les gros cerisiers fleuris, les amandiers, les saules blonds, les chênes dont la bourre printanière écumait.

Ils prirent à droite au carrefour d'Ollières. Le chantier était à six kilomètres avant Châteauneuf-le-Rouge, du carrefour de La Bégude à Châteauneuf. La route était coupée en deux. Les ouvriers et les engins travaillaient sur la partie de droite, pendant que la circulation continuait sur la partie de gauche, réglée par les contremaîtres avec des drapeaux rouges.

Zacharie mit pied à terre près de la baraque du comptable. Il entra serrer la main à Monsieur Paul. Il n'avait pas besoin de Monsieur Paul. L'argent des Boers suffirait, et Monsieur Paul ignorait tout de l'argent des Boers. Mais, par un certain côté, Zacharie se satisfaisait à la vue des registres comptables bien tenus. Si on avait dit à Monsieur Paul que ces registres ne signifiaient rien, il aurait été très fâché. A quoi bon faire de la peine aux gens. Certaines fois même, Zacharie prenait l'air soucieux pour faire plaisir à Monsieur Paul, et il regardait les chiffres, les totaux, les « balances » en poussant les soupirs que tout bon comptable doit entendre pousser par son patron.

Il n'allait pas se fourrer dans les engins : les enfants se débrouillaient. Il faisait le bourgeois. Il se baladait, les mains dans les poches. Un mot ou deux à des vieux copains qui travaillaient chez lui parfois depuis plus de vingt ans. Un velours !

Où l'argent des Boers a mis beaucoup de laine. « Mais, d'ailleurs, ce n'est pas à l'argent des Boers que Mafalda trouve à redire, c'est à mon père. Sans lui, cependant, il n'y aurait pas toutes ces machines en train de gratter, de transporter, de raboter, de broyer, de damer, de, tout ! »

C'est Mohammed qui réglait la circulation, côté La Bégude. Son nom était trop difficile à prononcer. En temps voulu, il avait tué deux collecteurs F.L.N. Il avait échappé aux représailles françaises et algériennes. On l'avait caché à Longagne. Et les cinq Leduc, on peut même dire les six, car Mafalda avait fait sa partie, s'étaient chargés de recevoir ceux qui vinrent enquêter sur le compte de ce sacré type qui a un nom impossible. Celui-là, c'était un bon. Et il avait la main sèche comme un sarment, et fine. Zacharie aimait les mains sèches ; et fines.

Il traversa une petite vigne à gauche de la route et il monta à un tertre, du côté de la ferme du Bon Lazare. Il connaissait ces quartiers comme sa poche. Assis sous un gros chêne vert, il avait tout le chantier étalé sous ses pieds. On n'entendait pas trop de bruit, ces engins américains grondaient dans du coton, mais ils faisaient beaucoup de poussière, qu'un peu de tramontane emportait du côté d'Aix.

« Mon père était banquier, se dit Zacharie. Il avait sa banque dans le petit salon du Domaine d'Espagne, qui nous sert encore de petit salon, et où il reste le coffre-fort clouté, dans lequel je mets maintenant des papiers. Banquier privé. C'était plein de vieilles familles terrées dans des coins. Ça vivotait. Ça avait des fonds placés en emprunt du Crédit Foncier, de la Ville de Paris et du P.L.M. Ça grignotait du coupon à 2,50 F. moins l'impôt, sur des terres grandes comme des cantons, dont on avait décidé une fois pour toutes qu'elles ne valaient que le coup d'œil. Des vieilles souches qui se distrayaient avec le rosaire. Des jeunes qui voulaient tuer des Anglais. On les comprend. Tout ça se paye. Si mon père n'avait pas été là, quelqu'un d'autre serait venu.

« Ce n'est pas avec les vingt traites que la Banque de France lui envoyait tous les mois pour le recouvrement, que mon père pouvait faire bouillir la marmite. Tout se passait à la nuit. Car il y avait la nuit, c'est ça l'important. Non seulement il fallait deux jours, un pour aller, un pour retourner du désert à la ville avec le boghei, ou le dog-cart, ou la charrette (alors, trois jours; tandis que maintenant, avec l'auto il faut une heure), mais dans les villes, les opérations de banque se font au grand jour. Or, qui ne sait pas que l'argent craint le grand jour? Qui parle d'argent à midi? En tout cas, pas une seule enfant de Marie! Et pas un seul Gaétan, ou Gontrand, ou Romuald. A midi, on peut parler de bottes, de chasse, pas d'argent. L'argent, c'est la nuit.

« Il y en avait, au domaine, tant et plus, on en vendait, de la nuit. De la nuit et du chuchotement. Et on savait que nous n'étions que tous les trois : mon père, ma mère et moi. Moi, neuf à dix ans; la nuit noire. Ce qui se faisait, ce qui se disait à Espagne, silence total, secret absolu. Et qui pourra jamais dire qu'Un tel est allé à Espagne, quand il y a vingt chemins dans lesquels on peut traîner pour tant de raisons, et plus de cent bosquets où on peut disparaître, attendre, pour ne frapper à la porte que la nuit venue.

« Ils raclaient leurs souliers sur le montoir; ils frappaient à la porte; mon père disait à voix basse : " C'est Saint-Mitre, c'est Saint-Hilaire, c'est La Marotte, c'est La Grande Bastide. " Jamais de nom, le nom du domaine, un point c'est tout. Il allait allumer la lampe à pétrole du petit salon. Ma mère ouvrait la porte, disait : " Entrez. " Après, elle et moi montions nous coucher.

« Le départ des cavaliers pour le Transvaal entraîna un peu de morte-saison. Ce que je ne savais pas, c'est que, sur les trente chevaux que j'avais vus partir, vingt-neuf (au moins) appartenaient à mon père, si on compte qu'ils avaient été achetés avec de l'argent qu'il avait prêté. Il n'était pas question de chevaux de labour. On ne tue pas des Anglais avec des chevaux de labour. C'étaient des pur-sang; le moins pur-sang était en tout cas arabe. Sur les trente carabines, les trente cartouchières et les trente saint-frusquins, vingt-neuf (au moins) appartenaient de même à mon père. Somme toute, le jour du départ, quand il regardait s'éloigner sous la pluie les trente cavaliers, c'est son argent qu'il regardait s'éloigner. Mais il l'avait prêté, précisément, pour qu'il s'éloigne.

« Est-ce que c'est là la malice que Mafalda reproche à mon père ? se dit Zacharie. Est-ce qu'elle ne lui reprocherait rien s'il avait été imprudent ? S'il n'avait pas fait signer de papier ? Si, par exemple, par un tour de passe-passe qui n'est pas dans l'habitude des banquiers, il était parti lui aussi (en esprit, bien entendu) défendre des paysans hollandais, tout en restant, bien entendu, sous sa pèlerine, sous son capuchon, et sans abandonner ma main, sur le terre-plein de l'auberge du Logis de la Colle, ayant donné (et non plus prêté) tout cet argent pour le bon motif ? N'ayant pas fait signer de papier, par conséquent ? Payant, sinon de sa personne, de son argent ?

« Mais il m'aimait beaucoup ; il aimait beaucoup ma mère ; les paysans hollandais n'étaient jamais que des paysans hollandais, et les jeunes – ou les moins jeunes, car il y avait des hommes d'au moins quarante ans parmi eux – n'étaient que des hommes de cheval en train de se payer un luxe. Il n'y avait aucune raison pour qu'ils se payent ce luxe avec l'argent de quelqu'un qui, lui, aimait sa femme et le fils de sa vieillesse. Était-ce sa faute si les propriétés tombées en quenouille périclitaient ? S'il fallait, à chaque récolte ou règlement, non seulement proroger les billets, mais en signer d'autres ? Qui est-ce qui l'a vu recevoir les femmes et les filles, qui venaient maintenant au Domaine d'Espagne de jour et de nuit ? Moi, je l'ai vu, c'était avant que je parte au lycée d'Aix, et c'est très gentiment qu'il les recevait, et souvent ma mère leur faisait des tisanes : du tilleul, qui coupe l'angoisse quand on le boit bouillant, ou la tisane qu'elles voulaient : on leur demandait celle qu'elles préféraient. Certaines avaient même du café. Mais le papier signé, ce n'est pas pour rien qu'on le signe ! Il fallait bien, à la fin, en passer par où le papier signé voulait. Le mari, le frère, le père étaient à Calcutta ou dans le camp de Jalna-Aurangabad. Je me souviens d'une fille blonde qui disait : " Mon père est dans le camp de Jalna-Aurangabad[1] ", et John Bull était toujours John Bull, et il continuait à mâcher, dans sa mâchoire de cheval, du paysan hollandais saignant, qu'il assaisonnait maintenant avec du cavalier français fait prisonnier à Prétoria.

« Des domaines comme Saint-Hilaire, avec trois cents hectares d'un seul tenant, où il fallait savamment utiliser les vagues, les friches, les bois, les arables et les petits vignobles, tombés entre les mains des femmes, qu'est-ce que vous voulez qu'ils deviennent? Ils ne rapportaient même plus assez pour se payer du tabac maryland. Or, quand le propriétaire de Saint-Hilaire (un nommé Jacques de Caumont) était venu de nuit à Espagne voir mon père, pour discuter avec lui de la somme nécessaire pour aller à la chasse à l'Anglais, il avait fait bougrement état de ces trois cents hectares d'un seul tenant, pour ajouter des zéros à la droite du chiffre. Mon père, dirait Mafalda, savait à quoi s'en tenir au sujet de ces trois cents hectares, et que " d'un seul tenant " signifiait seulement que le désert contenait le domaine tout entier. J'en conviens. Mais c'était à Monsieur de Caumont à savoir si son fameux Saint-Hilaire avait les reins assez solides pour supporter l'achat de harnachements, de selles anglaises (car un Monsieur de Caumont ne chasse bien l'Anglais qu'assis sur une selle anglaise), de carabines damasquinées, de pur-sang, de nourritures adéquates, de paquebots et d'argent de poche de Marseille au Transvaal.

« Je sais pourquoi Mafalda m'a épousé. Quand ma mère est morte, je suis revenu d'Aix, où, entre-temps, j'étais entré aux Arts et Métiers. A l'occasion des obsèques de ma mère, j'ai trouvé le Domaine d'Espagne plein de monde, et du plus huppé, et chapeau bas, ou rosaire aux doigts, et des fleurs comme pour une reine. On craignait mon père. Il n'avait encore rien touché à la géographie du pays, mais il avait dans son coffre de quoi bouleverser cette géographie de fond en comble. Saint-Hilaire, Saint-Mitre, La Marotte,

La Grande Bastide, et bien d'autres, étaient toujours, semblait-il, aux mains des prisonniers de Calcutta et de Jalna-Aurangabad, mais le grand propriétaire réel était mon père, et tout le monde le savait. De là, des courbettes et des génuflexions.

« Et ça se savait assez largement, je veux dire, par exemple, que ça se savait aussi à Cadarache, et ils devaient se dire, de métayer à berger, de berger à laboureur, de laboureur à moissonneur, de moissonneur à charbonnier, que, du côté des amandiers sauvages et des déserts, un immense domaine était en train de se construire, dix fois plus grand que Cadarache, en arrondissant Saint-Hilaire, Saint-Mitre, La Marotte, La Grande Bastide et tant d'autres. Or, qu'est-ce qu'elle voit, Mafalda, quand je retourne définitivement d'Aix, sorti premier des Arts et Métiers? Je suis fils unique, et je suis fils unique du Domaine d'Espagne, fils unique de Magloire Leduc. Magloire Leduc, mon père, a plus de soixante ans. On s'attend à ce que je succède à cette sorte d'empereur, que je m'assoie bien tranquillement dans son fauteuil. On s'attend à me voir acheter un chapeau melon, et je m'achète une colline à Montmeyan et une motocyclette. Voilà pourquoi Mafalda m'a épousé après la guerre (de 14, bien entendu).

« Je crois que Mafalda m'aimait parce qu'elle me voyait manger une colline. Ce qu'elle ne sait pas, se dit Zacharie, c'est qu'en achetant la colline et la moto, je n'ai pas désavoué mon père. Grâce à lui, grâce à tous les papiers qu'il avait fait signer aux cavaliers, et leur rendant grâce, j'ai simplement obéi à mon caractère. S'il n'avait pas ruiné les cavaliers, j'aurais peut-être été obligé de continuer son travail, qui était, il faut bien le reconnaître, l'usure; mais l'ayant fait, j'étais libre de choisir un état en accord avec mon tempérament, et mon tempérament ne pouvait se satisfaire qu'avec du monstrueux.

« Ce qui n'était pas tellement loin du tempérament de mon père. Regardons-le, dans le petit salon du Domaine d'Espagne, par nuit noire, ayant allumé sa lampe à pétrole (qui sentait si fort), discutant avec un Jacques de, un Bonaventure de, ou un quelconque de ces Gonzague que l'époque avait décidé de détruire. Il pouvait refuser d'être l'instrument de cette époque : il pouvait un peu usurer par-ci, par-là, se comporter petitement, s'installer dans le fromage et grignoter, alors au contraire qu'il est allé (comme j'ai toujours envie d'aller) à l'énorme, au monstrueux, passant de Saint-Hilaire à Saint-Mitre, de Saint-Mitre à ainsi de suite, accumulant les hectares, entassant Pélion sur Ossa, devenant, dans son amour de la monstruosité, l'instrument de l'époque. Car il est visible, comme le nez au milieu de la figure, que tous ces marquis étaient condamnés à disparaître, et que les instruments de cette disparition, forgés par le siècle, étaient le Transvaal d'un côté, qui semblait être le dernier appel de l'aventure, et de l'autre mon père, qui aimait la monstruosité.

« A un point que tout le monde fut attrapé. On attendait un éclat, il n'y eut rien de semblable. Les prisonniers de Calcutta et de Jalna-Aurangabad rentrèrent dans des domaines requinqués, et dont ils se croyaient toujours propriétaires. Ce n'est pas Magloire Leduc qui serait allé leur dire le contraire : ils étaient maigres, dévorés de dysenterie, ils avaient bien le droit de mourir dans leurs terres, comme dans leurs draps. On entrait encore au couvent à cette époque, certaines filles, bien conseillées, en profitèrent. Les fils Gonzague (ou Adhémar) se vendirent très bien avec leur nom à de la bourgeoisie très huppée et cousue d'or. Les internés de Calcutta continuèrent paisiblement à maigrir, amusés par des plaisirs très simples dans lesquels personne ne venait les déranger. Les douairières connaissaient assez le comportement habituel de mon père pour avoir la moindre inquiétude[1]. Même en 1914, quand on institua le moratoire[2], tout resta en équilibre : les termes des papiers signés à Espagne en 1900 (et les années suivantes) avaient tout prévu. Il y a une monstruosité dans la patience quand elle va (comme allait celle de mon père) pendant vingt ans, sans s'inquiéter des guerres et des lois sociales. Ainsi, la race des marquis, dans ce qu'elle avait de plus noble (il fallait l'être pour aller aider des paysans hollandais de l'autre côté de la terre), dans ce qu'elle avait de meilleur, disparut sans tambour ni trompette, comme auraient pu disparaître de grands mammifères ou de grands sauriens dans des conditions de climat qui ne permettaient plus leur persistance.

« Et la façon de faire de mon père fut considérée par tout le monde, même par les intéressés, comme on considère les forces de la nature contre lesquelles la raison même conseille de ne pas lutter. Saint-Mitre, Saint-Hilaire, La Marotte, La Grande Bastide, et tant d'autres domaines, tombèrent, bien mûrs, sans scandale, sans éclat, sans veuves et sans orphelins, les uns après les autres, dans les mains de mon père, qui avait su être l'instrument du siècle dans le petit canton où il exerçait son métier, qui était, il faut bien le dire, l'usure. »

Oui, l'usure, ainsi que se le disait Zacharie sous son yeuse, dominant le chantier bien moderne, bien paisible tout compte fait, malgré l'agitation de ses machines yankees; l'usure installée dans un système cohérent de conquête du monde. Pendant que là-bas, dans le désert des amandiers sauvages, habitaient à Longagne des ascendants de Stephen et de Florence, que ni Stephen ni Florence ne pouvaient connaître, dont ils avaient une vague idée par ce qu'ils en entendaient dans les conversations que Mademoiselle Alphonsine tenait avec les ombres de son corridor du second étage, ou plus exactement les monologues qu'elle débitait en traînant inlassablement la savate dès que (constatation que Stephen n'avait pas encore faite), dès que l'exaspérant vent d'ouest enveloppait la maison.

Magloire Leduc vint rôder autour de Longagne. Est-ce qu'il n'y avait pas moyen de piéger aussi ce vaste domaine? Six cents hectares de n'importe quoi, même de déserts, étaient toujours bons à prendre. C'était bien avant la naissance de Stephen et de Florence. Ce qu'il vit le décontenança. Il vint trois fois : une fois pour voir, une fois pour revoir, une fois pour conclure. Chaque fois il eut le même spectacle sous les yeux : un vieillard assis dans un fauteuil Louis-XIII, sur le terre-plein devant la maison; près du fauteuil, une jeune femme (vingt à trente ans) debout, avec un chasse-mouches. Il comprit tout de suite que cet engin avait une signification essentielle, mais il eut besoin de trois examens pour savoir laquelle : on pouvait atteindre la démesure avec un vieillard et un chasse-mouches, l'attitude de la jeune femme le criait. Ce n'étaient pas des clients : c'étaient des collègues. Il salua le tableau vivant avec son fouet. Il s'en alla; il ne revint plus.

« On peut se servir sans scrupules de l'argent des Boers, dit Zacharie à Espagne, le soir de ce printemps blanc de 1965 où il était allé ruminer son passé sous un chêne dominant le chantier de ses fils. J'y ai ajouté l'argent des collines de Montmeyan, et Mafalda a versé à la cagnotte la vie qu'elle vous a donnée à vous quatre, et la soupe qu'elle fait bouillir depuis plus de quarante ans.

– Ne me passe pas la brosse, dit Mafalda. Je suis assez grande pour savoir ce que je vaux, moi. Est-ce que tu me vois prendre la carabine pour aller tuer des rats? Non. Montrez-moi un peu ce catalogue, que je voie à quoi ressemble votre mécanique. On doit bien vous donner quelque chose pour vos quatre-vingts millions. Si je m'oppose (je n'ai pas dit que je m'opposerai), ce sera au nom du bon sens.

– Du bon sens! dit Zacharie, alors que tu n'as jamais été qu'une pendeuse de renards. »

Il regarda ses fils avec le sourire. Il connaissait Mafalda : si elle avait voulu dire non, elle n'aurait pas pris la peine de répondre si longuement.

Le catalogue était très « coquet ». Il avait été fait en Amérique. Son papier était glacé; sa typographie employait un joli rouge et un joli vert; ses photographies représentaient des monstres.

« Il a un réservoir de huit tonnes », dit Auguste.

Zacharie se garda bien de dire quoi que ce soit. Il fallait laisser le dialogue s'engager entre Mafalda et ses fils, et au moment où Aurélien prendrait la parole, l'affaire serait dans le sac !

« Elle est laide, dit Mafalda.

– ... Contrôle automatique.

– Elle ressemble à une courtilière.

– Il donne d'un seul coup un tapis d'asphalte, égalisé et damé, de six mètres de front. Il a un empâtement de huit mètres. Sa vitesse de travail est de cinquante mètres à l'heure; sa vitesse de déplacement à vide, trente kilomètres. Il pèse vingt tonnes.

– Pourquoi dis-tu " il ", dit Mafalda, moi, je dis " elle ".

– Je dis " il " parce que ça s'appelle un Dragoon, full finished SA 60 [1].

– Moi, dit Mafalda, je dis " elle " parce que ce n'est qu'une mécanique. Si vous commencez par mettre au masculin ce qui n'en vaut pas la peine, mes enfants...

– J'ai vu Monsieur Aubert, dit Aurélien.

– Alors, dit Zacharie, qu'est-ce qu'il en pense?

– D'abord, il n'a pas cru qu'on avait quatre-vingts millions en liquide...

– On ne les a pas, dit Zacharie, il faudra vendre l'or.

– Quand je lui ai dit qu'on ne demanderait ni avance ni crédit, qu'on payait recta, il s'est demandé si c'était du lard ou du cochon. Quand il a vu que c'était sérieux, il m'a dit : " Dis à ton père que, d'abord, je m'occuperai de tout ce qui concerne l'exportation des capitaux, puisque la machine est à Turin. J'en fais mon affaire : c'est trop important pour que l'État cherche des poux sur une tête de marbre [2]. Ce sera la seule et unique machine de ce genre en France. Et dis-lui aussi que je lui assure, tout de suite s'il veut (enfin, quand il aura la machine) et par contrat, tout le travail d'autoroutes de la région. ” Et il m’a dit : “ Il y a le prolongement de l’autoroute Nord de Marseille vers Aix et Avignon, de celle de l’Est au-delà d’Aubagne jusqu’à Toulon, sans compter son prolongement (qui va bien se faire un jour ou l’autre) pour rejoindre l’autoroute de l’Esterel. ” On aura du pain sur la planche. »

Mafalda avait froid aux pieds, tous les soirs, même l’été, quand elle se couchait. Elle les réchauffait en les mettant entre les jambes de Zacharie. Elle était donc obligée de se recroqueviller, tandis que Zacharie était bellement étendu sur le dos. Il tirait une sorte de supériorité de sa position, qu’il trouvait plus normale que celle de sa femme. (Or le truc de se chauffer les pieds avait été inventé par Mafalda la nuit de ses noces, et par gentillesse.) Dans cette situation, Zacharie osait aller très loin, parfois jusqu’à contredire.

« A quoi tu penses? dit-il.

– A un système de masculin et de féminin, dit Mafalda. Je suis entièrement d’accord pour la machine, mais il ne faudrait pas en faire une Constantinople.

– C’est quand même un beau morceau.

– Tu peux trouver le morceau aussi beau que tu voudras, toi. A ton âge, tu ne cours plus grand risque. Mais les petits, je voudrais leur trouver autre chose dans la tête.

– Ils ont de l’ambition. C’est bien.

– J’aimerais mieux qu’ils aient de l’ambition dont on puisse dire que c’est mal.

– Tu le reproches à mon père...

– Je ne reproche rien à ton père. Je ne lui reprocherais rien si tu n’étais pas à moi, et s’il n’était pas le marchand de sentiments qui auraient pu me remplacer. Maintenant, d’ailleurs, je ne lui reproche plus rien du tout. Mais tu sais bien ce que je veux dire. Ils vont acheter cette mécanique. Et Stephen va faire disparaître Longagne. Tu vois la différence?

– Non.

– Tu dis non parce que c’est oui.

– Je dis non parce que c'est non. Il n'y a aucun rapport.

– Il y a le rapport de ce qui vous occupe l'esprit dans un cas comme dans l'autre.

– Il n'y a pas de rapport entre cette machine qu'on achète et cette maison qu'on démolit.

– Non, pas qu'on démolit, qu'on fait disparaître.

– Si tu veux.

– Je veux parce que c'est la vérité. Tu me l'as dit. Il ne démolit pas pour reconstruire, ce que tout le monde fait, il démolit pour faire disparaître, ce que personne ne fait, sauf lui. Il a donc une idée personnelle.

– Les petits ont aussi une idée personnelle, ils achètent la machine.

– Tous ceux qui ont quatre-vingts millions peuvent le faire. Et ceux qui n'ont pas quatre-vingts millions peuvent le désirer. Il n'y a rien de personnel là-dedans. Il n'y a rien d'extraordinaire.

– Attention, dit Zacharie, plus les machines sont grosses, plus il finit par y avoir de l'extraordinaire.

– Écoute, dit Mafalda, on a toujours eu besoin de se distraire, et il n'y a pas toujours eu des machines. On s'en faisait avec n'importe quoi : avec du cœur, du foie, de la rate et du gésier. Les petits, je ne suis pas mécontente de les voir passionnés, mais j'aimerais que ce soit surtout par autre chose que de la ferraille, même neuve. »

« Il était planté au bord de la route, se dit Zacharie, et dans un endroit qu'il paraissait avoir choisi, qu'il avait deviné être un coin de désert sur lequel j'avais l'habitude de porter les yeux, pour que je sois forcé de le remarquer et de m'arrêter. »

Sur le point de s'endormir, Zacharie revoyait sa dernière rencontre avec Stephen. Elle avait eu lieu dans un quartier bien spécial des amandiers sauvages. C'était, assez loin de Longagne, un paysage de rochers à perte de vue, sans la moindre trace de verdure. A peine si quelques chicots d'amandiers morts mettaient des taches de noir dans cette blancheur.

« J'ai coupé les gaz, j'ai mis un pied à terre, et il s'est approché. Il m'a dit qu'il venait s'excuser pour la façon dont il s'était séparé de moi le soir de l'orage de vent. Ces cérémonies n'étaient pas de son âge, ni le ton qu'il employa pour me faire sa politesse. J'avoue que je n'en revenais pas. Il était très beau : une peau un peu laiteuse, des yeux noirs, un regard qui pesait sur l'endroit où il se fixait. Ses manières n'étaient pas celles d'un petit garçon, ni d'un homme, mais d'un personnage inventé.

« Il devait m'observer depuis longtemps sans que je m'en doute. Il connaissait toutes mes habitudes. Il semblait avoir besoin de moi. Il m'apparut cinq ou six fois pendant les semaines qui suivirent l'orage. Il ne me demanda jamais rien. Il me saluait de la main. Je m'arrêtais. Nous avions une petite conversation de cinq à six minutes, où c'était toujours moi qui interrogeais. Il répondait oui, non, sans plus, gentiment, et avec plaisir même, quand il était manifeste que son oui ou son non ne correspondait pas à la vérité. L'essentiel semblait être pour lui d'avoir une conversation, quelle qu'elle soit. Il devait avoir envie d'entendre le son d'une voix, un point c'est tout.

« " Tu as une sœur ?

« – Non. "

« Je savais qu'il en avait une, qu'elle avait tué sa mère en naissant, qu'elle s'appelait Florence, qu'elle était, avec un an de moins que lui, à peu près de son âge ; que c'était la petite fille qui l'avait accueilli si tendrement le soir de l'orage, et avec laquelle il m'avait tout de suite oublié.

« Après, il y a tout ce qui est arrivé à la mort de son père, et sa contenance pendant qu'il me parlait, du haut de ses quinze ans, à Espagne, où il était venu à pied, ayant fait ses trente kilomètres (environ) d'une seule traite. Car, disait-il, il voulait que je sois témoin de sa vie.

« Avant, il avait dû y avoir beaucoup d'ombres et de lumière à Longagne; d'où était sortie cette bataille de cerfs avec le fameux Kruger Babou, l'honorable, comme disait la vieille fille du deuxième étage, bougrement verte malgré ses quatre-vingt-un ans; Alphonsine! D'où sortait-elle, celle-là? Menaçante, avec son chasse-mouches qu'elle maniait comme un fouet... Parlant par allusions d'on ne sait quoi de terrible, d'horrible, de sorti de l'enfer, qu'elle avait l'air de voir clairement autour d'elle, et qu'elle était seule à voir.

« Qu'est-ce que tu veux que l'enfer puisse faire avec deux beaux enfants, dont Mafalda disait qu'ils étaient aussi beaux, ensemble, que deux beaux chevaux? Cette Alphonsine (quatre-vingt-un ans) qui restait la dernière vivante de tout ce qui avait précédé Stephen et Florence, et qui n'était même pas une Romanin, une parente ou une alliée, qui n'était rien, et que le sort avait intronisée commandante de ces deux enfants!...

« D'où venaient, à cette Alphonsine, les sens qui lui faisaient voir (imaginer) l'horrible et l'infernal, où il n'y en avait visiblement pas?

« D'où viennent les nuages dans lesquels nous essayons tous de démêler nos sentiments? D'où venait à Stephen cette arrogance, quand il parlait à la vieille demoiselle, lui d'ordinaire si courtois? D'où venait cette impression qu'à Longagne on marchait dans de glorieux brouillards? D'où vient que j'étais à mon aise dans ces coups de lumière sur d'étranges figures et ces ombres retentissantes de profondeur? »

*

Il pleuvait ce 3 frimaire, an 12. Les coups de vent descendant du Haut-Var jetaient contre Brignoles une lourde pluie mêlée de neige. L'eau des gouttières menait grand tapage dans les cours intérieures de Repentance.

On fit sécher le manteau de cavalerie de Monsieur Pissin-Barral sur trois chaises, près du poêle, dans le greffe de la prison. On alluma du feu dans la cheminée de la chambre des interrogatoires. Il faisait très sombre.

« Donnez-moi une lampe », dit le juge.

On le lui déconseilla.

« Cela peut être dangereux. Il n'aurait qu'à s'en saisir et l'écraser à vos pieds. On peut vous laisser le fanal?

– Il n'éclaire pas assez. Je veux voir jusqu'à la plus petite lueur de ses yeux. Il ne dira jamais rien. Il faut que je devine. Apportez la lampe. »

On amena le prisonnier. C'était toujours un petit blondin.

« Le procès-verbal ne sera pas véridique, dit-il.

– En quoi?

– En ce qu'il me donne comme libre et sans fers.

– J'ai fait enlever vos fers.

– Faites aussi enlever les murs de Repentance, que je sois sur les plateaux ou dans les bois, alors je serai vraiment libre et sans fers, mais alors vous ne m'interrogerez pas.

– Pourquoi?

– Vous n'en aurez pas envie.

– Vous avez compris qu'il s'agit d'une envie.

– Je n'ai rien compris du tout. Vous commandez, j'obéis. Vous m'avez mis le marché en main : ma vie contre des mots. Voilà des mots. Quand vous en aurez assez, vous me livrerez la marchandise. Envie ou pas envie, c'est un contrat. Du moins j'espère.

– C'est en effet un contrat. J'en respecterai les termes si vous les respectez. »

. . . .

Pendant toute la période qui a abouti à ce premier début de récit, les esquisses de phrases qui dans le carnet de travail accompagnent la rédaction se sont mêlées à des commentaires et à des notes ou « pilotis » qui prévoyaient peu à peu la suite de l'histoire. Puis la série est interrompue par dix pages dans lesquelles il n'est plus question de Dragoon, *et l'interruption coïncide, pour les esquisses de phrases, avec celle du texte rédigé. C'est apparemment à l'été de 1965 que Giono suspend ainsi à la fois la rédaction et le travail préparatoire de* Dragoon. *Quand il y reviendra, le projet se sera suffisamment modifié dans son imagination pour qu'il entreprenne d'abord par deux fois de récrire la seconde moitié de la partie rédigée, puis qu'il se décide à repartir à zéro. Pour se faire une idée de ce que devait être* Dragoon *dans sa toute première conception, il faut donc, avant d'en venir aux tentatives de réécriture, faire le point des indications qui n'avaient pas trouvé place dans le texte et des projets qui s'étaient dessinés antérieurement à l'interruption.*

Deux esquisses du carnet prolongent l'épisode de la capture des renards par Mafalda et par ses sœurs. Elles accroissent la résonance du récit en juxtaposant deux versions entre lesquelles Giono a hésité : « Plus d'un an après son mariage, elle a gardé autour de la taille l'irritation qu'y avaient installée ces poils de blaireau », et « Elle expliqua qu'elle et ses sœurs gardaient toutes les nuits les lacets de cuir entre leurs cuisses, pendant des mois » (f°s 58 et 59). Est-ce par un effet volontaire de correspondance, les renards devaient reparaître dans le récit, autour du père de Stephen et de Florence. Dans le carnet, aussitôt après avoir mentionné les progrès, suivis jour après jour par les deux enfants, du travail des renards sur le cadavre, Giono a immédiatement enchaîné : « Le père de Stephen aime les renards, *les soigne, les protège » (f° 73). Cinq pages plus loin, l'idée aura fait son chemin : « Roger-Hector. Son amour excessif des bêtes, et notamment des renards. Il les soigne, les délivre des pièges. Les rapports des renards et du cadavre. Stephen et Florence voient un renard s'éloigner avec quelques débris aux dents » (f° 78).*

Il arrive que les indications des carnets explicitent ce que le texte rédigé a finalement laissé à l'état d'allusion ou de suggestion. Là où, par exemple, Zacharie dit seulement que son père « aimait la monstruosité » (p. 64), le carnet avait prévu un moment de montrer en lui « un homme qui aimait tellement le monstrueux qu'il en avait acquis une patience monstrueuse. Il ne procéda pas (pour cet argent des Boers) comme un cataclysme, un paroxysme, mais comme une force de la nature, allant lentement. C'est à peine en 1951 quand il mourut que le dernier domaine tomba dans nos mains comme un fruit mûr » (f° 84).

La plupart des histoires laissées en suspens dans le récit trouvent dans le carnet un prolongement en pointillé. L'interrogatoire d'Ebenezeh Le Duc par le juge Pissin-Barral, au cours duquel s'est interrompu le récit, s'y enrichit d'un ou deux échanges : « Ebenezeh : — N'ai-je pas dénoncé? / Pissin-Barral : — Si, j'ai vérifié, vous avez dit vrai. »; « Il [Pissin-Barral] fut étonné d'employer le verbe qu'il venait d'employer (" j'avoue que ") »; « P. B. : — Abrégez. / E. : — Je prenais plaisir. / P. B. : — J'ai vu » (f°s 92-93).

Au moment de l'interrogatoire, Ebenezeh a vingt ans. Qu'avait-il fait jusque-là, et qu'était-il destiné à devenir? « Ebenezeh : " Je n'ai jamais tué pour de l'argent. " (récit de quelques meurtres) » (f° 90). Il y a toute chance que cette indication soit à rapprocher de la question que s'est précédemment posée Giono : « Là devrait se créer, ou naître, le Dragoon, ou qu'on sente qu'il va naître. — Que peut-il être, d'ailleurs? — CE QUI LE PASSIONNE *— La puissance. Tenir quelqu'un au bout de son fusil. Posséder quelqu'un [ce] qui peut aller jusqu'au viol, mais il dira que lui ne l'aime guère. D'autres* *aiment ça. Lui préférait tuer). Ce goût en train de se développer dans la solitude. Confrontation des paysages et de la mort » (f° 67*[1]*). Nous voici ramenés à une des figures familières de cet univers romanesque. C'est aussi la première mention d'un sens figuré du mot « dragoon », ensuite souvent repris dans le carnet : Zacharie ne connaît rien de son grand-père, mais il n'est pas sans pressentir une « profondeur des Leduc où il soupçonne un Dragoon » (f° 91), et Giono a un moment prêté à Mafalda, lorsqu'elle discute avec Zacharie de l'achat de la machine, cette phrase qui ne sera finalement pas retenue : « Je sais bien ce que c'est qu'un Dragoon. J'en ai eu des Dragoon dans la tête et dans le cœur » (f° 88. Cf. p. 69).*

Combien de temps Ebenezeh devait-il rester en prison? Tout ce que nous savons, c'est qu'« en 1849 il a 65 ans, il se marie avec une jeune Espagnole, celle qui l'a fait évader », d'où la naissance, en 1850, de Magloire (" Notre gloire ") » (fos 89 et 94). Au passage, Giono envisage de lui faire penser ou dire : « C'est cocasse, je meurs de ma belle mort » (f° 89). Mais bien plus souvent il prévoit pour lui la mort dans un incendie, à Gémenos (fos 58, 60[2]*). Cette première idée se transforme ensuite dans des notations qui associent cette « mort étrange » à la Commune de Marseille (fos 92, 94, 96*[3]*). Quant à sa veuve, toujours présentée comme une maîtresse femme, elle devait organiser et animer une bande de joueurs de poker professionnels. Tout ceci n'est guère précisé. Assez pourtant dans l'esprit de Giono, sans doute, pour qu'il note, pour mémoire, que les faiblesses de Zacharie lui viennent d'Ebenezeh, et que le « bon » en lui vient de la jeune fille qui a fait évader le prisonnier (f° 45).*

*Parallèlement aux Leduc, Giono s'emploie à pourvoir d'une ascendance le couple du frère et de la sœur, c'est-à-dire à remonter le fil des générations de Romanin. Tout commence avec un Trophime Romanin, qui est de la génération d'Ebenezeh Leduc, et dont Giono ne dit encore rien, si ce n'est qu'il « doit être expliqué par l'*auteur, *comme s'il était lui-même un* récitant, *dans le style* récit *», et non pas sous forme d'un monologue intérieur de personnage, parce que « personne ne peut s'en souvenir (comme pour Ebenezeh Leduc) » (f° 86). Le fils de ce Trophime, Sidoine, s'impose, lui, dans le carnet par la mention de son activité, qui resterait énigmatique si*

Giono n'en avait parlé à plusieurs interlocuteurs : il est « marchand d'urine ». Giono explique, notamment à Jean Grenier, qu'un employé de son père « le quitta pour aller à Toulon, lieu du bagne de l'époque. Il passa une convention avec le directeur de celui-ci, d'après laquelle il s'engageait à nourrir à ses frais une vingtaine de condamnés à la réclusion, et conclut un accord avec un traiteur pour qu'aux deux repas les forçats eussent de la viande rôtie et du vin de Bourgogne. L'urine des forçats était recueillie dans des barriques et vendue à l'Intendance militaire. C'était le seul moyen connu à l'époque pour teindre les pantalons en garance — ou plutôt pour fixer la garance. A ce régime les bagnards, privés en outre de sortie, n'ayant de légumes (de haricots) que le dimanche, mouraient vite. Mais le soumissionnaire avait fait fortune [1]. »

Ce Sidoine doit avoir un fils, qui est alors le père de Roger-Hector, et donc le grand-père de Stephen et de Florence. Mais, dans cette lignée Romanin, les choses sont encore loin d'être fixées dans l'esprit de Giono à l'époque de cette première rédaction. Il a beau multiplier les récapitulations [2], tant de personnages qui ne sont presque encore que des noms dans un tableau généalogique lui donnent, dirait-on, le vertige, et on assiste de page en page dans le carnet à une valse des prénoms, des dates de naissance, de mariage ou de mort, et même des faits qui devraient caractériser chacun. Ainsi, après avoir noté au passage « également le poker de ce côté-là », (f° 61), Giono prête-t-il à plusieurs femmes de la famille l'organisation de bandes de tricheurs : « débâcle des propriétés; ne reste que Longagne; de 1900 à 1914, elle constitue des équipes de poker qui écument la région » (f° 74). Un moment même, au début, Giono a eu l'idée de rattacher les Romanin aux Théus, et par eux à Langlois : « Du côté de Stephen, un est homme d'affaires-régisseur du marquis de Théus. La tombe de l'Écossais dans le parc. Rencontre le capitaine Martial, qui devient Langlois » (f° 61). La suggestion n'aura pas de suite. Des parents mêmes de Stephen et de Florence, Giono n'a encore presque rien imaginé. On a vu ci-dessus comment avait surgi, par rebond, une indication de nature à quelque peu individualiser Roger-Hector. En revanche, de sa femme, qui est destinée à devenir un personnage de premier plan de la seconde version, le carnet révèle seulement qu'elle s'appelle « Apollonie Pécoul », et qu'elle est « très belle » (fos 73 à 79).

L'histoire du Dragoon proprement dit est résumée en septembre 1965 dans les termes suivants : « Un Dragoon, c'est une marque comme Shell ou Simca, cela sert à faire de l'asphalte d'un seul tenant. Nous assisterons à la passion d'un entrepreneur moderne, Zacharie, pour sa machine. Il l'achète. Mais le Dragoon est en Italie et ne peut faire que dix kilomètres par jour. Il y a des tournants. Le Dragoon tarde. Zacharie a un infarctus du myocarde[1]. *Et ses fils seront obligés d'acheter toute une rue de village. Et ils la démolissent pour que le Dragoon arrive enfin*[2]. *» C'est bien ce que prévoit le carnet, plus précisément même, quoiqu'il ne parle pas d'infarctus : « On lui porte* un morceau *du monstre pour qu'il le voie avant de mourir (on fait tout, d'abord, pour le lui amener entier). " Qu'est-ce que c'est? " On le lui explique, il reconstitue comme Cuvier, et il meurt. Mais après, on ne peut plus reconstituer le monstre. Le Dragoon est foutu » (fo 62). Quelque temps après, Giono revient en deçà de ce dernier moment : « Dans l'agonie de Z., quand il attend vainement que le Dragoon vienne jusqu'à lui, il voit les difficultés, donc tout le pays de collines, en détail, avec les virages difficiles, les passages étroits dans les vallons, les villages (description du pays; description spéciale). Tout ce qui empêche le Dragoon de venir jusqu'à lui » (fo 74).*

La question qui domine toutes les autres est naturellement celle du sort auquel était voué l'amour né entre Stephen et Florence lorsqu'ils avaient huit et sept ans. Il était prévu que, onze ans après, Alphonsine Babou, « Mademoiselle », dont le personnage est encore très flottant dans ces esquisses, « découvre, horrifiée, leur amour. Elle les sépare et désormais reste au milieu d'eux, les empêchant de se rejoindre. Stephen à Nancy » (fo 79[3]*). Avant d'en venir à cette dernière solution, Mademoiselle a essayé d'autre chose : « Mademoiselle A. introduit Kruger B. (son demi-frère) à Longagne. Elle voudrait le faire marier à Florence (pour la sauver et sauver Stephen). Stephen se bat avec K. " Ce n'était pas nécessaire ", dit Florence » (fo 82*[4]*). C'est sans doute à l'époque du départ pour Nancy que devait prendre place une démarche de Stephen auprès de Zacharie et* *par suite la scène entre Mafalda et Alphonsine, qu'on aurait aimé lire : « Stephen vient à Espagne demander à Z. d'être son tuteur (officieux). Stephen et Mafalda (amoureuse naturellement de ce beau garçon). Mafalda va à Longagne. Mafalda et Alphonsine. A. essaie de lui faire partager son horreur » (f° 93).*

Encore n'est-il pas sûr que ce soit Stephen qui s'éloigne. « Et si c'était Florence qui soit ingénieur des pétroles? Se serait jetée aux sciences comme d'autres (en d'autres temps) au couvent. Oui. Et Stephen n'aurait que Longagne. Il détruirait ce qu'il a » (f° 94). Dans beaucoup d'esquisses, c'est effectivement Florence qui travaille à Shell-Berre.

Quoi qu'il en soit, il est tout naturel que ce soit à Zacharie que Stephen vienne demander de « faire disparaître » Longagne. Il lui dira, fortement : « J'ai tenu tant que j'ai pu. Or je sais maintenant que seul ou sans elle je vais mourir. La vie veut vivre. Donc c'est logique » (f° 95). Tout naturellement aussi, c'est Mafalda qui se chargera de « faire prévenir la sœur par les amis du village », puis qui « confesse Florence. C'est en somme l'abeille qui préside à la fécondation » (f° 95). Belle formule, à laquelle un passage d'une interview de 1965 fera un écho quelque peu affaibli. « C'est Mafalda qui dira : " Quand un frère et une sœur s'aiment, pourquoi ne se marient-ils pas? Pourquoi ne vivent-ils pas ensemble? Nous sommes à une époque où ces choses-là ne devraient plus compter [1]. " »

Dès les premiers moments de l'invention, Giono a prévu de faire jouer à Mafalda un rôle déterminant dans la conjonction finale du frère et de la sœur. Celle-ci devait alors arriver au moment où Stephen était parti pour Shell-Berre donner sa démission, ou mieux, demander son changement pour le désert de l'Hadramaout. « Quand la sœur viendra, elle viendra pour voir l'étrange sentiment. Elle viendra tentée mais pas résolue (" Je le savais ", dira plus tard le frère). On la sentira se résoudre peu à peu. La sœur, finalement : " Oui, je suis décidée à partir avec toi. " » (f° 30). C'est à ce moment que devait prendre place le dialogue « par termes interposés », pour lequel Giono souhaitait être « grec ». Mais dans un deuxième temps, il se reprend. Une mention cerclée rattachée au « finalement » de la citation précédente revient sur ce point : « Non. Dernière scène :

dialogue Mafalda-Florence. » Effectivement, au moment où s'interrompent ces notes, il s'en tient à cette seconde idée : « A la fin, dialogue Mafalda-sœur de Stephen où tout s'explique. La sœur vient voir Mafalda avant d'aller voir Stephen. Elles montent à la colline et voient d'un côté la plaine où, perdu dans la brume, dort Dragoon Md 6 dont on ne pourra plus se servir et de l'autre côté l'emplacement de la maison détruite. — Le dragoon de la sœur » (f° 64). Ainsi, comme en écho à l'interrogatoire d'Ebenezeh Le Duc par lequel il commençait, le récit se serait-il achevé sur cette « confession » de Florence, dans une scène dont ces quelques notes suffisent à suggérer la beauté.

Il va se passer du temps avant que Giono ne reprenne ce travail. Rien de nouveau n'apparaît dans les propos tenus en décembre 1965. Parlant de Dragoon, Giono s'attarde sur l'asphalteuse elle-même et sur l'usine de Shell-Berre « que je juge dans notre architecture aussi extraordinaire que Chartres l'a été pour la sienne », et c'est sans doute en pensant à cette exaltation d'une beauté industrielle contemporaine qu'il ajoute : « J'ai voulu écrire un roman que je ne savais pas écrire, pour me distraire; car faire des romans qu'on sait écrire ne présente plus beaucoup d'intérêt pour le vieil homme [1]. » En cette fin de 1965, Giono travaille à remanier l'ancien Voyage en calèche pour en tirer La Calèche, qui se joue à partir de ce mois de décembre au théâtre Sarah-Bernhard. Il rédige, jusqu'en février 1966, la « biographie » du Déserteur. Courant 1966, il est occupé par des projets qui ne peuvent que l'écarter, chacun pour sa part, du roman interrompu : une adaptation théâtrale du Chant du monde, un scénario, L'Or, dont il écrit l'esquisse, les commentaires des photographies de Provence perdue, diverses préfaces.

Quand il reviendra à Dragoon, il n'enchaînera pas purement et simplement sur la partie rédigée du récit, et il ne se contentera pas non plus pour la suite des projets existants. L'infléchissement est immédiatement sensible dans le carnet où, au-delà de la série de pages uniquement consacrées aux chroniques journalistiques, Dragoon reparaît sous forme de notes qui s'intéressent d'abord à l'évasion d'Ebenezeh et à la femme qui l'a préparée : « L'orange qui vole par-dessus le mur et que la jeune fille continue à faire voler pour donner le change quand elle a fait évader Ebenezeh et qu'elle le cache avant de le faire embarquer sur la balancelle. D'abord les oranges vides, puis contenant des louis. Elle ne s'entend pas avec E. Elle ne le perd jamais de vue. Il ne la voit jamais, lui, mais dès qu'il est libre elle est là et elle s'impose » (f° 106). L'intérêt pour le personnage se traduit sans tarder par le rattachement du nom même d'Espagne à cette jeune personne décidée, dans une esquisse qui pourrait être un nouveau début du récit, ou d'une de ses parties : « Aujourd'hui, quand on va de Ginasservis à Rians, on longe le domaine d'Espagne sur plusieurs kilomètres. Les bâtiments en forme de casemates coiffent un petit tertre haut d'une dizaine de mètres au centre d'une plaine froide entourée de bois noirs. Avant 1871, ce domaine s'appelait Crève-cœur. Il a été baptisé " Espagne " par une Espagnole dont le mari eut une étrange mort pendant la Commune à Marseille » (f° 107).

Mais, dans la même page, Giono se lance sur une autre piste encore, celle d'un personnage nouveau, destiné ensuite à passer au premier plan : « Les Romanin. Un personnage, aveugle et sourd. On ne s'entretient avec lui qu'en lui prenant le doigt et en dessinant avec ce doigt les lettres des mots qu'on veut lui dire. Il répond alors (et tout vient des ténèbres et du monde retranché des sourds) avec une voix étrange, il dit des choses très étranges. Peut-être Sidoine sur sa fin. Ce serait drôle après sa vie dissolue, ce côté Pythie sur son trépied, d'où l'orgueil de Mademoiselle (sa maîtresse). Puisque Mademoiselle meurt la dernière, elle emporterait jusqu'aux enfants (Stephen et Florence) les ténèbres de l'oracle de Delphes. » Du coup, se posent des problèmes de composition que Giono aborde dans un plan rapide auquel ne semble correspondre aucune rédaction :

« La veuve et le domaine d'Espagne.
Zacharie et Mafalda
Un peu d'Ebenezeh, l'évasion ou interrogatoire
Z. et M. et l'usine atomique
Ebenezeh
Z. et M. et Stephen
Ebenezeh – Stephen(?) » (f° 108).

Les pages suivantes du carnet concernent surtout d'autres travaux. Giono ne revient à Dragoon *qu'épisodiquement, et avec une visible hésitation. Les installations de Shell-Berre sont toujours ce qui requiert le plus son imagination : « La vieille fille laissée seule dans l'usine de Shell-Berre par son guide et qui s'y trouve perdue et affolée comme dans un château d'Otrante*[1] *» (f° 118). Dès ce moment, comme une autre note le révèle incidemment, il a imaginé de pousser l'histoire de Stephen et de Florence au-delà du dialogue prévu entre Mafalda et Florence. Le frère et la sœur, s'étant rejoints et ayant décidé de vivre leur amour, doivent aller en voiture jusqu'à Nice, d'où ils veulent prendre l'avion pour Rome. Mais en chemin, surpris par un incendie dans les forêts du Var, ils décideront soudain, bien qu'il leur soit possible d'échapper, de se laisser atteindre par le feu, et d'y mourir ensemble. La seconde version, en 1967, partira d'une évocation rétrospective de cette scène, plaçant d'avance dans la lumière de cette mort à demi volontaire par le feu toute l'histoire dont elle est l'aboutissement.*

Il s'agit là, sans nul doute, d'un motif fondamental dans l'imagination de Giono : cette mort, qu'il tient pour avoir été celle de son grand-père, dont il a fait celle de Gagou dans Colline, *il y a de nouveau pensé pour Angelo dans certains projets du cycle du Hussard, et, dans* Dragoon *même, on vient de le voir, pour Ebenezeh. Mais dans l'intervalle, une expérience a dû donner à ce motif une charge imaginaire plus forte que jamais, et qui peut-être explique que la scène devienne dans la seconde version l'ouverture même du roman. Dans une chronique intitulée « Le feu », datée du 5 août 1965 (elle sera publiée dans* Le Dauphiné libéré *le 7 novembre), Giono raconte comment, quelques jours auparavant, il a lui-même failli être pris dans un incendie de forêt du côté de Bormes-les-Mimosas; il était en voiture, presque arrêté dans un embouteillage, sur une route qui « longeait tout le long le fleuve de l'incendie ». C'est très exactement la situation dans laquelle il imaginera Stephen et Florence. « En tenant compte de l'orientation du vent, l'incendie devait fatalement embraser les bois que nous traversions (et il l'a fait une heure après notre passage). Il y avait là plus de dix mille personnes* [...] *vouées au feu. » Le ton très vif de toute cette chronique laisse pressentir l'intensité de l'expérience. Elle ne tardera pas à passer du vécu à l'imaginaire : dans les mêmes pages du carnet, une note témoigne que la scène de l'incendie est déjà un élément acquis du projet de* Dragoon. *Désormais, c'est entre Stephen et Florence, et dans ce décor, que le dialogue final doit avoir lieu, et une formule y surgit qui pourrait même devenir le titre du roman : « La fin. Juste avant l'incendie, ou* pendant, *Stephen et Florence parlent de la côte de Hadramaout comme refuge comme [sic, lapsus probable pour : contre] tout ce qui n'est pas " Danemark ". Titre pour* Dragoon : *" Le Royaume de Danemark " » (f°s 118 et 119). Dans le même temps, Giono réévoque dans le carnet telle ou telle scène déjà prévue, sans rien y ajouter. Il donne à cette époque l'impression de papillonner autour de son sujet.*

Sans doute en raison de ces hésitations, il va alors partir dans une autre direction, qui le ramènera à Dragoon. *Dans le courant de 1966, il commence à écrire des « caractères » sur le modèle d'*Ennemonde *(qui a été publié l'année précédente en édition de luxe illustrée sous le titre* Le Haut Pays*). Il s'agit de présenter chaque fois en correspondance un paysage et un personnage. On trouvera dans le volume intitulé* Cœurs, passions, caractères *ces cinq récits qui s'achèvent en remettant en mouvement le récit bloqué de* Dragoon. *En effet, si les quatre premiers incarnent effectivement chacun un paysage évoqué en introduction, le cinquième, lui, personnifie plutôt une de ces passions qualifiées dans les pages correspondantes du carnet de « sulfureuses », « noires », « caverneuses », ou encore « cul-de-sac » (f°s 123, 127, 130). C'est en l'occurrence celle qui unit une mère et son fils, et de là, le récit revient comme de lui-même aux amours de Stephen et de Florence : sur la même page du manuscrit, à la suite, comme s'il commençait un sixième « caractère », le texte enchaîne sur une nouvelle rédaction fragmentaire de* Dragoon. *Dans le carnet, mêlées aux esquisses de phrases destinées aux « Caractères », on en trouve alors d'autres qui pourraient aussi bien prendre place dans les chroniques journalistiques rédigées à l'époque que se rattacher à* Dragoon : *« Vers la fin. Confrontation temps romanesque — temps industriels qui ont installé la tristesse sur terre; le monde de l'Ingénieur »; « L'amour, la haine, l'envie, la jalousie, l'avarice se promènent* *comme des dinosaures dans un secondaire passionnel » (f° 121).*

La nouvelle rédaction de Dragoon *reprend l'histoire, en remontant en arrière, à l'« accès de modestie » de Zacharie, interrompu par la visite de Stephen (ci-dessus, p. 43). Mais cette fois, cette visite ne va pas seulement évoquer le souvenir de leur première rencontre vingt ans plus tôt; ce souvenir en fait lui-même reparaître un autre, celui d'une rencontre intermédiaire, dix ans après la première et dix ans aussi avant le moment présent de l'histoire. Or, à la faveur de ce nouvel épisode, un personnage jusqu'alors à peine mentionné va s'imposer et envahir le récit. Giono n'en a pas fini avec lui. En effet, non seulement il va devoir s'y reprendre à deux fois, dans cette rédaction de 1966, pour écrire son histoire mais, l'année suivante, c'est encore en racontant, sous une troisième forme, l'histoire de cette Mademoiselle Alphonsine, qu'il s'arrêtera, cette fois définitivement, dans une nouvelle version du roman. Dans cette rédaction intermédiaire, Zacharie venu à Longagne est intrigué par le nom, entendu de la bouche de Stephen, de Mademoiselle Alphonsine; revenu à Espagne, il demande à Mafalda de se renseigner. Celle-ci enquête auprès de vieilles femmes de Rians, et il en sort ce nouveau début de récit qui va, une fois de plus, différer l'histoire des deux adolescents.*

Fragments de rédactions intermédiaires

Ces amours abîmées ne sont pas rares[1]. L'an passé un jeune homme nommé Stephen (je ne dirai pas son vrai nom pour des raisons qui apparaîtront vite péremptoires) vint proposer un travail spécial à un entrepreneur de travaux publics.

« Spécial en quoi?

– Il s'agirait, dit Stephen, de démolir ma maison. »

C'était une ferme fortifiée du XVIIe siècle galantisée au XVIIIe, mise au goût du jour en 1900, bien qu'elle soit située en plein terroir de Sambucque, loin de tout, sur un plateau désolé.

L'entrepreneur fit remarquer qu'il n'y avait là rien que de très ordinaire, qu'il était courant à notre époque de démolir de vieilles maisons...

« Celle-là doit l'être de la façon que je vais vous dire. »

Il voulait non pas tant démolir que détruire; les décombres seraient eux-mêmes réduits en poudre, pierres, tuiles, poutres, les meubles dépecés à la hache et brûlés avec tout ce qu'ils contenaient, la poussière et les cendres de cette destruction systématique livrées au vent, soit dans le lit de la Durance par tramontane, soit sur une hauteur par vent d'ouest. Jusqu'aux arbres encadrant le terre-plein de la maison et ceux bornant la petite avenue, qui devaient être arrachés, débités à la scie, emportés et donnés à qui en voudra de façon à faire disparaître à jamais l'ordonnance même des lieux. Il fallait tout effacer.

« Et semer du sel [1]? demanda l'entrepreneur.

– J'espère que nous n'irons pas jusqu'au bout, dit étrangement Stephen. Mais, ajouta-t-il, si on ne m'entend pas, oui, il faudra semer du sel. »

L'entrepreneur (appelons-le Zacharie; il a en réalité un nom à peu près dans ce genre, ou plus exactement il avait : il est mort il y a trois mois), Zacharie était fort capable de regarder froidement les abîmes sulfureux. Il habitait au Ménage d'Espagne, un grand corps de logis tout seul dans une petite plaine où on a encore tué des loups en 1935, sur la route de Rians à Varages. S'il avait dit : « Et semer du sel », c'est qu'il connaissait fort bien Stephen depuis 1944 (Stephen avait alors huit ou neuf ans). Je vais dire comment il l'avait connu, mais auparavant il faut encore un peu parler de Zacharie : il joue dans cette histoire un rôle plus important qu'il n'y paraît au premier abord. Il respirait à l'aise dans les profondeurs, on le verra lors de sa mort. Il souffrait parfois d'accès de modestie aigus qu'il combattait en allant tuer des rats à la carabine dans son grenier.

« Tu ne devrais pas avoir besoin de tuer des rats pour connaître ta grosseur, disait sa femme (Mafalda).

– J'ai besoin de tout, répondait Zacharie; c'est peut-être l'âge.

– Que vient faire l'âge? »

Il devrait au contraire se sentir énorme, se disait Mafalda, avec la situation qu'il a, les quatre fils que je lui ai donnés... (il faudra aussi parler de Mafalda tout à l'heure, et des vieilles femmes de Rians, et j'en vois d'autres. Je m'aperçois qu'il faudra parler de beaucoup de monde).

« Quand je vise un bout de museau gros comme un timbre et que je mets dans le mille, là c'est signé. Laisse-moi faire.

– Je ne risque pas de t'empêcher, disait Mafalda, si tu as besoin de signature, fais signer qui tu voudras. »

Il allait donc tuer des rats, de temps en temps.

En 1944, Zacharie exploitait à Montmeyan, à cinquante kilomètres de chez lui, une carrière de pierres dont il faisait du gravillon pour les routes[1]. [...]

Zacharie resta dix ans sans revoir Stephen. Il avait maintenant de gros chantiers pour les Ponts et Chaussées. Un matin de 1954, il allait partir derrière ses quatre fils pour le kilomètre 612 de la Nationale 7 où il essayait un revêtement quand il vit sauter dans le chemin de terre du Ménage d'Espagne une drôle de petite jeep. Le garçon agile en ses mouvements et de belle taille qui en descendit ne pouvait pas, certes, être reconnu d'emblée, mais il se nomma. Curieusement il commença par s'excuser. De quoi? De n'avoir pas remercié Zacharie dix ans auparavant. « Je n'ai pas pu », dit-il avec beaucoup de sérieux. Mais il n'avait pas oublié Zacharie et, aujourd'hui, ayant besoin de demander conseil à quelqu'un, c'est vers lui qu'il venait. Il s'agissait de la mort de son père; mort naturelle, mais qui pouvait être interprétée de diverses façons. Que faire en pareil cas? « Voir un docteur qui établira les causes du décès. Je vais avec vous, dit Zacharie. » En route il demanda de quoi était mort le père.

« Je l'ai trouvé ce matin étendu dans la bibliothèque plein de sang; il semblait avoir une blessure à la tête. »

Mais, tout compte fait, il s'était aperçu que le sang ne venait pas de là.

Le médecin confirma la mort naturelle. « Votre père buvait, dit-il. C'est une hématémèse. » La blessure à la tête n'était qu'un coup qu'il s'était donné en tombant.

« Qui vous a fait penser qu'on aurait pu interpréter... demanda Zacharie.

– Nous vivons seuls ici, ma sœur et moi, avec Mademoiselle Alphonsine; celle-là est très âgée mais très vivante et elle aime beaucoup parler. »

Somme toute Stephen, pour être seul (pas l'ombre de sœur ni de demoiselle Alphonsine), Stephen se débrouillait bien décemment avec son père. Il avait fait la toilette du mort, allumé les cierges et fermé les volets comme il convenait. Dans ces fins fonds perdus, c'est assez extraordinaire cette cérémonie, notamment ces volets fermés (fermés pour qui ? pour le désert ?).

Zacharie se retirait quand, en traversant le vestibule, il entendit qu'on se disputait à voix sourde au premier étage.

« ...votre chiennerie, disait une vieille voix à la fin d'une phrase véhémente.

– Ce n'est pas une chiennerie, répondait une voix claire. C'est même la seule chose qui n'en soit pas une. »

« Est-ce que tu as entendu parler d'une demoiselle Alphonsine ? demanda Zacharie à Mafalda.

– Alphonsine quoi ?

– Alphonsine. C'est tout ce que je sais. Elle est à Longagne.

– Je vais tâcher moyen. J'irai voir Olive-Marie, dit Mafalda. Elle sait tout. »

Mafalda n'alla pas tout de suite aux informations. Zacharie n'en finissait pas de tuer des rats. Un soir, Mafalda lui dit : « Je viens de Rians. Assieds-toi et écoute : ton Alphonsine c'est une peau. »

Elle avait vu Olive-Marie et les deux autres amazones comme elle les appelait : Calliope et Servaise. Les trois vieilles dames connaissaient très bien Alphonsine : elles étaient de la même génération à peu de choses près; toutes anciennes élèves du lycée de jeunes filles d'Aix. Elle ne l'avaient jamais perdue de vue. Au lycée déjà, cette Alphonsine faisait des siennes : et je te rêve ! et je m'exalte et je t'écris, et je te pique des crises de nerfs et je te fais cent mille histoires : la mijaurée, la sucrée, la désespérée, la coquette, la folle, la princesse, etc. Sans son père, notaire à Roquefavour et plein de sous, on l'aurait renvoyée vingt fois. On fut néanmoins un beau jour obligé de la renvoyer une fois pour toutes. Elle avait réussi à s'emberlificoter dans un truc difficile à avaler avec un garçon-coiffeur. Le père, d'ailleurs, la donna à une de ses tantes qui habitait Saint-Maximin. Là, c'est Servaise qui la retrouva. Oh! à l'orgue! Tous les dimanches, puis tous les soirs de salut, puis tous les soirs, puis matin et soir, puis tout le jour et tous les jours. Elle avait été prise d'une fringale de soutane. Elle ne quittait plus les vivacités de la religion. Ce qui n'est jamais souhaitable. Tout compte fait (c'est Calliope qui parle), elle se croyait beaucoup. Ça ne réussit jamais dans l'église; on y préfère un commun traditionnel. On le lui fit comprendre. La voilà de nouveau à la traîne de son orgueil.

« Olive-Marie a l'air de l'avoir très bien connue. Tu sais qu'Olive-Marie vers les vingt-six, vingt-sept ans, juste avant son mariage, a habité Valbelle, et que de Valbelle, au-dessus des bois de Queyraud, on voit les petites tours des Vernes, où était alors la fameuse Alphonsine. Voilà des domaines qui, par le Plan Rouvier, le Pas de la Colle, le clos de Garlande, ne sont pas loin de Longagne. Pas loin, évidemment pas tout contre, mais c'est déjà la direction : on va y arriver.

« Je crois, elle ne le dit pas, bien sûr, qu'Olive-Marie aurait eu tendance à une certaine époque à suivre les traces de cette Alphonsine. Ce n'était pas l'envie qui lui en manquait. Elles se donnaient rendez-vous dans les bois. Une venait d'ici, l'autre de là-bas, et les voilà ensemble. Elles ne devaient pas faire beaucoup de mal : se monter la tête, la monter à des galapiats quelconques, des gardes-chasse et des petits trucs, je suis sûre que ça ne devait pas être grand-chose. Mais Olive-Marie était une demoiselle à particule, dès qu'on flaira du louche, en deux coups de cuiller à pot elle se retrouva mariée, et à un négociant de Cochinchine (c'était le dessus du panier à l'époque).

« Avoue que pour l'Alphonsine!... Elle persista un peu pour son compte. Là, étant donné la déconvenue, je ne mettrais pas ma main au feu, elle a dû aller assez loin. Et puis trente ans, et puis, d'après les Amazones, c'était un beau morceau. Tout ça, finalement, sans Longagne, aurait peut-être fini très bien. On a vu pire.

« Personne ne sait rien de vrai sur Longagne. Cela paraît

extraordinaire à notre époque de télévision. C'est une famille (et une famille " pourpre ") dans un désert. De temps en temps, un membre de cette famille sort de son isolement pour accomplir un geste brutal, extravagant, puis rentre dans sa solitude. C'est tout, et jamais rien d'autre. A partir de là on invente, on n'a que cette invention à se mettre sous la dent.

« D'après Calliope : En 1900 un zèbre vient on ne sait d'où, on disait Marseille. Marseille, ça signifie beaucoup de choses. On disait Marseille parce qu'il avait des rouflaquettes et un rase-pet mastic. Admettons. Il achète Longagne. Il vient y rester. Il est seul avec un valet. Si en 1966 Longagne est un désert, qu'est-ce que c'était en 1900! Le valet a un dog-cart et vient faire les commissions à Rians; c'est comme ça qu'on connaît, peu à peu, l'existence de tout le trafic. Le rase-pet qui s'appelait Juste (quel drôle de nom pour ce que c'était) ne reste pas longtemps seul. Il enlève (c'était la formule) la femme d'un riche marchand de ferraille de Brignoles : une dame très imposante avec du corsage, du derrière et de grands chapeaux. Et au surplus de l'estomac, la suite le prouve. Juste n'avait pas choisi Longagne au hasard, ni même il faut croire la ferrailleuse; on s'aperçoit au cours des années que le domaine du désert abrite une assez nombreuse compagnie. Ce sont des hommes et des femmes ou plus exactement des messieurs et des dames très comme il faut, très collet monté (quoique langoureuses, pour les dames). D'après le facteur, on ne les voit que l'été; l'hiver, où vont-ils? L'hiver, ils s'en vont par groupes de trois : deux hommes et une femme, et généralement une voiture de place avec cocher en livrée. Les parents de Calliope qui s'y entendent prétendent que ces livrées sont fantaisistes. C'est vrai; c'est même peut-être la seule chose de vrai qu'on sait sur Longagne. Où vont ces équipages?

« Tout ce qu'on peut dire c'est qu'à cette époque 1900-1905, chaque hiver, dans les petits bourgs du Haut-Var, des Basses-Alpes, de la Drôme et jusque dans les grosses cités industrielles des bords du Dauphiné, on voit arriver une voiture de place contenant deux gandins et une... dame. Ils sont voyants; on les voit. Ils sont installés au meilleur hôtel; ils mènent grande vie ou plus exactement, du fait que c'est sans esclandre, bonne vie. Soupers fins, champagne, liqueurs; suivant les endroits, débauche de gibier, d'écrevisses, ou alors, bœuf en daube tout ce qu'il y a de meilleur. Ils sont généreux, tiennent table ouverte, se font rapidement des amis, que chauffe doucement sans avoir l'air d'y toucher... la dame. Celle-là, beaucoup de seins, beaucoup de cul, corset tiré à deux chevaux, des cols baleinés, des jabots, de la dentelle, des sautoirs, des chapeaux à la Sarah Bernhardt, des poudres au musc, du chic. Elle badine, elle coquette, elle rit, mais elle remet en place fermement les mains qui s'égarent. Dix jours après l'arrivée de la voiture de place, les deux gandins et la dame sont les rois du pays. Là-dessus l'hiver, et l'hiver de 1900-1905, et dans les bourgs précités! Aussi loin qu'on peut voir autour, l'ennui, et l'impossibilité de pécher sérieusement. Un soir, on reste avec les invités à l'auberge après la fermeture des portes. On a bien mangé, on a bien bu, on s'est dilaté la rate. Il y a là les notables, les gros bonnets, les commerçants aisés en rupture. La... dame est chaude et sent bon. Elle a un beau décolleté pour l'occasion. Un des gandins propose gentiment : “ Si on faisait un petit poker? ”

« En 1910, Juste semble souffrir d'un besoin de respectabilité. Il dépose beaucoup d'argent chez les notaires de la région. Il se fait faire des costumes noirs bordés de ganses. Il se montre ainsi attifé. Tous les jours que Dieu fait, maintenant, dans un joli sulky en bois verni, il vient claquer du fouet à Rians, à Saint-Maximin, à La Verdière, jusqu'à Brignoles, où il se marie, à l'église, avec sa ferrailleuse (enfin veuve), de plus en plus Junon. Il monte sa maison en domestiques femelles, très bavardes, qui vont à l'occasion des dimanches et fêtes faire la causette chez elles et dans les environs. On ne tarde pas à savoir partout que Longagne, le plus normalement du monde, est une maison bourgeoise sans squelette dans le placard; pas la moindre trace de gandin. Mieux : un mardi de novembre, Juste vient chercher la sage-femme, elle monte à côté de lui dans le sulky; quand il la ramène, elle peut répandre le bruit que Junon “ attend ” de quatre mois. C'est peut-être cherché, mais c'est trouvé; et novembre aussi est trouvé : les déserts de Longagne ne sont pas beaux en hiver. On imagine cette pauvre femme là-bas, on calcule qu'elle se délivrera... oh là là, en mars, tu imagines! Savoir même si Madame Isnard (c'est la matrone) pourra aller l'assister au milieu des déluges! et si c'est en pleine nuit... Voilà Juste bien placé. Il va l'être de mieux en mieux. Tout se passe dramatiquement, comme un vain peuple l'avait pensé. Junon accouche en pleine tempête de printemps, donne le jour à un garçon, et meurt une semaine après, malgré (ou à cause de) Madame Isnard, qui s'est contentée de soigner sa fièvre à “ l'eau blanche ”.

« Tuer sa mère en naissant n'est pas à la portée de tout le monde. Le père Juste a beaucoup de chance. Ses millions, ses tilburys ne pouvaient en faire qu'un bourgeois, l'événement en fit un personnage de feuilleton. On inventa; la solitude de Longagne y prêtait. D'après les gens, c'était un enfer (du moment que c'était loin des lieux où ils habitaient, ça ne pouvait être qu'un enfer). Et pas du tout : il y avait des printemps superbes, de splendides étés, au large de ce plateau toujours touché par les vents; jusqu'à l'hiver, parfois, qui à force de solitude, de gémissements de girouettes et de battements de volets, avait finalement une valeur d'opéra. L'enfant, baptisé Roger-Hector, fut mis en nourrice dans les Hautes-Alpes. Juste attendit deux ans (ce que tout le monde considéra comme parfait), puis s'habilla à l'anglaise.

« Au fond, c'était réussi. Jusqu'à quel point Juste considérait-il la mort de la ferrailleuse comme un malheur? Certains disaient qu'avec ses sous il aurait pu se payer les services à domicile d'un accoucheur de Marseille, au lieu de confier sa femme à cette vieille Madame Isnard, qui ne se lavait plus les mains, avait les ongles noirs, levait le coude, etc. On dit beaucoup de choses dans les feuilletons. Comment imaginer un homme organisant sa vie à partir des ongles sales d'une accoucheuse? Toutefois, débarrassé de la ferrailleuse, Juste se mit à vivre.

« Et Alphonsine? C'est ici qu'elle arrive. Elle était à ce moment-là l'égérie d'un père jésuite. Celui-là se faisait des globules rouges chez les de K. au jas de Ligourès. C'était un homme jeune, vaguement italien, que la maladie (dont il sortit quand il fut hébergé au château des K.) avait rendu élégant. Ses soutanes venaient des grands tailleurs; il travaillait à une étude sur Racine; il parlait comme un livre. Alphonsine se l'attacha. Ils faisaient ensemble les trois cent quatre-vingt-dix-neuf coups. Ces événements produisaient un petit bruit sec.

« Juste, à l'affût de la vie, l'entendit; il sortit de son trou. Pour la première fois, Alphonsine ne choisit pas mais fut choisie, et littéralement enlevée. Au jésuite qui lui faisait des représentations, elle répondit : "Je veux mettre mon âme dans un grand silence." Elle alla vivre à Longagne. On s'ingénia à l'en tirer. Juste avait plus de soixante ans. "Précisément", dit-elle. »

. . . .

Mais l'histoire de Mademoiselle Alphonsine est encore loin d'être fixée. Sans doute mécontent du premier récit qu'il vient d'en faire dans ces dernières pages, Giono le reprend à la question de Zacharie à Stephen, à propos de la mort « naturelle » de son père : « Qui vous a fait penser qu'on aurait pu interpréter?... » (p. 87). A partir de là, s'écartant de plus en plus de ce qu'il a d'abord imaginé, il finit par inventer à Mademoiselle Alphonsine un passé toujours de « vieille peau », mais avec un autre itinéraire.

Stephen ne répondit pas directement à la question : il parla de leur solitude à tous dans ce domaine, génératrice (c'est le mot exact qu'il employa) de beaucoup de choses. « Qui tous ? demanda Zacharie. – Mon père d'abord, ma sœur et moi, et Mademoiselle Alphonsine. » Et comme à ce nom la bouche bée de Zacharie continuait à interroger, il ajouta : « L'héritage de mon grand-oncle. »

Zacharie se retirait, quand, en traversant le vestibule, il entendit qu'on se disputait à voix basse sur le palier du premier étage.

« ...vos chienneries, disait une vieille voix à la fin d'une phrase véhémente.

– Ce n'est pas une chiennerie, répondit une voix claire (mais qui n'élevait pas le ton). C'est même la seule chose ici qui n'en soit pas une. »

« Est-ce que tu as entendu parler d'une demoiselle Alphonsine ? demanda Zacharie à Mafalda.

– Alphonsine quoi ?

– Alphonsine rien. C'est tout ce que je sais, à part que, selon ce qu'il m'a dit, elle doit être une sorte d'héritage d'un grand-oncle, si j'ai bien compris. Elle vit à Longagne.

– Il faudrait voir Olive-Marie, dit Mafalda. Ça m'étonnerait qu'elle ne le sache pas.

– Tâche moyen, dit Zacharie. Ça m'éviterait pas mal de rats. »

Mafalda n'alla pas tout de suite aux informations. Zacharie n'en finissait plus de canarder les bestioles dans le grenier. Un soir, Mafalda lui dit : « Cessez-le-feu. Je reviens de Rians. J'ai vu Olive. Assieds-toi bien et écoute : ton Alphonsine, c'est une peau ! »

Sortie d'un couvent de Présentines, elle était devenue la peau (comme disait Mafalda, qui ne badinait pas avec la bagatelle) du grand-oncle de Stephen, un prénommé Juste, et bravo pour celui qui avait eu l'idée de ce prénom, car c'était le plus beau pignouf que la terre ait jamais porté.

En gros c'était ça. Il y avait les détails.

Alphonsine était la fille d'un perruquier d'Aix-en-Provence. A quatre ans, jolie très exactement « comme un cœur » suivant la formule consacrée, elle représenta le XXe siècle sur un char du Corso carnavalesque de 1890. Elle sortait d'un chou en carton; elle fut très applaudie. Sa marraine, austère et baleinée de noir, femme d'un pharmacien, considéra ce succès comme la pente vers la perdition. Elle avait une sœur mère supérieure d'un couvent de Présentines; ces religieuses dirigeaient une institution pour demoiselles à particules dans une maison des champs à l'abri de la Montagne Sainte-Victoire. On y fourra le joli petit XXe siècle. On avait dit au perruquier (veuf et ivrogne) : « Quelle chance vous avez! Votre fille sera élevée gratuitement avec des de Machin Chouette. »

Elle ne fut pas élevée du tout : placée en porte à faux entre les nonnes (qui n'étaient pas exemptes de démons mesquins) et les demoiselles huppées (qui tenaient la cuisse de Jupiter pour supérieure à tout), Alphonsine, dès l'âge le plus tendre, apprit beaucoup d'hypocrisies et de toutes sortes. Elle s'éloigna de son père sans se rapprocher de qui que ce soit d'autre. Elle voyait chaque jour Jésus-Christ mêlé à toutes les sauces. Elle n'avait pas dix ans qu'elle s'était déjà donné des tables de la loi personnelles.

Plus tard, elle se composa tout un vocabulaire, un arsenal de formules où il y avait : « la consolation de l'esprit, la sainte joie, le dégoût des plaisirs, la bénédiction de la rosée du ciel, la graisse de la terre », etc., à l'abri duquel elle faisait son petit train.

Elle avait seize ans (1902) quand elle disparut. Mineure, elle fut recherchée par la police. On s'aperçut qu'elle avait escaladé trois enceintes de murs hauts de quatre mètres avant d'arriver par des sentiers scabreux à la route de Nice. A cette époque, il n'y avait pas encore beaucoup de voitures automobiles et celles qui existaient faisaient souvent un abominable crottin d'huile, de goudron et de pétrole quand elles étaient longtemps arrêtées. On trouva d'abondantes fumées fraîches de ce genre à l'embranchement du sentier et de la route. Un ou des complices devaient l'attendre là. On admira le mystère qu'elle avait su garder autour de ses relations; d'autant qu'elle ne sortait du couvent qu'accompagnée et que même, depuis quelques semaines, sous prétexte de retraite, elle ne sortait presque plus du tout.

On ne connut jamais le vrai dessous des cartes. Un certain nombre de gens de Palette (petit village à quelques kilomètres du couvent) furent embêtés, notamment un forgeron qui, à temps perdu, s'occupait de mécanique et tripatouillait des autos. Il y eut aussi le patron d'une auberge, soupçonné d'avoir hébergé la fille une nuit ou deux. Finalement, le père d'Alphonsine reçut la visite d'un « Monsieur ».

C'était le fameux Juste. Il portait haut la barbe blanche et plus de soixante ans. Il alla droit au but : la fille était chez lui à Longagne. « Je l'ai trouvée déguisée en homme, morte de fatigue sur un fumier d'écurie. » Mais on n'avait que sa parole. Il s'agissait de voir les choses en face. Détournement de mineure. Bon, et après, qu'est-ce qu'on ferait de la mineure détournée? On la remettrait au couvent des Présentines? On ne tient pas une fille en cage contre son gré; elle était partie une fois, elle partirait deux. La remettre chez son père? Qu'est-ce qu'il en ferait son père : depuis douze ans il ne s'en souciait pas; il n'allait même pas la voir le dimanche. Après douze ans d'abandon, il se mettrait comme ça tout de go à s'occuper d'elle : nourrie, logée, blanchie, habillée, etc.? Elle coûterait cher. Il avait une proposition à faire : « Voilà mille francs, tout ronds. » Il n'achetait pas, remarquez bien : loin de lui la pensée... Il donnait mille francs pour féliciter le perruquier d'être le père d'une aussi jolie fille. Et par la suite, sans que ce soit une promesse, il pourrait y avoir d'autres billets de mille francs... Quand ils ont pris certain chemin, ils ont tendance à le suivre; il serait toujours le père, quoi qu'il arrive, et un père qu'on ne laisserait pas dans le besoin.

On topa à quinze cents francs. Juste et Alphonsine firent un étrange ménage. Il avait quarante-six ans de plus qu'elle, mais fort comme un Turc, et roué, et glouton. Ce n'était pas la première fois qu'il dévorait à la lisière des lois. Il avait eu des histoires à Toulon, avec la femme d'un ferrailleur, des demoiselles de mode, des professionnelles, des ménagères, etc. On avait tiré une fois sur lui avec un pistolet. Sa force physique ne lui donnant aucun courage, il ne s'en servait que pour jouir. Le coup de pistolet lui fit remuer les oreilles. Il entendit autour de lui des bruits suspects.

C'est alors qu'il vint à Longagne, propriété de son frère Max (le grand-père de Stephen). C'était l'endroit rêvé : des kilomètres carrés de désert, et les lieux habités l'étaient par des gens simples qu'une barbe de fleuve, des yeux d'azur et de bonnes paroles intimidaient. Juste était très beau; il avait la beauté des X, celle qu'on retrouve aujourd'hui dans Stephen et sa sœur Florence. Sous cette mode fin de siècle (1880-1900) à laquelle les traits de son visage obéissaient (comme le font toujours les traits de ceux qui suivent la mode) transparaissait une beauté de figure classique, un peu fade mais certaine d'être appréciée par le plus grand nombre. Il était même une sorte de génie en beauté : cette fadeur inséparable de la régularité et de la mesure, toujours un peu immobile, il la relevait d'instinct par une insolite barbe, des moustaches roulées à l'autrichienne, un ton de voix, une désinvolture, une utilisation comme magique des moyens du bord, et l'habitude un peu vulgaire de se lécher les lèvres comme un loup, ce qui faisait apparaître de temps en temps dans sa barbe d'un blond très blanc un petit bout de langue rose très populaire.

Max était son aîné, et son contraire. La même beauté, mais sans sel, et d'une âme accordée à son physique; un personnage sans surprise tenant exactement ce que la couleur de ses yeux, la rondeur de ses joues, le son de sa voix, promettaient :

la paix en personne, ennuyeux au possible, si parfait en tout que sa perfection l'effaçait; si effacé qu'il avait eu besoin de préparer et de réussir Polytechnique pour se faire un corps avec des disciplines mathématiques. Il avait fait une courte carrière dans les Tabacs. Il aimait Juste à la folie; il lui passait tout. Juste s'installa à Longagne. Il fallut bientôt lui passer tellement de choses, que Max, les yeux ouverts, mourut volontiers en 1910. Il laissait une veuve, Rose, et un fils de dix ans, Roger-Hector (qui sera le père de Stephen et de Florence). Depuis huit ans (1902), Alphonsine était à Longagne.

Au début, elle n'y séjournait qu'à « temps perdu ». Chaque jour pouvait être le dernier. Elle habitait en camp volant la petite chambre carrée du premier étage (où elle retourna par mortification après la mort de Juste). Elle s'y sentait tolérée, et dans des souffrances morales atroces. Liée à cet homme de soixante-deux ans (elle en avait seize) qui était pour elle le père qu'elle n'avait pas eu et le dieu qu'on n'avait pas su lui faire accepter, dès les premières heures de son enlèvement elle avait compris qu'il était ce que tout le couvent des Présentines (nonnes comprises) désirait sans oser le reconnaître. A son corps défendant, d'abord, à cause de la différence d'âge, puis toujours à corps défendant, mais son corps ne se défendant plus que pour multiplier les joies de la défaite, elle se défaisait sur des lits rouges en bois de platane, le long d'après-midi sulfureux d'été, sous cet homme qui, dans ces moments-là, sentait fort. Par un effet du théâtre de la religion, auquel elle n'avait pas manqué de s'intéresser dans son jeune âge (qui n'était pas si loin) et le premier temps des Présentines, elle était maintenant toujours surprise qu'un dieu si puissant fût si doux et que celui qui tonnait dans le ciel la caressât si bien dans son corps.

Par bonheur, Juste devint assez vite aveugle. Assez vite? dix ans néanmoins après l'enlèvement d'Alphonsine. Mais Alphonsine était assez « dévote » pour intéresser pendant plus de dix ans un homme, même de la race de Juste. Il devint donc aveugle pendant qu'elle avait encore du pouvoir et que le fils de Max, Roger-Hector, était encore un petit garçon retiré dans les mathématiques que son père lui avait montrées et prônées. Celui-là aussi tournait à l'avarice de la chair; plus tard, quand il fut marié, puis deux fois père de famille, il ne sut brusquement plus où donner de la tête et il se mit à la boisson.

Alphonsine se trouva donc, par la force des choses, guindée aux plus hauts grades familiaux, du seul fait qu'elle était la plus robuste. Rose, la veuve de Max, la mère de Roger-Hector, était toujours malade, d'une maladie qu'elle avait inventée, qui n'avait par conséquent pas de remède, qu'elle passait son temps à perfectionner et qui défiait toute thérapeutique. Elle restait presque toujours couchée dans un lit qui était l'unique objet de tous ses soins, qu'elle fanfreluchait de bleu azur, de jaune serin et même de noir qu'elle relevait de rouge. C'est à peine si deux ou trois jours par mois elle se risquait à quelques pas qu'elle interrompait vite de gémissements et de langueurs.

Naturellement, depuis longtemps les domestiques (il y en avait six) étaient passés du côté de Monsieur Juste. Ils acceptèrent très facilement d'être commandés par cette jeune fille (elle avait alors vingt-cinq ans), jolie « comme un cœur », qui avait « peut-être » couché avec le patron (mettant ainsi, par respect obligatoire pour le chef librement accepté, le doute sur un fait dont ils étaient certains, pour en avoir été maintes fois témoins), mais qui, maintenant qu'il était infirme, en avait la charge; et s'en tirait, ma foi, pas trop mal. Ce n'était pas facile : Juste, au moment où il devint aveugle, était déjà plus qu'à moitié sourd. Comment entrer en communication avec lui, quand on s'époumonait en vain à hurler dans son oreille à tue-tête? Alphonsine trouva le moyen : elle prenait l'index de Juste et, se servant de lui comme d'un crayon, elle dessinait lentement la forme du mot ou de la phrase qu'elle voulait faire entendre : « Venez manger », « On va vous monter dans votre chambre », « Il fait aujourd'hui la lumière des jours d'octobre que vous aimez tant ». « Est-ce que le figuier du fond a déjà des feuilles jaunes? demandait Juste. – Oui, dessinait Alphonsine avec le doigt du vieillard, il commence déjà à les perdre. – Menez-moi près de lui, disait Juste, c'est le moment où il a cette odeur que j'aime tant. »

Juste n'était certes pas un mathématicien. Il s'était rabattu sur les odeurs, et sur les discours. Puisqu'il n'entendait presque pas (et quand il ne voulait pas, pas du tout), il en profitait pour parler. Il faisait de grands discours, souvent seul, n'étant pas capable de savoir si quelqu'un était près de lui. Il parlait généralement de la vie, de la façon de l'utiliser. Roger-Hector prit l'habitude pendant ses vacances de guetter par l'entrebail de la porte les moments où son grand-oncle[1] était seul. Il se glissait sans bruit dans la chambre; c'était à l'époque un garçon de quinze ou seize ans tout à fait X par la beauté, mais peureux comme sa mère. Une fois dans la place, toujours sans faire de bruit, il attendait le commencement des discours. Juste étendait d'abord les bras le plus loin possible autour de lui pour s'assurer qu'il était seul, et il se mettait à raconter ses histoires; Roger-Hector écoutait. Dès que du bruit se faisant entendre à l'étage indiquait qu'Alphonsine allait venir, Roger-Hector se glissait par l'entrebail de la porte et disparaissait.

« Heureusement que personne ne vous entend, dessinait Alphonsine avec le doigt de Juste.

– Vous n'êtes qu'une petite bigote, disait Juste, vous n'avez jamais été qu'une petite bigote. Vous m'avez bien trompé. Vous n'avez jamais fait que molester les démons, et c'est encore ce que vous faites. »

Et il continuait à raconter des énormités. Elle s'asseyait et tricotait.

Roger-Hector fut tout juste trop jeune pour ne pas faire la guerre de 14. Il quitta simplement le lycée d'Aix où il était une grosse tête. Dans les solitudes de Longagne, la guerre ne marqua pas, les mâles n'étant pas mobilisables; les femmes, n'ayant pas le complexe Nightingale[2], oh mais non! n'allèrent pas dans des croix plus ou moins rouges servir le café sur des quais de gare. Alphonsine continua à s'occuper de Juste, il avait alors quatre-vingts ans très verts (elle trente-quatre), et Rose qui entrait dans ses cinquante ans fit de mois en mois une consommation de plus en plus grande de draps, de couvertures, de taies d'oreiller, d'édredons, de boules d'eau chaude, de tisanes. Les domestiques étaient vieux et femelles, sauf le berger, mais celui-là était bossu. C'est cependant par ce bossu que Roger-Hector se fit ouvrir une fenêtre sur cette vie dont parlait son grand-oncle. Le berger avait la trentaine, c'était un chaud lapin. Il ne manquait pas d'ouvrage. Il entraîna Roger-Hector [1].

. . . .

Pour finir, la deuxième version de Dragoon *fera un autre récit encore de l'histoire de Mademoiselle Alphonsine.*

Comme d'habitude, pendant qu'il écrivait ces rédactions, Giono a noté dans son carnet des projets de prolongements pour certains des éléments narratifs qu'elles contenaient. Ainsi pour les « Amazones » de qui Mafalda tient ses renseignements : c'est l'une d'elles qui devait être, le moment venu, chargée d'aller chercher Florence « dans l'extraordinaire ville monstrueuse (du futur) qu'est Shell-Berre » (f° 125). L'idée de faire voir Shell-Berre par les yeux d'une vieille fille est quant à elle, on l'a vu, déjà intervenue dans les notes du carnet. Un moment même, Giono a imaginé une vision double : « Description de Shell-Berre par la vieille fille — puis peut-être par Mafalda — vue par deux yeux différents, qui voient des choses différentes. " Elle m'avait dit que, mais en réalité moi je voyais... " (La description peut être ainsi très belle et à double tranchant.) " Je ne suis pas bien sûre d'employer le terme exact " » (f° 95). Ailleurs, fugitivement, ce personnage de vieille fille à peine sorti des limbes, non encore nommé, a pris un relief inattendu : elle pourrait avoir « machiavéliquement et par suprême volupté poussé Stephen et Florence dans les bras l'un de l'autre. (Les reproches qu'elle leur fait (véhéments), leur faisant entrevoir des délices défendues? " Eh bien je serai leur Mané Thecel Farès[1]*, et je jouirai des plaisirs de l'enfer à les voir comprendre ce qu'ils sont en train de faire " » (f° 125).)*

Ces diverses idées nouvelles ne vont pas sans perturber la compo-

sition initialement prévue, et Giono, dans les dernières pages du carnet, éprouve le besoin de remettre noir sur blanc un projet d'enchaînement des épisodes qui ont peu à peu proliféré;

« Le cadavre
Stephen vient s'excuser (10 ans après), allant chercher un docteur pour la mort (étrange) de son père. Il demande conseil à Z.
Père et ancêtres Mademoiselle Alphonsine
Disparition de Florence. Alphonsine à Marseille. Kruger Babou son frère comme époux de Florence.
Ce qu'elle devient
Vieilles filles de Rians. Réunion avec Alphonsine. Dialogue de dévotes, affamées et dévotes pécheresses. Alphonsine s'explique. C'est à la suite que Calliope ira à Shell-Berre (pour être contre, sans doute)
Démolition maison et pourquoi
La vieille fille à Shell-Berre (?)
Zacharie a un désir inassouvi (Dragoon)
Mafalda et Cadarache (" je vais te faire voir comment on se délivre ")
L'or des Boers. Père de Z.
Commune de Marseille. Grand-père de Z.
Le forçat. L'orange.
Les fils vont acheter le Dragoon
Infarctus de Z.
Mafalda démolit la maison
La vieille fille à Shell (?)
Arrivée de Florence
L'incendie de la Côte
Carte postale d'Italie
Agonie de Z.
Dragoon trop gros
Mort de Z.
(Placer la mort d'Alphonsine) » (f°s 128 et 129).

Le récit auquel ce plan devait servir de guide ne sera jamais écrit. A une date et dans des circonstances sur lesquelles les documents connus ne donnent aucune précision, Giono décide d'écarter cette fois la totalité de la première version et de faire prendre à son récit un nouveau départ.

La première mention de ce changement dont la trace soit conservée date du 1er mars 1967. Ce jour-là, répondant aux questions d'un universitaire américain, W. D. Miller, Giono évoque bien toute la partie déjà écrite du récit, mais ajoute aussitôt qu'il a « effacé tout ce qui a été écrit » et que rien n'en figurera dans le roman : « Par exemple, je vois une famille qui s'appelle les Leduc. Et je vois Benezet [sic], en prison pour brigandage en 1804, donc né en 1784. En 1849 il a soixante-cinq ans; et il se marie avec la jeune Espagnole. Son fils, Magloire, est né en 1850; il se marie tard, et il meurt en 1920 à soixante-dix ans. Zacharie est né en 1895; en 1971 il a 87 ans [sic] Auguste est né en 1927, Aurélien en 1929 et Titus en 1930. Là, ce sont les fils. Tout ça a été fait. Quand j'ai commencé à écrire le roman, j'ai effacé tout ce qui a été écrit; et rien de ce que j'ai écrit dans les carnets ne sera écrit dans le roman. C'était simplement organisé pour arriver au bout de la pyramide de tous les ancêtres pour le seul personnage qui me servira. Les autres ne me serviront pas. Je sais le dessous de la famille, et de temps en temps peut-être quelqu'un va en parler... ou quelques-uns ont une psychologie qui vient d'hérédité de ceux nés avant eux, et alors j'ai besoin de les avoir écrits[1]. »

Les précisions que Giono donne ensuite à W. D. Miller prouvent qu'à ce moment il est déjà en train d'écrire la seconde version de Dragoon. Lorsqu'il veut montrer la plasticité que ses personnages conservent dans son esprit jusqu'au moment de la rédaction, toutes les transformations qu'il cite se retrouvent dans la seconde version : « Par exemple, je vous ai dit que pour les Leduc il y a quatre fils : Auguste, Octave, Aurélien et Titus. En réalité, maintenant, il n'y en a plus quatre. Il n'y en a plus que deux, deux jumeaux. Ils ne s'appellent plus ni Auguste, ni Octave, ni Aurélien, ni Titus. Ils s'appellent Paul et Émile. Par conséquent, il y a beaucoup de changements. Il y a un personnage qui s'appelait Zacharie; mais Zacharie est disparu et il s'appelle tout simplement Simon. De même que pour la femme de Zacharie qui était auparavant une Italienne et fille d'un charbonnier. Elle vivait dans les bois et s'est mariée ensuite avec

Zacharie. Or maintenant Zacharie s'appelle Simon, et au lieu d'être une Italienne, elle s'appelle Hélène. Au lieu d'être la fille d'un charbonnier, elle est maintenant la fille d'une veuve qui est institutrice. Tout ça a changé parce que le drame lui-même, petit à petit, s'érodait, et j'ai eu besoin d'une certaine voix de cette personne. Alors, elle n'est plus une fille de charbonnier; elle est maintenant la fille de l'institutrice parce qu'elle peut se servir de certains mots spéciaux, et même de tournures de phrase. J'ai changé Maphalde [sic] *pour Hélène. Elle a toujours la même psychologie, seulement elle peut parler d'une façon un peu plus logique que ne pouvait parler une Italienne et une paysanne (qui ne pouvait pas se servir de certaines locutions*[1]*).* »

Giono est loin de toujours avoir ce souci de réalisme, et il n'est pas certain qu'il faille prendre au pied de la lettre cette explication. Reprenant son récit à zéro, et sous la forme nouvelle d'un long monologue de ce personnage de vieille femme, les rebaptiser, elle et son mari, est peut-être seulement une manière de marquer ce recommencement. Mais il est en tout cas certain qu'il a alors repris la rédaction.

Les esquisses et plans partiels correspondant à cette seconde version occupent de façon presque continue les quatre-vingt-cinq premières pages du carnet commencé en janvier 1967. Mais la toute première trace de ce nouvel élan de l'imagination pourrait bien se trouver dans un autre document. Il s'agit, on ne saurait trouver plus significatif, de phrases portées sur les pages de garde d'une brochure de présentation de « Pégase », réacteur d'essai de combustibles nucléaires construit au centre de Cadarache. La brochure, imprimée en février 1966, est de celles que l'on distribue aux visiteurs de ce genre d'installations. Giono y écrit au crayon, comme il le fait quand il est hors de chez lui – il n'est pas exclu que ce soit pendant, ou immédiatement après une visite du Centre –, ces premières indications concernant Madame Hélène et les premières phrases de son monologue, dont certaines se retrouveront à peine modifiées au tout début de la seconde version : « *La roulotte où elle vit, accouplée à Dragoon, pendant que Ménage se dégrade / (question de viscère sublime) / Petit ruban de velours noir / Les viscères. Se faire des choux gras / Le frère et la sœur avec leurs noms ridicules Stephen et Florence, qui auraient bien dû s'appeler simplement Jean ou Marie comme tout le monde / Je* suis allée voir sur place. Ils savaient très bien échapper (comme la plupart des gens qui se sont sauvés). Il y avait un petit champ de vigne qui même après le passage du cataclysme – rien n'a brûlé. Ils pouvaient vivre, mais ils avaient (comme moi – nous – Zacharie, les jumeaux) l'habitude de croire que les viscères sont sublimes, alors qu'un peu de mauvaise odeur du corps humain aide [?] à vivre. »

Dans le carnet aussi, c'est le personnage (encore prénommé Mafalda) et le début de son monologue qui s'imposent d'abord : « Comment est physiquement la vieille M. »; « Sauterelle de fer. Tirée à quatre épingles malgré ces taillis de jasmins sauvages et la forêt d'amandiers morts. " Oh! les autres se sont sauvés, chacun pour soi quand on est dans la gueule du loup " » (carnet « Janvier 67 », f° 4[1]). Tout repart, dirait-on, à partir de là. A la page suivante, Giono récapitule les séquences à enchaîner : « 1. L'orage de vent. 2. Le cadavre. 3. Longagne. 4. Mademoiselle. » Puis il esquisse une phrase destinée à l'évocation de l'incendie dans lequel doivent périr Stephen et Florence : « On voit tourbillonner des nuées d'oiseaux et un petit avion qui essayait tout seul de survoler les masses fuligineuses de l'incendie » (f° 5). Cessant de s'appeler Mafalda, la narratrice se prénomme un moment Zoé, avant de prendre (f° 13) le nom qu'elle conservera de Madame Hélène. Les indications portées sur les pages de garde de « Pégase » se trouvent bientôt explicitées dans le carnet : depuis la mort de son mari, la narratrice vit dans une roulotte « accouplée avec ce Dragoon » arrivé trop tard, une roulotte « dételée et arrimée devant le chantier »; elle accepte « toutes les bourrasques, venant "en grande dame" voir ce Dragoon Fortragbaren Md 6 » (f° 6 et 7). De même pour les ébauches de son monologue; elle se dit que Stephen et Florence auraient bien pu vivre, « mais ils avaient (comme nous, Zacharie, mes jumeaux et même moi, oui, même moi – elle touche de la main le petit ruban de velours noir – l'habitude de croire que les viscères sont sublimes. Alors qu'un peu de mauvaise odeur du corps humain fait vivre – les entrailles puantes mais si humaines des humains – les entrailles du Dragoon qui sentent l'huile brûlée, le mazout, les gaz » (f° 7).

Les esquisses notées dans cette première moitié du carnet « Janvier 67 » suivent au fur et à mesure la rédaction du texte jusqu'au point *où il est interrompu. Au passage, une indication confirme que ce travail date bien de 1967 : lorsque Giono veut faire dire à Charlotte la date de naissance de Justin, il fait lui-même l'opération sur son carnet, en comptant non à partir de 1943, date supposée du récit de Charlotte, mais en posant l'opération : 1967-96 = 1871 (f° 62[1])*

Dans quelle mesure l'ensemble du roman et sa construction différaient-ils alors des schémas précédemment esquissés? Le carnet ne présente pas de plan général, mais il semble qu'au-delà des transformations de la technique narrative, l'essentiel de l'histoire soit toujours situé pour Giono autour des deux pôles de l'inceste et de la féerie moderne. C'est ce qui ressort du résumé qu'il en fait en février 1968, alors qu'il annonce le roman pour la fin de l'année. On y retrouve l'écho de nombreux passages de la seconde version, avec, en pointillé, le dessin de la suite :

« Tenez, voici la première page. Elle évoque la fin d'un drame : la mort des deux amants carbonisés volontairement dans un incendie du Var. Le roman est l'histoire de deux enfants, le frère et la sœur, qui s'aiment sensuellement. Pour interrompre cet amour répréhensible, leur gouvernante, " Mademoiselle ", les éloigne l'un de l'autre. La fille disparaît pendant quinze ans. Mais lui continue à l'aimer. Pour la toucher, pour qu'elle se manifeste, il fait démolir pierre par pierre le domaine où ils ont vécu enfants, lentement, avec un bulldozer, pour qu'elle l'entende. Il finit par la retrouver. Elle est devenue ingénieur-chimiste dans une usine spéciale, une usine comme vous en connaissez dans la région : une raffinerie de pétrole. J'ai voulu rendre l'expression lyrique de cette usine : ces boyaux blancs, dorés, ces flammes, ces gens casqués, et ce silence, surtout ce silence... Une usine pathétique. Elle est un personnage qui intervient dans l'amour de ce frère et de cette sœur. En vérité, j'ai mélangé deux usines, celle-ci et celle, atomique, de Cadarache que j'ai également longuement visitée. Les deux, le frère et la sœur, décideront de devenir amants, de le redevenir, mais comme des adultes cette fois, non plus comme des enfants. A la fin, se rendant à Nice pour prendre l'avion de Rome et comprenant que leur amour sera difficile, ils décideront de se laisser brûler volontairement dans l'incendie de forêt. [...] Il y a d'abord cette histoire centrale. Mais il y a aussi d'autres grands drames : ceux de

la femme de l'entrepreneur, qui raconte le livre à la première personne, de son mari, de ses fils, de la mère des deux enfants, de " Mademoiselle "qui a été leur gouvernante. Il y a des quantités d'histoires qui s'entrecroisent. [...] L'intérêt premier du roman va être l'entrecroisement des personnages, des caractères et des passions, qui sont à peu près tous semblables les uns et les autres. Ils sont tous, par un lyrisme personnel, transportés dans une sorte de féerie moderne. [...] L'usine n'est pas le personnage central de mon livre ni le plus important. Elle n'est qu'un personnage comme les autres, comme la guerre de Sécession est un personnage parmi d'autres dans l'œuvre de Faulkner [...] parce que cela fait partie de l'époque, cela existe, je n'y peux rien. Tenez, je ne vous ai pas parlé de l'entrepreneur qui découvre le petit garçon, au début de l'action, dans la forêt, quand il a sa panne de motocyclette. L'entrepreneur lui-même est un entrepreneur de travaux publics. Il fait des routes, des revêtements avec ces énormes mécaniques qui déroulent des tapis d'asphalte. Et finalement, il en achète une, de ces mécaniques, qui s'appelle le " Dragoon " (c'est son nom réel) et qui est dans une usine à Turin. Elle coûte très cher, mais il dispose de beaucoup d'argent, parce que son père a été autrefois un vieil usurier dans le pays, qui s'était occupé de tous les domaines que les gens avaient désertés pour aller se battre contre les Anglais au Transvaal. Il a amassé ainsi une très grosse fortune en argent que dans la famille on appelle " l'argent des Boers ". Il envoie donc ses deux fils chercher cette machine. Ils la ramènent, mais très lentement, car elle fait quatre-vingts mètres à l'heure. Pas plus. Je me suis documenté pour ça[1]*. On peut aller jusqu'à cent vingt mètres. Mais c'est la limite. Elle est énorme, cette mécanique. L'empattement fait à peu près six mètres, je crois. Mais pendant que ses deux fils ramènent ainsi cette énorme machine, lui, l'entrepreneur, est victime d'un infarctus. Il est malade, près de mourir dans son domaine, perdu dans la lande, au milieu de petits chemins. Sa femme comprend qu'il faut qu'il voie la machine avant de mourir. Au moins une fois. Mais la machine ne peut pas rentrer, ne peut pas venir jusque chez lui, parce que les chemins sont trop étroits ou les virages trop brusques dans les villages. Alors, de temps en temps, cette mécanique tourne de loin autour de la ferme. Elle hurle comme les sirènes des navires. On ouvre la fenêtre* *du malade pour qu'il entende. Et petit à petit la mécanique arrive, très lentement. Elle s'approche, allant d'un village à l'autre, essayant de passer. Comme on est riche, on démolit une maison, on passe, on avance de quelques mètres, et finalement, un beau jour, on entend une sirène beaucoup plus triomphante, et en effet, de la fenêtre, il la voit arriver... Vous voyez, je suis obligé de vous raconter des quantités de choses qui les grossissent, qui les exagèrent. En réalité, tout cela est fondu dans les détails. Les personnages usine et machine entrent dans mon roman comme dans un autre roman il y a des chevaux ou des voitures... Laissez à ce roman sa liberté. Ne l'enfermez pas trop vite dans une théorie*[1]. »

On voit que Giono, revenant sur ce qu'il disait en mars 1967, envisage de nouveau de raconter, sinon le passé le plus ancien de la génération d'Ebenezeh Le Duc et du marchand d'urine, du moins celle du père de Zacharie au moment de la guerre des Boers. Mais sans doute comptait-il laisser à l'arrière-plan les morceaux de chronique de ce genre.

Dans le carnet lui-même, on trouve peu d'éléments qui anticipent sur la suite du récit, et les notes qui les consignent, brèves et dispersées, ne permettent pas de beaucoup imaginer ces épisodes nouveaux. Outre quelques détails qui s'ajoutent au texte rédigé (comme cette précision dans le discours d'excuse de Justin à Apollonie-Suzanne, lorsqu'il dit arriver à la mort par une mauvaise route, dans la nuit et dans le silence : « Plus rien ne m'accompagne » f° 57), on entrevoit par exemple l'ébauche d'une transformation de Mademoiselle : « On s'aperçut qu'elle avait trois choses belles : les yeux (on le savait), les dents et les cheveux » (f° 74). On croit voir s'esquisser, après l'histoire racontée par Charlotte, une sorte de contre-récit de la vie de Mademoiselle : « 2e Partie. Destruction de Longagne. Madame Hélène fouille la chambre de Mademoiselle, meubles, lettres, portraits, vie de Mademoiselle, etc. » (f° 63). On rencontre à plusieurs reprises, sans qu'elles soient jamais explicitées, des indications qui prévoient une scène située dans une église pendant la cérémonie du salut, une chapelle décorée par Mademoiselle avec des ornements qui conviendraient mieux à une maison close; c'est là peut-être que Madame Hélène devait découvrir Florence (amenée là par Mademoiselle dans une intention d'« exorcisme »), et avoir pour elle un « coup de foudre » (fos 32, 122. Cf. déjà 31 et 39). Plusieurs allusions sont faites à une mort remarquable (mais dont rien n'est dit) d'Apollonie-Suzanne (Giono se pose des questions : « Les Beaumont. Est-ce qu'ils viendront à la mort d'Apollonie? Oui ou non? Je pense que oui, mais qu'arrivera-t-il? » (f° 37). On apprendra encore, tardivement, que Mademoiselle « quand elle a séparé Stephen et Florence, a caché Florence chez les Beaumont, les grands-parents (à Saint-Jurs); elle a terrifié les grands-parents encore une fois par le récit des turpitudes de sa [*sic*] *fille et de sa mort. C'est chez les Beaumont que Madame Hélène connaîtra la cachette de Florence (majeure) : l'usine où Florence est ingénieur en pétrole » (f° 158).*

Cette visite des installations de Shell-Berre restera jusqu'au bout un des éléments de l'histoire qui parle le plus à l'imagination de Giono : « Le trait noir des fumées. La flamme rouge. Le jardin funèbre. Le beau domaine à côté de l'usine (réflexion qui reporte à Longagne ancien; passage du temps). L'automne, le paysage jaune éclatant (mûriers, peupliers, saules, érables, ormes roux). Le froid blanc. Venant d'Arles, le chauffeur de taxi qui amène Madame Hélène jusqu'à l'usine Shell. Le sang pur du soleil. (Voir l'usine Air liquide près de Lyon.) La balade, la nuit, *à travers cette usine déserte qui se conduit comme un corps organique. Le chauffeur de taxi et Madame Hélène » (f° 125).*

Le plus nouveau de ces élans de l'imagination, et celui qui se poursuit le plus longuement dans le carnet, est en réalité un retour à une ancienne fascination de Giono : il est un moment tenté de substituer au nom de Longagne celui de Silance, qu'il a déjà plusieurs fois utilisé, et qu'il reprendra pour finir dans Olympe, *de sorte qu'on ne sait auquel des deux récits se rapporte cette mention isolée en haut d'une page : « Éblouissant Silance » (f° 86).*

*La continuité des notes dans le carnet suggère une rédaction suivie, malgré un séjour de printemps à Majorque, où Giono continue le travail commencé chez lui. Mais brusquement, au folio 85 du carnet, surgit la phrase inaugurale d'*Olympe *: « Un type arriva sur les plateaux en traînant une femme sacrément belle. » Dès lors, la deuxième moitié du carnet va être presque toute occupée de notes concernant ce* *nouveau récit; celles qui reviennent à* Dragoon *ne sont plus que sporadiques. Giono a abandonné, provisoirement doit-il penser à ce moment, le roman auquel il travaillait depuis quelque cinq ans, et il a immédiatement entrepris la rédaction d'*Olympe, *dont le manuscrit porte en première page la date du 12 juillet 1967.*

Il n'ira jamais, dans cette seconde version, au-delà du premier chapitre, qui n'a encore représenté que des personnages secondaires : les grands-parents maternels de Stephen et de Florence, les Beaumont, leur mère, Apollonie-Suzanne, leur grand-oncle paternel, Justin. Page après page, ils ont peu à peu envahi le récit lorsque celui-ci est interrompu (ou est-ce à cause d'eux qu'il s'interrompt?). Il ne dépassera pas le moment où le vieux Justin, devenu aveugle, fait planter autour de Longagne des sureaux, pour pouvoir le plus vite possible substituer aux plaisirs de l'œil ceux que lui donnera le parfum de leurs fleurs. Mademoiselle, sa complice, a fait en sorte qu'arrive à la surface l'eau nécessaire, grâce à une pompe qui ne cessera plus de rythmer la vie de Longagne de son bruit sourd de cœur souterrain. Il n'y a plus qu'à planter les sureaux. « Ils deviendront très beaux. »

C'est parmi les ultimes notes consacrées en fin de carnet à Dragoon *qu'apparaît pour le roman alors en panne un titre nouveau : « Les Roses de Jéricho. » C'est lui que Giono annonce comme à paraître dans l'édition Gallimard d'*Ennemonde. *A vrai dire, depuis le choix initial de* Dragoon, *le titre a été souvent remis en question. Dans les notes de la première moitié du carnet, bien d'autres ont été essayés, souvent en série, selon un assez extraordinaire jeu, par substitution et permutation, des sens et des sonorités : « Les Jasmins sauvages », « Le Vent de silex », « Les Jasmins de silex » (f° 18), « Les Jasmins secrets » (f° 20), « Les Jasmins hagards », « Silance », « Les Sureaux de Silance », « Le Sureau de Silance » (f° 22), « Les Jasmins de sel », « Le Sureau du prince Olaf », « Les Jasmins de Silance », « Le Sel de Silance » (f° 23), « Du Sel à Silance » (f° 26).*

En février 1968, dans l'interview du Monde, *Giono donne l'explication suivante du titre « Les Roses de Jéricho » auquel il doit renoncer, dit-il, parce qu'il est déjà pris :*

« Il était inspiré par un passage des Psaumes qui dit : “ Et moi aussi, j'ai planté des roses dans Jéricho. ” Les roses de Jéricho sont des roses des sables, mais des roses véritables, pas des roses de cristallisation ou même minérales, des roses qui se sèchent au soleil et qui peuvent reprendre vie simplement avec de l'humidité. Un peu comme les cystes. Alors là, justement, dans mon livre, il s'agit de souvenirs et presque toujours de flashbacks, comme dans un film, qui reviennent en arrière, comme des fleurs séchées qui revivent. C'est pourquoi le titre, “ Les Roses de Jéricho [1] ”. »

Giono donne ici une traduction assez libre d'un début de verset tiré, non des Psaumes proprement dits, mais d'un des livres sapientiaux, « L'Ecclésiastique », parfois désigné aujourd'hui sous le titre de « Livre du Siracide ». La Sagesse, évoquant dans une prosopopée sa venue en Israël, dit qu'elle y a grandi « comme le cèdre du Liban, comme le cyprès sur le mont Hermon, [...] comme le palmier d'Engaddi, comme les plants de roses de Jéricho », etc. (chap. 24, v. 17-18). « Sicut plantatio rosae in Jericho », dit (à l'adverbe près) le texte latin de la Vulgate : c'est sous cette forme que Giono le transcrira en tête du manuscrit comme titre du premier chapitre ou de la première partie. Les roses de Jéricho existent bien, et avec la propriété que signale Giono, mais elles semblent sans rapport avec la Jéricho biblique. C'est le nom populaire d'un genre de crucifère, l'anastatica hierochuntica, qui se contracte en boule par temps sec et s'épanouit de nouveau sous l'effet de l'humidité. Mais une dernière série de titres dans le carnet suggère que ce qui importe à Giono est, autant que la fleur elle-même, une certaine combinaison de sons et d'idées, en l'occurrence celles de plantes et de lieux bibliques. Cette combinaison se retrouve en effet dans ces quatre nouveaux projets de titres : « Les Roses de Samarie », « Les Ronces de Jéricho », « L'Absinthe de Jéricho », « La Balsamine de Jéricho » (f° 131).

Le même verset de l'Ecclésiastique est cité, dans le texte latin de la Vulgate (avec le quasi du texte original à la place du sicut), et plus longuement, par James Joyce dans Dedalus – Portrait de l'artiste jeune par lui-même [2], roman dont, on le sait, le héros se prénomme Stephen. Giono avait lu Dedalus, à une date indéterminée. La coïncidence dans les deux romans du prénom et de la référence biblique frappe sans qu'on soit pour l'instant en mesure de décider s'il y a là une intention, fût-elle simplement humoristique, de la part de Giono.

Les titres pour le roman en chantier, qu'il essaie, pourrait-on dire, en les écrivant sur les pages de ses carnets, ne se présentent pas toujours en séries. En voici quatre autres, dont deux sont de ces titres « flottants » que Giono projette successivement d'affecter à plusieurs récits. L'un est « L'Iris de Suse », qui, après avoir dans un premier temps désigné le futur Moulin de Pologne, et avant de se fixer sur le dernier roman de Giono, a donc failli s'appliquer à l'histoire de Stephen et de Florence; l'autre n'a été imaginé que pour des romans en projet : « Les Gants du renard » (f° 131; ce titre, qui poursuit Giono depuis 1947, finira par devenir, on le verra, celui d'un récit de la demi-brigade resté à l'état de projet). « Concerto pour crieur public et orchestre » et « Écoute s'il pleut » semblent, eux, sans écho dans le reste de l'œuvre. Encore faut-il ajouter, pour faire mesurer la mobilité des titres inventés par Giono, que plusieurs de ceux qui ont ainsi été envisagés pour le roman sont aussi bien dans le carnet des titres possibles de chapitres. C'est le cas de « Sicut plantatio rosae in Jericho » (noté encore dans le carnet, troisième utilisation possible, comme épigraphe), de « Dragoon », de « Concerto pour crieur public et orchestre », de « Les Jasmins sauvages », et de « A quoi bon? » (f° 130-131).

Après tant d'hésitations, c'est pourtant à Dragoon que Giono en était revenu pour finir. Deux faits l'attestent, qui posent en même temps la question de savoir si dans les derniers mois de sa vie il espérait encore reprendre la rédaction interrompue par Olympe puis par L'Iris de Suse. D'une part, lorsque ce dernier roman est publié, en février 1970, Dragoon figure comme roman à paraître dans la liste des œuvres du même auteur. C'est aussi le titre que Giono porte à la main sur l'étiquette de couverture de la reliure mobile qui contient les parties rédigées et les variantes du roman. Mais là il ajoute : « Inachevé. » Provisoirement ou définitivement? Sans doute ce projet est-il celui auquel il se fût plus volontiers remis à travailler, s'il en avait eu la force. Mais il ne devait pas se faire d'illusions. Un fait est sûr en tout cas : il avait bien renoncé à plusieurs des parties de l'histoire qui figuraient dans la première version. On en trouve la preuve dans le fait qu'il annonce comme récits séparés certains épisodes racontés d'abord dans cette version : l'histoire d'Ebenezeh Le Duc dans « Repentance », annoncé comme à paraître dans *Ennemonde* et qui est un des titres prévus pour de nouveaux récits de la demi-brigade[1]; une part de cette histoire, avec les considérations sur les « caches », les noms de plusieurs brigands et celui du juge Pissin-Barral, se retrouvera finalement dans *L'Iris de Suse*; l'histoire de Magloire Le Duc dans « Les Terres du Boer », deuxième titre annoncé dans *L'Iris de Suse*; enfin peut-être la curieuse manière de capturer les renards qu'avait enseignée à Madame Hélène, lorsqu'elle était jeune, son ami le bossu (dans la seconde version cette fois) dans cet autre récit projeté de la demi-brigade qui s'intitule énigmatiquement « Les Gants du renard ».

L'histoire de la genèse de *Dragoon* est celle des élans pris et repris par Giono pour traiter le sujet difficile qui s'était imposé à lui. Il s'y prépare dans des dizaines de pages de ses carnets; il s'y essaie dans plusieurs débuts ou fragments de rédaction. Chaque fois il se trouve arrêté, d'un côté sans doute par une réticence à entrer dans le vif de ce sujet, de l'autre par le sentiment de nécessité insuffisante que lui donnent par comparaison les récits qui se substituent à l'histoire de Stephen et de Florence eux-mêmes. Mais le projet du roman est resté jusqu'au bout vivant dans l'esprit de Giono, et il ne demande qu'à revivre dans le nôtre, lorsque nous refaisons le chemin que jalonnent notes, résumés oraux, et ces parties rédigées qui ont presque partout le charme et la saveur de ses meilleures chroniques.

Deuxième version

I

Sicut plantatio rosae in Jericho[1]

... Oh, les gens se sont sauvés à travers les fourrés, poursuivis par les flammes et cette énorme nuit (il était midi) qui tombait comme une plaie d'Égypte. Mais ces deux-là n'ont pas bougé, le frère et la sœur avec leurs noms ridicules : Stephen et Florence, alors qu'ils auraient mieux fait de s'appeler Jean, Pierre, Paul, ou Marthe, Marie, comme tout le monde. Goûtez le châtiment du feu, mes enfants, vous avez tellement goûté de vanille !

(Madame Hélène parlait hors du temps. Elle n'avait plus d'âge mais toujours tirée à quatre épingles – et aujourd'hui encore, son fameux petit ruban de velours noir entourait son cou –, malgré les jasmins sauvages qui recouvraient peu à peu maintenant le Ménage d'Espagne qu'elle avait tant aimé. – « Le mot est faible », dit-elle.)

... « Les gants les plus fins sont dans une coque de noix[2] », dit-elle. Quelqu'un, paraît-il, qui courait sans doute, a frappé en passant, dit-on, de grands coups du plat de la main à leur carrosserie. On voyait donc bien qu'ils ne bougeaient pas, volontairement. Déjà, dans cette file d'autos empêtrées les unes dans les autres le long de cette petite route de terre, les réservoirs explosaient et les voitures s'embrasaient comme des torches.

Je suis venue cinq jours après pour les formalités.

« Avaient-ils des parents? – Non. – Père, mère? – Non. – Oncles, tantes, cousins, cousines, apparentés? – Non. » (Apparentés! Vous vous rendez compte!) « Vous êtes qui, alors, madame? – Rien, ai-je dit, et d'ailleurs il n'y a probablement que deux morceaux de charbon à reconnaître. » (Je me disais : peut-être même plus qu'un [1]!)

Ils avaient entreposé ce qu'on appelle, pour tout le monde, deux corps (plus qu'un, en effet, quand j'ai vu). C'était du minéral calciné; il ne restait qu'une légère odeur de rôti de porc, faisandé, pas désagréable.

Puis je suis allée regarder l'endroit. La nuée ardente n'a guère dépassé de ce côté-ci la petite route de terre. Plus à gauche, oui, toute la forêt millénaire a été réduite en cendres, mais ici on pouvait très bien s'échapper (si on voulait), il suffisait de traverser quelques taillis, même fumants, les champs étaient libres, et on gagnait la mer tout de suite.

Au-dessus de moi le ciel se purgeait; il pleuvait de la suie, j'en avais la figure couverte. Des vols d'oiseaux tournoyaient sans bruit. Un petit avion idiot ronronnait de long en large.

J'ai connu Stephen (ces noms m'écorchent) et Florence. Il avait, quand j'ai entendu parler de lui la première fois, dix ans, et sa sœur, huit. C'était en 1943. Mon mari (Simon. Il y a aussi dans ce nom une pointe de quelque chose : on le verra bien, hélas). Simon, donc, exploitait alors une carrière de gravillons pour les routes. Il rentrait tous les soirs au Ménage d'Espagne à moto; c'était loin. Cette fois-là, le type du marché noir lui avait fait faux bond. Simon avait très peu d'essence. Il essaya quand même de rentrer à la maison.

C'était la fin de l'automne, très bas, presque à l'hiver, dans des régions désertes, et la nuit. Un orage gris menaçait, beaucoup de vent, et naturellement, la moto s'arrête, plus d'essence.

Quoi faire? Simon poussait sa machine, une grosse, lourde; il savait qu'il n'y avait rien à attendre de personne : c'est pire que le pôle Nord, pas âme qui vive. Le Ménage d'Espagne était à plus de vingt kilomètres, en galère[1]!

Il ne pleuvait pas encore, quelques gouttes, grosses comme des assiettes et pas catholiques. Mon Simon se disait : « Si par malheur ça s'énerve, tu vas être dans un drôle de truc. » Il avait beau chercher : rien. Où s'abriter?

La foudre (une particularité de ces orages gris) n'éclatait pas. C'est moins un éclair qu'une lumière : elle clapote, s'allume, s'éteint lentement comme un phosphore. Et, dans ce phosphore, Simon, levant le nez, se demanda s'il rêvait! A trois pas de lui, à côté de la route, dans le découvert d'un rocher blanc comme un os, un petit bonhomme se tenait debout.

Il a cru d'abord à une souche, pendant que ses yeux lui répétaient : « C'est un petit bonhomme, c'est un petit bonhomme, c'est même un petit garçon! »

Oui, oui, tête nue, immobile, les mains dans les poches, neuf, dix ans! Et qu'est-ce qu'il foutait là?

Simon coucha sa moto dans le fossé et avança de trois pas, une tringle de glace dans son échine : « Qui es-tu? » (Et Simon me dit : « J'avais peur qu'il me réponde une chose énorme! ») Mais non, il dit simplement : « Je suis Stephen (et ici son nom : C.[2]). »

Le nom que le garçon venait de prononcer était connu comme le loup blanc. Oh, même au Ménage d'Espagne qui était cependant écarté, ce nom était de notoriété publique. Ce qu'on savait de mieux sur les C., c'est qu'on ne savait rien. Voilà ce qui était le plus notoire. Cent ans de silence. On disait, bien sûr, pis que pendre, n'importe quoi : de terribles vieillards, paraît-il, immensément riches... On n'y était pas allé voir. Moi, si. Ce qui m'intéresse, je le rumine. Je vous le dirai après.

Voilà donc mon Simon : il n'était pas question de laisser ce petit garçon dans l'orage. Il avait bien l'air d'y être à son aise, mais ce n'était pas une raison. Le bon sens, c'est le bon sens. Le domaine de Longagne (aux C.) était à des kilomètres, par des sentiers; tant pis : il fallait ramener ce petit au bercail. Simon laissa la moto dans le fossé, et allons-y!

De ce temps[1], je me morfondais. J'étais seule au Ménage d'Espagne. En 1943 nous vivotions, comme tout le monde. Nous avions bien à demeure un contremaître et deux ou trois ouvriers pour des bricoles urgentes et justement on était venu chercher l'équipe : le pont de Logis d'Anne branlait au manche, des câbles, je crois. Ils étaient obligés de rester là-bas sur place avec des lanternes. On prenait ce qu'on pouvait à cette époque. Mes jumeaux étaient encore à Aix, au lycée; j'étais seule avec les chiens.

A neuf, dix, puis onze heures, je commençais à trouver le temps long. J'entendais l'orage du côté de Simon; je me faisais toutes sortes d'idées. Je savais bien qu'en partant le matin il avait parlé de son essence, qu'il n'avait pas d'essence, mais j'avais surtout peur : on se casse vite la gueule avec ces grosses motos. Je guettais. J'entendis Diane, une chienne de chasse, qui n'aboyait pas (ce qu'elle faisait au moindre bruit) qui s'en allait dans le chemin avec son grelot. Je me dis : le voilà! Elle va sûrement au-devant du patron. En effet, c'était lui.

Il en avait plein les bottes, mais il me raconta l'histoire. « Je l'ai ramené, dit-il, ou plus exactement, c'est lui qui m'a ramené : il connaissait toutes les pistes. J'étais perdu dans ce bled. Je n'ai jamais passé que par des routes. Je me disais : " Mais où on va? " " Venez, venez ", disait-il. C'est lui qui m'a conduit par la main jusqu'à Longagne. Et là, porte de bois : pas un bruit, pas une lumière. Enfin, voyons, on ne perd pas ainsi un petit garçon de toute beauté; les gens s'agitent, généralement, dans ce cas. Personne : la maison, tranquille comme une jarre d'huile. Il y avait à peine une rougeur à une croisée du rez-de-chaussée, et encore, c'était peut-être quelques braises dans la cheminée.

« La grande porte n'était pas verrouillée, heureusement. Nous sommes entrés dans un vestibule, sûrement un grand vestibule, noir comme un pétard. Mais tout de suite quelqu'un frotta une allumette, une petite main approcha la flamme à une bougie : c'était un autre enfant, une fillette (Florence).

« Pas un mot, et je les ai vus disparaître, enlacés, dans un petit rond de lumière. »

« Enlacés », ce mot me tarabustait. Ce n'était pas un mot de Simon, il aurait dit n'importe quoi d'autre, ou rien, mais « enlacés », non. Ce n'est pas son genre. Cependant, il l'avait dit. Il avait dû voir quelque chose, ou il a eu une idée quelconque.

Passons. Le temps est mauvais, le vent au sud; il pleuvait à verse; le dimanche aussi, la semaine aussi. Le samedi d'après, le temps s'arrangea, pas des masses, mais il ne pleuvait plus. J'avais envie de voir Longagne.

Je dis à Simon : « Tu saurais te retrouver? – Tu parles! j'ai vadrouillé là-dedans des heures, à me demander si c'était du lard ou du cochon. Je sais où c'est. Je suis tombé finalement sur la route de Saint-Martin et, heureusement, cinq minutes après, j'ai trouvé une camionnette (gazobois, et si je pouvais foutre un truc comme ça sur ma moto!...). Un type de Rians. Il m'a mené jusqu'au carrefour de Notre-Dame. Sinon, j'y serais encore. »

Entre-temps, Simon avait ramené la moto, et il avait de l'essence. Il accrocha le side-car, et nous voilà partis.

Il faisait frisquet; la tramontane nous frappait dans le nez. J'étais engoncée dans mes tricots, je ne voyais rien. Après passé le Plan de Vabre et les Bois Rouviers, le vent nous laissa du répit : nous étions à l'abri d'une lointaine montagne. Je me demandais ce que c'était, cette montagne. « Je ne sais pas, dit Simon. On dit l'Adret, je crois. » On commença à entrer dans la désolation à perte de vue. Je me disais : « Jusqu'où? » Je voyais bien : jusqu'à ces dents de scie (bleues et reculées). L'étendue était couverte d'herbe grise, quelques genêts rabougris, des touffes de buis, des souches d'asphodèles, de loin en loin un amandier mort. Je croyais apercevoir des endroits boisés, et qui reculaient plus j'avançais; finalement, je compris que l'épaisseur de la solitude noircissait dans la distance.

Une heure après, le paysage n'avait toujours pas bougé. « Cramponne-toi, dit Simon, je vais quitter la route. » Il entra carrément dans les terres. Plus de chemin. On cahotait cahin-caha, doucement. Dans mon side-car, j'étais au ras de l'herbe, une sorte d'armoise et d'immortelles[1], odorante, amère; l'amertume me saoulait. Pas à pas, on approchait de Longagne.

C'était encore très loin, mais on en apercevait comme un visage (peut-être une âme). J'attendais, les yeux grands ouverts. Drôle de cadastre! Je me demandais pourquoi ces amandiers étaient tous morts. Simon trouve toujours le mot juste : « Ils sont morts, simplement », dit-il. Moi, je cherche à comprendre. J'ai tort.

Nous arrivions aux confins. Une de mes grands-mères, la plus jolie, portait jadis en médaillon une large branche de corail. Eh bien, je vis ainsi, d'abord, montant très haut, s'arrondissant au-dessus du désert, un énorme corail rougeâtre. C'était un orme. Puis arrivèrent des bosquets d'yeuses, des pins, de très gros chênes; enfin, par-dessus toutes ces ramures crêpelées, s'élevèrent, dépouillés par la saison, de hauts sycomores tigrés.

Simon laissa la moto près de l'orme. Je ne me voyais pas en train de pétarader dans ce domaine particulier. Je n'avais pas l'intention non plus de frapper aux portes.

Nous étions saisis, maintenant, par le silence : juste quelques cris de grives.

Petit à petit, à travers les buis, je vis se développer les vastes bâtiments de Longagne : les bergeries (vides et sonores) étaient immenses; elles attenaient au corps du logis avec les communs, les écuries, les hangars (vides aussi et sonores, les grandes portes charretières dégoncées, la vieille paille soulevée par le vent); enfin, la maison de maître. Elle était très belle. Je regardai avidement cette façade : pas un millimètre de laideur.

La maison était de proportions exactes[1] : trois étages, dix-huit fenêtres (la plupart fermées, je les comptai), trois rangs de six plus la porte d'entrée, surmontée en linteau d'un écusson muet, martelé, mais déployant une foison de feuillages d'artichaut sculptés. Je ne savais pas que les C. étaient nobles ? Apparemment non. Ou alors ils étaient bien capables de marteler leurs propres écussons (ou ceux des autres).

Devant la maison, un kiosque chinois en ferronnerie était à demi enseveli dans les feuilles mortes. Une fontaine coulait sans bruit le long d'une épaisse chevelure de mousse. Chose étrange : au beau milieu du terre-plein, un fauteuil Louis XIII en tapisserie délavée était abandonné aux intempéries, lui aussi à demi enseveli dans les feuilles mortes (il trônait, plus que le kiosque). Le vent balançait lentement les grands arbres avec un grondement de velours noir.

Les fenêtres étaient presque toutes fermées, comme je l'ai dit, sauf celles du rez-de-chaussée, et une autre au deuxième étage, remarquable : des rideaux de linon très frais, où transparaissaient une glace, un nuage pastel, des reflets tendres, des ors... celle certainement d'une jeune femme. (Je me suis sacrément fourré le doigt dans l'œil, ce jour-là !)

Et pas une âme nulle part, ni un bruit, sauf celui du vent et ses échos.

Je n'arrivais pas à m'arracher à Longagne. A différentes reprises, Simon toucha mon bras. J'attendais... Tout d'un coup, j'entendis des coups sourds, réguliers. Ils résonnaient là-bas dans la maison comme la pulsation d'un cœur qui s'était mis à battre...

« C'est la pompe, dit Simon. Ici, le puits est très profond. »

Plusieurs jours après, j'eus d'autres chats à fouetter. Le proviseur du lycée écrivit au sujet de mes jumeaux. Ces garçons ont toujours fait ma joie. Je reconnais qu'un fonctionnaire n'est pas obligé d'aimer leurs fantaisies, quoique très apéritives : elles exaltent la peau, rendent les humeurs fluides et facilitent le mouvement. Le proviseur ne semblait pas particulièrement amateur d'exaltation, de fluidité et de mouvement. Il insistait pour m'expliquer la nécessité de la discipline, qu'une ubiquité (oh oui, je connais mes deux phénomènes : ils mettent à profit constamment leur ressemblance parfaite) une ubiquité était incompatible avec la règle : « Un de vos enfants s'appelle Paul, l'autre Émile, et, en fait, on n'en voit jamais qu'un, qui n'est jamais tout à fait Paul, ni complètement Émile, mais, si on peut dire, un Paul-Émile (une sorte de Romain, dit finement le proviseur). »

Le plus simple était d'aller voir. Sur place je compris vite de quoi il s'agissait. Les jumeaux s'étaient toqués de mécanique. Ils avaient trouvé le même truc habituel, mais perfectionné : un (par exemple Paul) était au lycée, l'autre (Émile alors) était dans un garage où il travaillait à la mécanique, et très bien; alternativement, ils changeaient de place : celui du garage allait au lycée, celui du lycée allait au garage, et ainsi de suite.

Le garagiste ne cherchait pas midi à quatorze heures; le proviseur, lui, sentait vaguement que quelque chose ne tournait pas rond et sa berlue l'embêtait. Évidemment, moi, je sais que c'est Paul, parce qu'Émile se ronge la phalange du pouce.

« Rassurez-vous, dis-je au proviseur, j'emmène un de mes enfants. Il ne vous en restera plus qu'un. Vous serez ainsi tranquille.

– Lequel?

– Vous l'avez baptisé vous-même : vous n'avez qu'à l'appeler Paul-Émile, votre Romain.

– Mais attention, madame, me dit cet homme de bonne volonté, qui essayait quand même de comprendre, ils vont encore me faire le coup; ils sont interchangeables. Je vais continuer à ne pas savoir sur quel pied danser. En tout cas, madame, du moment que vous n'en laissez qu'un seul, il n'y aura plus désormais qu'un seul lit au dortoir. A vos risques et périls. »

(Je n'allais pas répondre à ce bon monsieur que mon pain quotidien est pétri de risques et de périls, quand je ne vais pas les chercher!)

Le garagiste, c'était Pilate : « Moi, dit-il, je m'en contrefous. Le petit fait son boulot; qu'il s'appelle Pierre ou Paul... Vous me dites Émile, allons-y pour Émile ou Paul-Émile. Et il peut coucher dans le bureau, si ça lui chante. »

Ça leur chantait. A moi aussi. La trigonométrie, c'est bien, et la mécanique, c'est très bien.

Mon car ne partait qu'à cinq heures, je me dis : tu vas aller voir Marie-Thérèse, une amie de pension. Elle a une épicerie Rue-Neuve: si je pouvais trouver du savon, et peut-être du café.

Dans la cuisine, Marie-Thérèse baissa la voix : « Il faut surtout ne pas dire un mot devant la commise. Nous ne sommes plus chez nous avec les employés. On te dénonce pour un rien. Assieds-toi. Nous allons d'abord en boire un bon. Je t'en donnerai quatre ou cinq hectos. J'ai du savon, mais il est un peu frais. Je n'ai pas pu avoir du Fer à cheval, celui que j'ai cette fois, c'est de la Roue, ou de la Palme [1]. On est obligé de jongler, tu sais. Ton mari nous avait passé quelques sacs de ciment, il y a peut-être deux mois; il ne pourrait pas m'en donner encore quelques-uns? On est en train de construire. »

Le café était extra.

« Nous le brûlons dans l'entrepôt. Comment veux-tu qu'on brûle le café dans l'entrepôt? C'est bon pour le commerce, mais pas pour le goût. Il faudrait du plein air, surtout de l'air vif et qui sente bon. Le meilleur café que j'aie jamais senti, dit Marie-Thérèse, c'est celui que ta mère brûlait sur les terrasses de Cadarache. »

Le car partait au crépuscule. Il n'y avait pas beaucoup de monde. J'ai vu cent mille fois les collines monotones entre chien et loup. Je regardais dans le vague.

Ma mère brûlait en effet son café, non pas sur les terrasses, comme dit Marie-Thérèse, mais sur la petite terrasse de Cadarache.

Le cheval italien (nous ne l'avions que depuis trois jours) tua mon père. Nous avions alors (j'avais trois, quatre ans) les messageries de marchandises à notre compte : de gros bourgeois. Nous habitions, je crois, à Manosque. Je me souviens à peine. Ma mère n'était pas une femme d'affaires. (Elle rêvait. Moi aussi, je rêve.) Des cousins entrèrent dans l'entreprise, soi-disant pour nous aider, et, avec des combinaisons de contrats et de registres, trois ou quatre ans après, ils furent les patrons. Maman fut « désintéressée », elle toucha un peu d'argent, et elle demanda son ancien poste d'institutrice. Elle obtint une minuscule école, même pas celle d'un hameau, celle de Cadarache, pour les enfants des fermiers et des journaliers à demeure dans cet énorme domaine.

Notre maison était contiguë au château. La fameuse terrasse dont parlait Marie-Thérèse (c'est là qu'elle avait passé quelques jours chez nous à Pâques, quand j'étais avec elle à l'École normale de Digne), la fameuse terrasse était minuscule; l'espace, par contre, ne manquait pas : elle dominait l'amont de la Durance et sa vallée, les grands îlots de sable et de graviers, les eaux grises divisées comme des branches de figuier.

Tous les jeudis matin, ma mère installait son brûloir à café sur la terrasse : veuve, seule (j'étais une charge), subalterne, elle s'asseyait sur une chaise basse; les charbons ardents, le grain qui rôtissait, le vent de silex : c'était Golconde!

Le vieux monsieur se penchait à sa balustrade : « Madame Lucie, disait-il, réservez-m'en une petite tasse, s'il vous plaît. » Je l'entends encore. On prétendait qu'il n'était pas malin. Cadarache périclitait; on avait déjà résilié la plupart des bergers. Au contraire, je crois que le vieux monsieur était très malin. Je revois son œil : noir, aigu, rapide, il ne regardait pas : il volait, une hirondelle, vif, un éclair. Deux mille hectares de collines, de vallons, de rivières, vus d'un clin d'œil; sur les bergers, les laboureurs, les bûcherons à foison passait le rapide regard; les fermiers, ma mère, moi (oh moi ! j'avais huit ans), une étincelle nous touchait à peine.

Il donnait cinq ou six fêtes par an ; alors, des girandoles en papier flottaient jusque dans les grands chênes ; et il recevait toutes les semaines. J'entendais crier la route sous les attelages et quelques automobiles (il n'y avait pas encore beaucoup de ces machines : celle des R. par exemple, et celle de Madame Sibylle ; c'était un événement). Par contre, elles sonnaient de la trompe sans arrêt, à cœur joie. L'arpenteur avait un violon, le clerc de notaire de Maître Vitton jouait de la contrebasse (et très bien ; c'était un petit Riquet à la Houppe), et l'instituteur de Saint-Hippolyte se servait – on ne peut pas dire jouait – de l'alto, et voilà l'orchestre pour faire danser les belles dames et les beaux messieurs, dans la grande salle voûtée de Cadarache où, un jour qu'il n'y avait personne, je suis entrée avec Justine, la cuisinière ; elle me dit : « Chut, tais-toi ! » (Je me souviens.) J'ai marché sur la pointe des pieds, je me retenais de respirer (j'étais à cette époque une longue asperge). Mais, je ne sais pas pourquoi, quand je suis passée à côté du grand piano qui était encore ouvert, il a poussé un soupir comme si quelqu'un d'invisible touchait doucement le clavier.

Les bals duraient une partie de la nuit. J'en vis un. Ma mère s'était assoupie ; je m'échappai du lit en camisole. Accroupie, je regardai entre deux balustres. Je me demandais comment pouvait être fait l'après-minuit ! Des femmes mousseuses, en craie, en crème, en argent étincelant, des soies, des mousselines, des plumes sautaient en quadrilles ; les hommes noirs craquaient, se cassaient, hennissaient, encensaient et ruaient du talon en cadence ; dans les grandes portes ouvertes écumait un torrent de lait.

La tête me tourna, et tant qu'à la fin je m'endormis. Le silence me réveilla. La Durance roulait ses graviers ; sur sa terrasse le vieux monsieur, seul, fumait un cigare ; au-dessus de lui (et de moi), brillaient de très grosses étoiles ; je n'en ai jamais vu autant, et de plus grosses.

Le vieux monsieur aimait ses plaisirs : Cadarache durerait

certainement plus que lui. Il s'en allait en tilbury par monts et par vaux sur les chemins de son domaine. Un peu tassé sur son siège, il émouchait nonchalamment, du bout du fouet, la croupe de la jument (Coquette, sa préférée); il gardait le pas dans les collines, vers des points de vue ou des massifs de sureaux, de tilleuls et de lilas. Il goûtait spécialement, disait-il, et sans doute pour se moquer, une odeur que personne n'avait jamais sentie, et qu'il appelait du « mirobolant[1] », dont il parlait volontiers. Il allait ainsi chercher du « mirobolant » dans les terrains égarés de la Durance; on le voyait partir, toujours avec son tilbury, le long des alluvions, des cailloux, des poussières soulevées et des eaux grises, en direction des grands bois taillis que la rivière encerclait dans ses îles et écartait sur ses rives. Il revenait, le soir, traînant après lui une longue queue de poussière.

Je furetais un peu partout. Je bâillais aux corneilles (c'est le cas de le dire : de vraies corneilles tournaient en vol épais, trouant l'azur), mais je n'avais pas les yeux dans ma poche. C'était l'âge : treize ans. Je me suis aperçue avant tout le monde que Madame Sibylle faisait les yeux doux au domaine (on le dit, par la suite, mais trop tard). Celui qu'on appelait toujours le vieux monsieur n'était pas si vieux qu'on croyait, il était très frais, le teint clair, et pas de rides du tout. Il allait à grandes enjambées de côté et d'autre, très droit, mince et souple comme un jonc; au contraire, ses cheveux blancs, c'était jeune, à mon avis. J'avais donc remarqué l'automobile arrêtée à l'ombre de la barrière de thuyas, et cette grande flamberge un peu niaise (qui se ressemble s'assemble) : le chauffeur qui conduisait la voiture de Madame Sibylle. Voilà donc la dame! Elle venait en catimini. A son âge! Pas jeune du tout, sanglée comme une gerbe, un chapeau large comme une tourte, des sautoirs, en or, des montres, en or, des colifichets, en or, des bracelets et tout ça, en or, et qui faisaient du bruit. Presque rousse, l'accent pointu. Une seule chose à son actif : elle sentait bon. Mais le vieux monsieur n'avait pas besoin de tant de parfum : les lilas, les sureaux, les tilleuls, et les serres, et les roses lui suffisaient [1]. Qu'est-ce que vous voulez qu'on fasse d'une Madame Sibylle? Ah, si, j'oubliais : une ombrelle de toute beauté.

En voilà d'un autre! Il s'agit de cet instituteur de Saint-Hippolyte, celui qui avait un violon alto et ne savait pas jouer; il s'était mis en tête d'épouser ma mère. Elle était toujours jolie, fine, propre. Lui : impératif, arrogant, laid, un blond, il sentait la sueur. A la moindre chaleur, pour un peu de soleil, il devenait rouge comme un coq. Il voulait tout régenter, et brusque, et aigre; ah non, je n'aimais pas son odeur, quand il arrivait à vélo, dans ses vêtements de velours, exigeant, commandant; je lui tournais carrément le dos, je reniflais et je m'en allais.

Et on lui donna enfin son paquet. Il essaya bien de s'accrocher, non : bonjour, bonsoir. Ma mère, si timide, si effacée, trouva de bonnes raisons pour le faire décamper.

Par contre, nous aimions Casimir. Il était blond, il avait des vêtements de velours, il suait, il était rouge, mais il était parfait. Il dirigeait les bergers. On en avait encore cent cinquante. Maman donnait à Casimir du café spécial; elle lui réservait même une petite tasse bleue (je la vois encore; je crois même que je l'ai encore). Les bergers restaient tout le temps sur les crêtes du domaine, au clos de l'Eguies. Casimir m'emmenait avec le mulet.

Les chemins serpentaient dans des vallons étroits sous le noir des bois. Les grands chênes étouffaient le bruit des pas. De temps en temps les haches battaient, les bûcherons criaient. Sur les collines le rideau d'arbres s'écartait devant l'horizon : les neiges, l'Italie, (Casimir était de par là-bas, derrière les montagnes), la Durance déroulée, la vapeur des villages lointains.

Et, un beau jour, Casimir à son tour fut résilié; tout le monde s'en allait. Une dernière fois, il vint boire une tasse de café (la bleue), baluchon déjà à l'épaule. C'était aussi un timide. Ma mère baissait les yeux, elle tordait le coin de son tablier.

J'eus plus de chance, moi : Casimir me laissa un bossu. Ah, celui-là, c'était autre chose. J'en avais peur, mais j'étais grande, maigre, et je mangeais du crayon. Je mâchais le bois et la mine de plomb. Je vomissais, mais c'était un vice.

Le bossu m'apprit à piéger les renards. Il m'y plongea du premier coup. Il avait attrapé un mâle; il écarta les cuisses de la bête et, avec son couteau (aveuglant!) il trancha les deux bourses et il écrasa les glandes dans son poing. La tête me tourna, mais... Il me fit parfumer mes mains avec cette purée sanglante. C'est la seule façon de manipuler les pièges sans y laisser une odeur humaine. Je le crois. En tout cas, je devins très habile.

Chaque renard que nous prenions (il en touchait la prime; il en vivait), nous le pendions à la branche d'un chêne. J'ai appris à rester coite, sans bruit, sans geste, sans respirer, le temps que la bête pendue puisse rendre toute son odeur. Et, peu à peu, à mesure que cette odeur se répandait, nous entendions que s'organisait autour de nous, avec le pendu comme centre, le chœur des veuves (ou le chœur des veufs), gémissantes (ou gémissants). Le pendu était généralement très beau, raide comme la justice, les pattes de devant étendues, les cuisses écartées que l'immense couteau du bossu avait bien farfouillées comme une rose, et la bête tournait lentement sur elle-même au bout de sa corde, animée par le vent seul.

Un soir, les taillis s'ouvrirent devant un homme hagard : le bossu ouvrit son couteau, mais l'intrus leva le bras; les yeux à demi fermés, il était à bout de forces. C'était une sorte de gandin avec un col glacé et une cravate noire. En plein bois, c'était drôle. Il n'était pas ici depuis cinq minutes, il n'avait pas dit cinq paroles que le bossu et ce gandin venaient rapidement de s'entendre. Ils s'arrangèrent pour m'envoyer en sentinelle à la route. En retournant ils avaient disparu.

Je n'étais pas bavarde, et le bossu le savait : nous avions, lui et moi, nos secrets, mais la curiosité me piquait. J'appris en jouant à la balle que l'homme au col glacé était caché dans une soupente du colombier. Le bossu était invisible, il était allé je ne sais pas où. Je dessinai ma marelle juste devant le colombier, et, en sautant à cloche-pied, j'en appris beaucoup. Le bonhomme ne me voyait pas, mais moi, je le voyais : de temps en temps, il écartait le vieux sac qui bouchait la lucarne, et il regardait, moi et le chemin. Il attendait certainement le bossu, et ce que le bossu était allé chercher. Il était toujours hagard, de plus en plus même, je crois.

Le lendemain, de bon matin, je courus vite à ma marelle, et me voilà de nouveau à cloche-pied. Il me suffit d'un coup d'œil pour savoir que le col glacé était toujours caché dans le colombier. Le bossu ne se montrait toujours pas, et il n'était pas dans son appentis. Je fus enfin intriguée par des chasseurs en grand nombre dans le lit de la Durance; deux ou trois, j'aurais compris, mais cinq, six, dix, vingt, et il en sortait de tous les côtés; ils battaient les taillis, les chiens s'en donnaient à cœur joie. Ils se rapprochèrent de Cadarache et ils commencèrent à faire du vacarme.

Ils arrivèrent jusqu'au pied de la terrasse du château, et ils appelèrent le vieux monsieur à grands cris, sans cérémonie. C'était tout à fait extraordinaire, je m'en léchais les babines. J'avais bien l'impression que je commençais à comprendre ce petit théâtre. Je n'eus pas besoin d'entendre ce que criaient les chasseurs. Je ne savais pas encore pour quelle raison, mais j'étais sûre qu'il s'agissait d'un gibier à deux pattes, et précisément celui qui était caché dans le colombier. Je fis un geste d'intelligence en direction de la lucarne, le col glacé ne se montrait pas, mais il devait regarder à travers la trame du vieux sac, et je vins m'adosser à la porte du colombier. Une minute après, j'entendis derrière mon dos une respiration haletante.

« Ne bougez pas, dis-je. (Je m'entends encore. Je ne l'ai jamais oublié, j'étais tellement fière!) Vous ne risquez rien. Avec l'odeur du colombier, les chiens ne sentiront rien. »

Le bossu était vraiment fort : il avait tout prévu. En effet, je vis un groupe de chasseurs qui faisaient flairer un chapeau melon aux chiens, un très joli chapeau melon de couleur blonde. Oh, ils avaient encore d'autres ustensiles appartenant au gandin, notamment un rase-pet mastic, un foulard, et même des babioles, comme un truc que je n'avais jamais vu et que je n'ai jamais plus vu nulle part, un fixe-moustache : un petit bandeau et un élastique [1]. Une des femmes – il y en avait trois ou quatre avec les chasseurs – agitait ce fameux fixe-moustache devant le nez des chiens; elle assurait, disait-elle, que l'odeur de l'homme poursuivi était plus vivace sur cet objet que sur les autres vêtements. Il y avait au moins cinquante chiens, peut-être plus, je ne les comptai pas. Ils faisaient un charivari du diable : ils aboyaient, remuaient la queue, couraient de tous côtés et faisaient sonner leurs grelots. Ils passèrent en troupe à différentes reprises devant le colombier.

Quelle différence (même Marie-Thérèse ne le croirait pas, et pourtant, Dieu sait! nous avons trois ans de dortoir ensemble)! Si on m'avait dit en 1905, le col glacé (et les renards), le bossu, les chasseurs, je ne le croirais pas moi-même. Non, personne ne pourrait le croire. Et pourtant, je l'ai fait. A cet âge-là, on n'est rien, on est pire. Cet homme, ce gandin, je ne pouvais pas savoir ce qu'il était (aujourd'hui, je le sais), et les bois, les eaux profondes, la nuit, seule...

De nouveaux chasseurs arrivaient. Ils sortaient du bois, des voitures légères trottaient dans les chemins. Je vis un dog-cart que je connaissais pour l'avoir vu souvent au château. C'était celui de quelqu'un qui avait un grade (lieutenant de louveterie). Je fis cliqueter le loquet, et j'entendis que mon prisonnier descendait de son perchoir. Il écoutait derrière la porte, toujours haletant. Je dis : « Ne bougez pas. Je vais aller voir. Je reviens. »

Le roi n'était pas mon cousin. Tous ces beaux messieurs (car c'étaient tous des beaux messieurs. Je savais bien qu'un jour de semaine, on ne se balade pas à la campagne quand on a besoin de pain quotidien – réflexion de 1943) s'étaient assis dans l'herbe. On avait sorti les jambons, les andouillettes, les omelettes aux fines herbes, les pains ronds et les dames-jeannes. Tout compte fait, mon prisonnier du colombier était aussi un monsieur, rien qu'à voir tous les ustensiles qu'il avait abandonnés à ses poursuivants, plus le col glacé et l'air gandin. Donc, tout beaux qu'ils étaient, ils ne connaissaient, ni les uns ni les autres, le fin fond de l'histoire, tandis que moi, j'étais au courant de tout. Je ne disais rien, je serrais les lèvres, je n'avais presque plus de bouche : un fil.

Réflexion de 1943 ; c'est-à-dire aujourd'hui, pendant que je suis dans le car, en route pour le Ménage d'Espagne, après avoir arrangé l'affaire de mes jumeaux (et nous sommes déjà à Ollières ; Monsieur Castaing vient de descendre : bonsoir, Monsieur Castaing. C'est le cafetier, et il venait aussi d'Aix, comme moi ; on ferme la portière et on repart. Nous ne sommes plus que deux et le conducteur. J'en ai encore pour plus d'une heure. C'est la nuit noire).

Je ne sais pas si, cette fois-là (en 1905), je me suis approchée pour écouter ce gradé (lieutenant de louveterie), qui parlait avec le vieux monsieur, ou si je l'ai su longtemps après, peut-être vingt ans, ou vingt-cinq ans, ou plus (ou même cinquante : j'ai su tellement de choses, depuis) et voilà ce que c'était :

Au début du siècle – j'étais jeune – les petites villes campagnardes, plus qu'à moitié paysannes, et composées de grandes fermes agglomérées, avec leurs troupeaux et leurs attelages, étaient cachées dans des vallons et perdues dans des déserts. Il n'y avait pas encore d'automobiles ; très peu. J'en connaissais peut-être trois ou quatre dans tout le canton : Madame Sibylle, en voilà une, un nommé Tureau, un boucher, en voilà deux, et, je ne sais pas ; pas plus. La voie ferrée longeait la Durance ; les trains, un par jour à l'aller et au retour, faisaient vingt kilomètres à l'heure. Pour aller à Marseille il fallait six heures. En dehors de cette ligne de chemin de fer, des diligences à chevaux circulaient au pas, ou au tout petit trot si la route descendait, dans des chemins embrouillés. Certains bourgs, au fin fond des collines, étaient isolés de tout; pour en sortir, il fallait faire parfois vingt heures de route. Dès que la diligence se mettait en marche (un très, très petit trot, presque sur place), que les roues grinçaient, vous sortiez de votre trou, les toitures ne vous couvraient plus, vous étiez comme nue. La petite ville (1 500 à 3 000 habitants) était une niche, une carapace, on y faisait la tortue, on ne bougeait plus; si on était obligé de sortir, on n'avait qu'un désir, de rentrer. C'était plein de délices noirs.

Encore plus noir l'hiver; non seulement les délices, mais la lumière elle-même était noire, ou rouge (au pétrole), sur les nuages épais et la nuit longue. Vivre à tâtons ne se faisait pas sans risques et périls (comme dit l'autre). Les rues étaient vides.

Alors, sur les alentours de la Toussaint, on voyait arriver un cabriolet. Il s'arrêtait devant l'hôtel de Versailles. On déchargeait des bagages flambant neufs : le grand chic. La grande distinction. C'était le chic anglais et le mackintosh, les Indes, quoi! Des esbroufes et des chichis, mais juste ce qu'il en fallait pour qu'on puisse voir (ou entrevoir) une dame, une dame à boa, à boa en plumes et à cliquetis, un chapeau de un mètre carré, puis quelques rires de gorge (beaucoup de gorge, beaucoup de croupe) et, passez muscade, elle s'engouffrait avec des bouillonnés de jupons dans l'hôtel. Deux messieurs, l'un, une barbe à la royale [1], le patron, l'autre le valet, le cocher, le factotum; la barbe à la royale disait volontiers : mon factotum. C'était anglais en diable; comment voulez-vous y résister, les déserts n'y résistaient pas.

Ainsi, cette fois-là, le destin avait lancé les dés. Donc, quelques jours après, la barbe à la royale et la dame au boa se promenèrent bras dessus, bras dessous, malgré l'hiver. La dame fit quelques emplettes dans les boutiques les plus huppées : le grand bazar, le marchand d'étoffes, le marchand de chaussures, un épicier coté, un boucher de la clientèle aisée, ainsi de suite, jusques et y compris une importante quincaillerie. Pas de gros achats : quelques rubans, quelques coupons d'étamine, une pince à sucre (très importante, la pince à sucre), et la dame distribua ainsi sourires, bouche en cœur et tortillements (malgré un visage lunaire, des yeux bovins, et une mécanique à travers laquelle transparaissait une parfaite indifférence). La barbe à la royale avait installé ses assises au Grand Café Glacier (ou le Grand Café de Paris, ou le Grand Café de la Concorde, mais de toute façon Grand). L'homme était rond; rond de tout : rond de gilet, rond de chaîne de montre, rond de barbe, à la royale évidemment, rond de jambes, rond de gestes, rond de voix, et même les comptes ronds : il payait recta. Les docteurs, disait-il, lui avaient recommandé l'air, et particulièrement l'air d'ici. C'était flatteur. Il se fit des amis; que faire en hiver, et dans ces bourgs noirs, gémissants? Assis au café avec les notables il regardait, comme les autres, passer le vent. Deux jours, trois, quatre, cinq, la semaine, dimanches et fêtes, et le vent passait; il avait emporté l'emballage en papier bleu d'un pain de sucre, il avait emporté un vieux journal, il avait emporté une boîte en carton vide, peut-être de mercerie ou de pâtisserie, non, c'était bien de mercerie, c'était une boîte de fil « au chinois [1] ». Au bout de toutes ces histoires de France, la barbe à la royale demanda timidement : « Si on faisait une partie? – Une partie de quoi? – De cartes. – Mais nous n'avons pas de cartes, disent les notables, nous avons juste des cartes pour jouer pour nous : des bézigues, des quadrilles, des chincholas, des bostons, des cinquante-six, des impériales [2], ce ne sont pas des jeux pour des messieurs. – Mais si, dit l'autre, mes amis, au lieu de regarder passer le vent, passons le temps. Vous m'apprendrez. »

Et on lui apprend. Il n'est pas très doué. On n'intéresse pas la partie, puis on intéresse les apéritifs, les pousse-café, les bières. On s'amuse. D'autant que la barbe à la royale n'est vraiment pas doué, c'est le gogo royal. Il paye avec le sourire. « Allez-y, dit l'hôtelier, il paye rubis sur l'ongle. » « Il a de l'argent, dit l'horloger, j'ai arrangé le sautoir de sa femme (ou comme on dit ici : sa dame), et c'est de l'or en barre. On peut y aller. » On y va. Novembre. Décembre. Noël le plus noir de l'hiver; même le vent ne sait plus quoi faire. Les notables : le drapier, l'horloger, le quincaillier, le droguiste, jusqu'au notaire, y compris le pharmacien, ne se rasent plus, ne se lavent plus, ne se lèvent plus qu'à midi; ils gardent leur chemise de nuit tout le jour; à peine s'ils enfilent un pardessus, et ils s'esquivent vite, en pantoufles, au café. Un soir (c'est le soir vingt-quatre heures par jour), ils disent eux-mêmes : « Et si on faisait un petit poker! » On a envie de quelque chose d'un peu plus corsé que la bibine habituelle. Et pourquoi pas. Du moment que la barbe à la royale n'a pas fait le plus petit pas? On fait donc « le poker », puis des pokers. La barbe à la royale continue à perdre, royalement, à la royale, jovial, rond. Sauf un jour, ah, il faut bien que les innocents aient à la fin un peu les mains pleines, oh, pas des tas! juste assez néanmoins pour avoir envie de rattraper ce qu'on vient de perdre bêtement. La barbe à la royale accepte; il les sent un peu pressés, il est beau joueur, très beau, comme tous ceux qui ne savent pas jouer; son gain lui a monté à la tête (c'est la première fois qu'il gagne, du moins la première fois qu'il gagne quelque chose de conséquent) et il demande timidement (c'est aussi un timide celui-là) si... on ne pourrait pas monter un peu les enchères? D'autant qu'il va partir, oui, il est obligé, dans trois jours.

C'est fini. Trois jours (et trois nuits d'enfer). Cette fois, c'est le grand travail, double, triple travail.

Ils étaient tous installés dans la chambre de l'Hôtel de Versailles. La dame au boa, lunaire, bovine, abondante, juteuse, mécanique, indifférente, faisait la maîtresse de maison avec une petite pointe (difficile à définir) de mépris. Le factotum s'était joint à la bande pour remuer le punch, traînasser à pieds mous autour de la table et calmer les sanguins s'il y en a. Et vogue la galère! L'or s'entassa : billets à ordre, titres au porteur, etc., tout était bon.

Trois jours après, la petite ville, sous le ciel de plomb, s'éveilla, la tête vide, l'œil gluant, la jambe en flanelle, la bouche en savon, le cœur dans la bouche, comme éventée mais saignée par les vampires, Jules Verne dixit, dans *L'Ile mystérieuse*[1]. Elle avait été nettoyée, étrillée, récurée, lessivée, épongée jusqu'à la dernière goutte. Il y eut des faillites, un suicide (avorté) mais tout avait été fait de main de maître, à telle enseigne que l'équipe pouvait revenir pour une nouvelle revanche : bonjour monsieur barbe à la royale (ou un noble Portugais, un Parisien à gros bec; une fois même ce fut un Écossais).

J'ai compris maintenant ce que racontaient les chasseurs au pique-nique de Cadarache pendant qu'ils cassaient la croûte de bon appétit. Le système, semblable à celui de la barbe à la royale, avait marché jusqu'au moment où l'or avait afflué. La mécanique du gandin (il devait se faire passer pour je ne sais pas quoi : Rothschild?...) s'était déréglée; l'or lui était monté à la tête; pris de vertige il n'avait plus pu freiner et il avait continué à faire feu des quatre sabots, et cavalier seul, car ses acolytes : la femme et le factotum, ayant senti le roussi, avaient pris la poudre d'escampette avant la catastrophe. Il fut pris sur le fait. Il n'était pas de taille à tricher sans l'aide des boas en plumes et du factotum. On força sa chambre en pleine nuit; il eut juste le temps de sauter par la fenêtre dans les prés et de filer à tire-d'aile en abandonnant les débris de sa garde-robe (y compris le fixe-moustache).

Le gradé – il n'avait plus d'uniforme mais il parlait haut – raconta l'histoire au vieux monsieur. J'étais tout oreilles. Et le plus beau c'est que, paraît-il, le gandin avait emporté la cagnotte, une grosse cagnotte, une très grosse. Voilà l'explication de tous ces fusils et voilà aussi, à mon avis, l'explication de l'absence du bossu. Quand il avait écarté les taillis, le gandin n'avait rien, ni dans les mains ni dans les poches. La cagnotte était cachée quelque part; le bossu était certainement sur ses traces.

J'eus l'adresse de me faire donner un quignon de pain et quelques tranches de jambon. Je retournai au colombier, j'agitai le loquet; j'entendis que mon gandin descendait de son perchoir. Entrebâillant la porte, je lui fis passer le pain et le jambon. Il devait trouver le temps long : il n'avait pas mangé depuis vingt-quatre heures. Malgré la nourriture, il n'avait que le bossu dans la tête. « Où est le bossu? Où est le bossu? » Je me disais : « Tu peux courir après le bossu! »

Après leur halte à Cadarache, la chasse se remit en route à grand renfort de chiens, de grelots, de cris et de corne à bouquin. Ils trompettèrent dans les bois du côté de Beauvillards. Ils avaient, paraît-il, trouvé une trace. Les attelages s'en allèrent grand train. Pendant tout le jour les rumeurs coururent partout; elles ne s'éloignaient pas autour de nous. J'étais en classe, bien entendu, ma mère ne m'interrogea pas. J'écoutais le mouvement des chasseurs. On aurait dit qu'ils le sentaient : ils ne s'éloignaient pas du château. Je voyais les uns et les autres dans les éteules. Les chiens frétillaient de tous les côtés, le nez sur les pistes.

Je pus m'échapper vers quatre heures. Le crépuscule approchait. La chasse ne s'interrompait pas, très près de nous. J'ai même cru qu'ils avaient trouvé. Ils connaissaient la trace jusque près du château et ils se rendaient compte que l'homme n'avait pas pu aller très loin. Ils restaient donc à l'alentour.

Comme je m'approchais du colombier, j'entendis que mon gandin agitait le loquet de la porte pour attirer mon attention.

« Taisez-vous, lui dis-je, ils sont toujours là. » Et de nouveau il demanda le bossu. « Je ne sais pas, je ne l'ai pas vu. » Il jura. « Cette nuit, dis-je, je vous ferai échapper. – Échapper où? – A travers la Durance; il y a une gare de l'autre côté. » Il accepta. J'avais charge d'âme.

Je savais comment faisaient les bergers pour aller à la gare. Il y avait un gué en amont; c'est là qu'ils traversaient. Quand Casimir était parti, je l'avais accompagné un bout de temps jusqu'au gué. Il m'avait indiqué qu'il fallait trouver le bras d'eau qui faisait le plus de bruit. Voilà le gué. Il fallait se méfier de l'eau sans bruit, profonde.

J'étais donc d'abord fière comme Artaban, mais la nuit tomba et la fierté s'en alla. Je n'avais jamais traversé la Durance : quelquefois des bras peu profonds, mais jamais le grand courant. Je savais qu'il était très gras et très fort. Je ne savais même pas exactement où il était. Je me souvenais d'un bouquet de peupliers, d'un gros saule, d'une épave de tombereau qu'une crue avait emportée et maintenant à moitié enterrée dans une large grève. La nuit, tous les chats sont gris. Je ne savais pas nager; le gandin non plus; il me l'avait dit tout de suite.

J'attendis trois heures du matin. Ma mère ne se réveillait jamais. Du premier coup, je vis, de l'autre côté de l'eau, à deux kilomètres, les signaux verts et rouges du disque de la gare. Nous voyions très bien aussi dans les collines la chasse, un peu ralentie, mais qui circulait toujours en portant des lanternes. Mon zèbre voulait tout de suite piquer droit sur cette gare (il en rêvait) mais je lui fis comprendre qu'il fallait monter de biais d'abord. Il continuait à parler sans arrêt : « le bossu, le bossu... » Certes, je savais bien qu'il avait envie de retrouver sa cagnotte, mais brusquement je compris qu'il avait maintenant peur du bossu. Oui, oui, tout compte fait il n'était pas tellement catholique, mon bossu. Je lui dis de se taire, que j'étais obligée d'écouter le bruit de l'eau; ce bruit était le seul moyen de me guider.

En réalité je ne reconnaissais rien du tout. Il y avait bien quelque part des peupliers (je les entendais) et des saules, mais j'étais incapable de reconnaître ceux qui marquaient le gué. La nuit était très noire; il pleuvait un peu; il faisait froid; j'avais perdu mon chemin; je marchais pour marcher. Je m'efforçais de me rapprocher des petites lanternes de la gare mais chaque fois je me trouvais au bord même d'une eau profonde, d'un courant très rapide qui ne faisait pas le moindre bruit. J'avais dû remonter trop loin dans l'amont, mais comment faire pour revenir sur mes pas?

Je n'avais pas peur; pas tout à fait. Maintenant, j'ai peur quand j'y pense.

J'écarquillais les yeux. A force de les écarquiller, les points lumineux de la gare se mirent à danser. J'essayais de fixer mon regard; c'était impossible; comment faire? J'ouvrais mes deux oreilles; je n'entendais pas le bruit familier des arbres et des eaux mais des voix, des appels, des... Je me demandais si mon compagnon entendait comme moi ces voix, ces appels, ces... Je n'osais pas le lui demander. Il avait pris ma main. Sa main me rassurait.

« Tu connais ton chemin? » dit-il gentiment.

Eh oui, je croyais le connaître, mais cette gare s'était mise à danser; comment voulez-vous y comprendre quelque chose? J'aurais préféré fermer les yeux, mais j'étais bien obligée de les ouvrir. Cette gare était folle : ses lumières s'étaient dédoublées, elles sautaient en l'air comme des yeux de chats.

Les arbres s'en mêlaient. Je bronchais dans des souches, puis des taillis d'aulnes. Il n'y avait jamais eu de taillis d'aulnes. Le vent remuait de hautes ramures. Il n'y avait jamais eu de hautes ramures dans le lit du fleuve. Tout était faux. Je n'aurais pas dû m'embarquer dans cette histoire. Je n'étais qu'une petite fille. C'est maintenant que je le dis, mais à l'époque je croyais tout savoir. Je faisais le Michel l'hardi[1] et je ne savais rien de rien, ni en gros ni en détail; ni certains détails.

Quand je sentis une odeur de charnier, je crus à une charogne comme le fleuve en laisse souvent sur ses bords. (Il s'agissait en réalité d'un autre fleuve, d'une autre charogne.)

Mais le gandin était plus perspicace que moi : il comprit tout de suite que c'était l'odeur du bossu.

« Tu m'as vendu, petite garce », dit-il.

Il lâcha ma main et il se mit à courir; j'entendis quelqu'un courir derrière lui.

Je m'aplatis le plus possible dans les graviers. Longtemps je crus que le bossu était revenu ensuite et me cherchait. Je respirais à peine. Au gris de l'aube, je vis que j'étais tout à fait seule et que je pouvais revenir au château. C'était tout près.

Toute la journée je me cachai dans les jupes de ma mère. Je vis rôder le bossu; il regarda ma fenêtre à plusieurs reprises; il n'osa pas s'approcher mais il fit le guet. Il me fallut bien trois jours pour digérer ma peur. Puis, petit à petit, les yeux, la bouche, les longs bras, les fortes mains, la bosse se remirent en place et je vis le bossu comme je l'avais toujours vu.

Je fis quelques pas. Il s'avança.

« Tu as peur? dit-il.

– Non. (Le plus curieux c'est que je n'avais pas peur du tout. Je voyais clair pourtant.)

– Bonne fille, dit-il. Si je trouve un renard, un beau, tu viens?

– Pourquoi pas? »

Nous recommençâmes nos manigances.

*

Le car s'arrête. Je suis arrivée. Du carrefour de Notre-Dame au Ménage d'Espagne j'ai encore à faire cinq cents mètres à pied. Le bruit du car a réveillé les chiens. Diane m'a tout de suite sentie et vient à ma rencontre avec son grelot.

Un mois après, on entra dans l'hiver. Le vent nous secoua les oreilles puis la neige tomba. Le Ménage d'Espagne resta seul au centre d'une plaine ronde enfermée dans des bois rouges.

Les idées me trottaient par la tête. J'écrivis une petite lettre à Madame Édouard (Charlotte, comme vous et moi. Édouard est le dieu qui fait pleuvoir. Il est mort en 1938). Elle me répondit illico. Je savais que j'arrivais comme marée en carême. Je dis à Simon : « Qu'est-ce que tu fais, toi? – Moi? Rien. – Tu ne vas pas à Montmeyan? – Non. – Tu restes à la maison? – Oui. – Tu dors? – Oui, un peu, je dormiote.

Je... – Tu as raison, dors. J'ai envie d'aller chez Madame Édouard. – Et pourquoi pas? »

Voilà : mes précautions étaient prises. J'avais fait une grosse daube; mes hommes avaient de quoi manger (et puis, il y a des œufs). D'ailleurs, je n'allais pas m'éterniser : un jour, une nuit c'était amplement suffisant; le bout du monde.

Le contremaître, le gros Marius, me conduisit avec la camionnette. La neige épaississait dans le ciel et sur la terre. Castillon où nous allions n'était qu'à vingt kilomètres.

« Ne t'attarde pas à Castillon, dis-je à Marius. – Oh! non, patronne, je ne m'attarde pas, je rentre tout de suite. Le patron m'a juste dit d'aller voir un peu chez Victor s'il n'avait pas par hasard un petit paquet de tabac de reste. – Vous avez déjà tout fumé? Je vous en ai donné à tous avant-hier. – C'est qu'avec le temps on en fait filer. »

Il avait surtout envie d'aller boire un coup, ne serait-ce qu'un champoreau[1]. Je comprends ça. La chaleur n'est pas une question de poêle : il y a la chaleur communicative.

C'est comme Castillon. Castillon a toujours cru qu'il avait trois mille habitants; c'est à peine s'il en a un peu plus de deux mille. Il est perché sur le Devançon, dans les bois; il est bien content d'imaginer trois mille habitants, tout abandonné qu'il est sur ses hauteurs.

Charlotte (Édouard n'était pas un aigle, elle a beau dire) a une jolie maison. On ne peut pas le lui enlever, mais sa rue est un casse-cul. Marius se décarcasse : la pente est dure et il y a presque trente centimètres de neige. Évidemment, quand on arrive en haut, c'est parfait : on est en face de l'église, Saint-Pancrace, la petite placette avec ses tilleuls (aujourd'hui, les tilleuls, bernique!), les remparts, et, en bas, tout Castillon. Enfin, deux mille habitants!

La maison est « particulière » comme on dit ici : cossue, astiquée du haut en bas (Francine n'économise pas l'huile de coude); même aujourd'hui la neige est balayée, bien qu'elle tombe toujours très épaisse. Le heurtoir, les gonds, les ferrures, le bois de la porte, on dirait tout comme neuf, jamais touché; les fenêtres sont des diamants. Pauvre Charlotte! Qu'est-ce qu'elle a pu encore inventer? Et elle a plus de vingt pièces!

Dès que j'entre (oh! qu'il fait bon! On entre comme dans une fourrure) je donne mon petit bagage à Francine. « Comment est Madame Édouard? » dis-je à haute voix. Et je cligne de l'œil à Francine. « Un chameau », dit-elle entre ses dents. Chaque fois notre mimique me ravit. Mais voilà Charlotte. Elle est en bleu; elle n'a jamais rien compris aux couleurs. « Comment vas-tu, ma belle? » Je l'embrasse. Elle me tient à bout de bras. « Mais tu es très bien », me dit-elle. Elle force le ton, comme si c'était une nouvelle. Elle le sait que je suis bien. Elle m'a toujours détestée et je le lui ai toujours rendu. Ce sont les bagatelles de la porte.

La matinée passe comme une lettre à la poste; la fricassée de museaux, les exclamations, les coups d'œil en coulisse sur mon teint, ma coiffure, ma toilette. (Charlotte a toujours épié le moindre détail de ma toilette. Elle copie tout, en bleu bien entendu, ou en violet, ou mieux encore en violine.) On fait aussi un peu de cuisine. Charlotte et moi nous sommes un peu portées sur la gueule malgré les restrictions. Dans une petite ville des champs comme Castillon, on a tout ce qu'on veut. J'ai aussi apporté du lard et du cochon, œufs, canard, un litre d'huile, un tout petit morceau de beurre. Nous avons mis en train des petits plats dans des grands et notamment, nous en sommes friandes toutes les deux (toutes les trois : Francine n'en donne pas non plus sa part aux chiens), des œufs en tripes. Le canard bien lardé (c'est presque un canard sauvage, au Ménage d'Espagne, tout est sauvage) avec de la farce au hachis de foie de porc, tout est bien parti : tarte au citron, nous n'avons rien oublié. Repas dans la bibliothèque. C'est le paradis. La bibliothèque, c'est la grande réussite de Charlotte. Elle ne sait pas s'habiller, mais je reconnais qu'elle sait faire les bibliothèques. En n'importe quelle saison la lumière donne dans cette grande pièce une circulation d'étincellements dorés, mais aujourd'hui, au cœur de la neige, c'est de la soie. Nous sommes enveloppées dans la soie la plus douillette; dans les grandes fenêtres scintille l'effondrement sans fin de la neige. Le silence le plus total, oui, le plus total; on n'entend que le ronronnement de la broche qui tourne, le friselis de la lèche-frite. Le rôti embaume le lard frit, le... une pointe de...

Nous mettons le couvert avec des plaisirs de petites filles. Charlotte a du cristal, des couverts de toute beauté qui viennent de sa belle-mère, une nappe plus damassée que Damas; elle a du vin de je ne sais pas combien d'années qui vient de son grand-père Duchet, étiqueté « Milly-Lamartine, terre natale »; enfin, comble du bonheur, au beau moment où nous nous mettons à table, Francine annonce que la neige redouble et que la couche a déjà plus de quarante centimètres d'épaisseur.

Vers trois heures de l'après-midi la nuit nous enveloppe. Revenues dans la bibliothèque, je dis à Charlotte : « N'allume pas encore la lampe; la cheminée est pleine de braises, elle nous éclaire. Regarde : nous sommes très belles, nous ressemblons à des Peaux-Rouges. Tu as bien connu les gens de Longagne, toi?

– Lesquels?

– Il y en a donc de plusieurs sortes?

– Il y en a de toutes les sortes.

– J'ai entendu parler d'un petit garçon.

– Il y a un petit garçon et une petite fille, le frère et la sœur. Le garçon a une dizaine d'années, la fillette un an de moins. La mère est morte en 1935. C'était une fille Beaumont que tu connais.

– Les Beaumont de la Mignarde?

– Non : les Beaumont du Logisson.

– Apollonie?

– Apollonie, mais elle se faisait appeler Suzanne.

– Apollonie Beaumont! Ah! C'est celle-là? C'est curieux. Je la connais, oui, un peu. Jolie, je crois. Les Beaumont habitent une grande maison sur la route nationale, près de

Saint-Maximin. Je la vois : dans les détours de la montagne, sur la crête de Recours. Qu'est-ce qu'ils faisaient les Beaumont?

– Rien, ils avaient des vignes, ils ont vendu.

– Qu'est-ce qu'ils sont devenus?

– Je ne sais pas.

– Ils sont allés à Longagne?

– A Longagne? Quelle idée! Les Beaumont et Longagne étaient chiens et chats.

– Et le mariage alors? Il a bien fallu un peu s'accorder.

– C'était un mariage arrangé. Les Beaumont ont toujours battu de l'aile. Les hectares ne font pas des petits, surtout si on a voitures, voyages, Vichy; et Vichy, c'était Carlsbad, Spa, Montecatini, et tutti quanti, la tournée des grands-ducs. Quant à Monaco, c'était monnaie courante, et Dieu sait si la monnaie courait! Les grandes guides. Ils n'ont pas fait crac, mais il a fallu d'abord jeter Apollonie par-dessus bord. Le notaire poussait en sous-main. Il y avait laissé du poil; depuis des années il avançait des fonds. Il n'y avait que Longagne pour redorer les Beaumont. Un héritier, un seul (qu'on croyait) : Roger-Hector, célibataire, quarante ans, triste. Si je dis triste c'est que je l'ai toujours vu triste.

« La chose bâclée (le mariage officiel j'entends) les Beaumont furent aux anges. Ils allaient pouvoir mettre un peu d'aisance aux entournures. Le gendre était triste, on le savait, mais il était doux comme un mouton, gentil. L'œil, quand il relevait le regard, on fondait en délices; l'œil était profond. Apollonie ne regimbait que pour la forme; en réalité, elle s'en léchait les babines. C'était seulement le côté " vendue " qui l'embêtait. On a beau dire il y en a encore qui ont des complexes " Maître de forges[1] ". Si elle avait senti ses parents moins maquignons, elle aurait pavoisé. Rideaux baissés et portes closes, elle s'en paya une tranche. Tu rigoles?

– De toi.

– J'en sais autant que toi. Qu'est-ce que tu crois? Édouard

n'était pas manchot. Roger-Hector était très convenable, même bien, même très bien, plein d'attentions; sa tristesse avait un charme. Suzanne (Apollonie s'était appelée Suzanne dès la première semaine de lune de miel) avait tout de suite demandé à son mari : " Pourquoi es-tu si triste? " Et il avait répondu : " Je ne suis pas triste, je suis comme ça. " C'était donc un vague-à-l'âme, un beau ténébreux, mais sanguin à souhait. Tu connaissais les Beaumont?

– Vaguement. Apollonie c'était loin, bien plus jeune que moi. Le nom m'est resté : Apollonie, Polonie, la Polonaise; on l'appelait la Polonaise, à cause du piano. Elle était fraîche.

– Fraîche? Quelle idée! Elle était tout sauf fraîche : jolie, piquante, sémillante si on veut, mais sans éclat. Le mariage a tout fait pour elle.

« Par contre, les Beaumont tombèrent de leur haut. Ils avaient fait des rêves d'or. Quand on sort, comme eux, de la cuisse de Jupiter, on toise les gens de Longagne comme zéro en chiffre pour le monde. Les seuls zéros qui comptaient (et comment!) c'étaient ceux de la fortune. Là, pas d'histoire.

« Le père Beaumont, Hubert, c'était Louis XIV : des fanons, un mufle de lion, des paupières en coques d'œuf. La mère Beaumont, Mathilde, la moustache en bataille, un goitre d'aristocrate, bien qu'elle soit tout simplement une Mallard de Château-Queyras, Édouard a très bien connu tout ça. " Un Mallard, c'est un canard à gros croupion ", disait-il. Voilà Mathilde.

« Hubert et Mathilde, le couple : lui en proue, elle en poupe, naviguaient dans toutes les eaux, même les mortes; ils grenouillaient. La magistrature, l'administration, l'archevêché : tout était bon. S'ils voyaient une porte, ou cochère ou étroite, ils entraient par la porte des artistes, l'escalier de service s'il fallait. Une antichambre? Ils trouvaient toujours une banquette, parfois un fauteuil; ils s'asseyaient, ils attendaient, ou ils parlaient haut. Un avocat, un procureur, un huissier, à défaut un greffier, un chef de gare : c'était pain bénit; une soutane, une robe, une toge, un képi, une barrette, une crosse, un sabre, un goupillon : tout faisait ventre. Je les ai vus ramper ou caracoler. Ramper avec Édouard, et pourtant Édouard n'était qu'un professeur, mais à ce moment-là c'était une question d'Université, de rectorat, de je ne sais quoi; il lui suffisait de n'importe quoi : une distribution de prix, une cinquième roue de charrette, et vogue la galère! Si on leur permettait de frapper un tout petit coup sur le triangle, en un rien de temps tu trouvais mon Hubert (et ma Mathilde) au pupitre du chef d'orchestre. Je te dis : il avait demandé à Édouard d'aller simplement jeter un coup d'œil dans les Nouvelles Facultés. Édouard, qui le connaissait comme sa poche, me disait : " S'il met le pied sur le seuil de la loge du concierge, demain il est agrégé. " Et de fait, il n'a pas été agrégé (il n'a même pas son certificat d'études) mais il est devenu cul et chemise avec des quantités de gens éminents et, quand on a reçu T. S. Eliot *honoris causa* [1], Hubert trônait au premier rang. Il passait pour un personnage. Il donnait son opinion; il tranchait du Louis XIV. Il a même une médaille. J'exagère? je n'exagère même pas : il a une cravate : commandeur d'un mérite, je ne sais pas quoi; cinq ou six sous-chefs de bureau dorés sur tranche, " par les pouvoirs qui me sont conférés ", et on l'a cravaté, dans la cour des cuisines, bien entendu, mais de la sous-préfecture. Les journaux en ont parlé pendant un mois.

« C'est donc de cette façon-là que les Beaumont travaillèrent les notaires, cabinets d'affaires, avocats, pour essayer de voir clair dans la situation financière des gens de Longagne. La notoriété publique parlait de fortune immense; la notoriété, c'était très bien, mais un peu de " quibus " aurait fait mieux l'affaire. Ils se disaient, et ils ne se faisaient pas faute de le dire ouvertement : " Notre fille pouvait prétendre à des ducs (au pluriel, c'était cocasse). Si nous n'avons pas de titre, ayons au moins la fortune. " Le notaire qui avait arrangé le mariage prétendait que Roger-Hector, le gendre, était le dernier des gens de Longagne, et le seul propriétaire de tout. " D'accord, disaient les Beaumont, où est donc alors cette fameuse fortune? – Il y a un homme d'affaires. – Lequel? – Un nommé Robert, à Toulon, mais qui? Je ne sais pas. Je ne l'ai su que par ouï-dire, et encore, par des voies détournées. A Longagne, c'est bouche cousue."

« Hubert interrogea de tous les côtés, Mathilde pétilla. Un jour, c'était Robert, un autre jour ce n'était pas Robert. Les gens bien informés informaient à tour de bras : Robert était tantôt à Toulon, tantôt ailleurs. Pour certains c'était un leurre, pour d'autres, parole d'Évangile; pour les uns hypocrisie, hypothèses, et d'ailleurs, de toute façon, hypothèques; pour les autres des picaillons en pagaille, un pactole, le Pérou. A quel clou se pendre?

« Les mystères énervèrent les Beaumont. Hubert rampa et caracola, Mathilde fit la fille à soldats (pauvres soldats!); elle se démancha le croupion; elle mit en vitrine son goitre aristocratique; elle monta et descendit des escaliers; elle ingurgita des quantités de petits fours, des doigts de porto; elle susurra des " Ma chère " et des machins, sans grand résultat. Le fameux Robert : inconnu au bataillon. Ils enrageaient.

« A force de mettre ce Robert sur le tapis de tous les salons, un procureur (" gâteux, dit Hubert, ton procureur est gâteux ") connaissait très bien le célèbre Robert et en parla : un repris de justice, pas sans talent, d'ailleurs, un talent spécial bien sûr, une sorte de banquier plus que louche, usurier, prêteur à la petite semaine, pire certainement, acoquiné avec le fameux " milieu ", maître-chanteur. C'est justement pour ce chef d'inculpation qu'il a été condamné. " Un gâteux, je te répète, dit Hubert. – Pas du tout. Et raison de plus, dit Mathilde."

« Son raisonnement n'était pas bête. " Si ton gendre avait confié sa fortune chez l'évêque, alors, là oui, elle serait ratiboisée, ça ne ferait pas un pli. Il ne nous resterait plus que les yeux pour pleurer, dis la vérité! Mais le " milieu " comme dit le procureur, pourquoi t'en inquiéter? Ces gens ont leur honneur."

« Les Beaumont arrivèrent à Toulon la gueule enfarinée,

mais sans savoir quelle farine employer. Ils ne connaissaient que le gratin, et le gratin était loin d'imaginer l'existence du dénommé Robert. Hubert avait tout de suite compris le jugement de Mathilde (depuis qu'il est né, il est né pour le trapèze volant). " Ce n'est pas chez les barons que je trouverai la pie au nid, se dit-il, il faut aller à la canaille. " Il y alla néanmoins avec la plus grande circonspection. Il n'y avait pas plus tôt mis le bout du nez qu'il jubila : ça sentait effroyablement mauvais. " Parfait, se dit-il, plus ça sent mauvais, plus c'est le magot. Cette fois il ne s'agit pas d'argent de poche; il s'agit d'un gros tas. " Il n'avait jamais senti l'argent aussi fort.

« Il croyait être sur la piste, mais la canaille se foutait de Louis XIV et Toulon n'était pas Marienbad. On le tolérait parce qu'Hubert était drôle, mais on le lanternait, on l'envoyait au bain. Il rencontrait vingt, cinquante, cent Robert, jamais le bon. Chaque fois, il brûlait, mais il ne recueillait que des cendres. Il fréquentait des garçons de café, des " professionnels " de tout acabit. Il fit vite le tour de toutes les officines. Il se disait : " Qu'est-ce que j'ai bien pu oublier? Ce n'est pourtant pas difficile! Il me suffit de rencontrer le vrai Robert entre "quatres yeux"; ce n'est pas pour lui tirer des carottes, c'est simplement pour savoir si la fortune de Longagne est "conséquente", un point c'est tout. Après, je me débrouillerai. "

« A force de tourner il surprit certains regards pas du tout rassurants. Un soir même il eut peur; il perdit un peu de laine et on lui fit un peu mal. Le mal, passe encore, mais la laine, il n'en avait pas tant que ça; s'il en perdait encore, c'était la fin. Il fallait aboutir. Il s'énerva contre le fantôme ou le reflet de ce fameux Robert. La faim fait sortir le loup des bois. Il donna tête basse à des officines, cette fois très obscures; des labyrinthes, des alcôves, des placards. Il parla carrément de Longagne, de Robert-Hector son gendre, des M.[1]. Il s'enorgueillit d'être de la famille, par alliance; il se fit passer pour très important et il parla haut.

« Tout d'un coup, tout se ferma : les portes, les bouches, les yeux, tout; le silence, le silence total. D'un jour à l'autre, d'une heure à l'autre, de minute en minute, après avoir dit : " Je suis moi, je suis un tel, Longagne, Roger-Hector, mon gendre, moi, un gros ", il se trouva dans un désert; comme si Toulon n'existait plus : ni ville, ni rues, ni maisons, ni trottoirs, ni port, ni bateaux, rien, même pas la mer, nu et cru [1], nu comme la main, plus personne, rasibus!... Il s'avançait vers des gens, la main tendue : ils disparaissaient dans un trou de rat, ils s'évaporaient on ne savait pas où ni comment, en l'air peut-être. Impossible de dire un mot de plus que ce qu'il avait dit; impossible d'entendre un mot. Il entrait dans un bar : le vide parfait; ceux qui étaient là, accoudés au comptoir, ceux qui étaient assis aux tables, ceux qui jouaient aux dés, aux cartes, n'avaient plus ni regards, ni voix, ni dimensions, ni existence; ils devenaient des personnages plats, en papier pelure transparent, au moindre souffle ils s'effritaient. Et commença à s'élever une odeur encore plus effroyable : c'était peut-être l'odeur du Pérou mais le cœur n'y résistait pas.

« Deux ou trois jours après l'installation du grand silence blanc, un soir, un " Monsieur " (comme l'a dit Hubert) vint demander les Beaumont. Ils séjournaient à ce moment-là, précisément, chez des barons, les " je ne sais plus qui ". Le " Monsieur " se fit introduire avec beaucoup de brio et un curieux aloi; il demanda un entretien privé et, en tête à tête, il dit tout à trac et sans s'embarrasser de circonlocutions : " Faites la valise et dépêchez-vous. Vous avez cinq minutes. Vous vouliez voir monsieur Robert? En bien, lui aussi veut vous voir. Il vous attend et il n'aime pas attendre. Je vous emmène, grouillez-vous! "

« Ce ton cavalier (*cavaleur* nous a dit Hubert qui a parfois le mot de la situation) provoqua l'indignation de Mathilde; elle commença à faire un gros effet de goitre aristocratique, mais le " Monsieur " avait des idées particulières sur les particules. " Ma petite dame, dit-il, il faudrait surtout ne pas me casser les pieds si vous voulez qu'on fasse bon ménage. Je vous préviens, et pas deux fois, j'ai dit : en avant la musique; ça veut dire : au trot. "

« On écourta les civilités chez les barons. " Mais vous partez déjà? " disaient les " je ne sais plus qui ". Le " Monsieur ", jovial et grand siècle en diable, se confondait en courbettes mais poussait durement les Beaumont éberlués (Hubert portait lui-même ses valises) et, dès le perron, il enfourna le couple dans une auto qui attendait, portières ouvertes; elles furent claquées et, effectivement, " en avant la musique ".

« Hubert n'avait plus un poil de sec. Il nous le raconta succinctement par la suite; il aurait mieux fait de se taire. Quand les Beaumont s'aperçurent que l'auto quittait la ville et s'enfonçait dans des gorges très sinistres, Mathilde se mit à pleurnicher, à s'agiter, à donner de grands coups de coude très pointus dans les flancs de son mari; lui, terrorisé, essaya de donner de la voix. Le " Monsieur " menaça d'employer des arguments frappants. Pour les Beaumont, les " arguments frappants ", c'était la fin du monde.

« Rencognés, ils ne bougèrent plus; ils se mirent même à ne plus penser. Pourquoi veux-tu qu'on pense quand le monde est fini? Ils ne savaient pas où ils allaient. Le crépuscule s'assombrissait, la route tournait sans arrêt. On roulait depuis l'éternité (en réalité depuis plus d'une heure déjà), très vite, tous feux éteints. C'était inquiétant, si inquiétant qu'il n'était plus nécessaire de s'inquiéter de quoi que ce soit.

« A la nuit noire, les phares s'allumèrent, mais pour éclairer le vert acide d'une forêt de pins. Ce voyage m'amuse. Je n'y étais pas, bien entendu, mais je connais la route : elle fait les montagnes russes dans des collines enchevêtrées. Les Beaumont ont traversé un village, le long d'une rue déserte, sur une place, devant un café éclairé d'une pauvre électricité rouge, pour retrouver, tout de suite après, la grosse nuit de ces contrées écartées. Et ils traversèrent ainsi deux ou trois villages exactement semblables.

« Les Beaumont se disaient... Non, ils ne se disaient même rien, ils étaient complètement abrutis; ils se laissaient emporter comme des sacs de pommes de terre.

« Très tard (on ne savait plus quand) la voiture quitta la route et prit un petit chemin; elle cahotait lentement maintenant sur des pierres et de grosses touffes d'herbe. Enfin, les phares touchèrent au fond de la nuit une sorte de construction qui semblait épouvantable (il s'agissait en fait de ce que la lumière artificielle construisait elle-même avec des ombres profondes et une clarté de craie. De toute façon, c'était donc une maison en quelque sorte – quoique énorme). Le " Monsieur " vint ouvrir les portières de l'auto. " Arrêt buffet, dit-il, tout le monde descend. "

« Les Beaumont, ankilosés de peur, firent quelques pas en trébuchant.

« " Les valises, les valises, messieurs-dames. Il n'y a pas de porteurs ici, empoignez-moi tout ça. "

« On était loin des valets de chambre et du style. " C'était un certain style ", nous dit Hubert, en revivant cette nuit. Mais sur le moment il n'était pas du tout sensible à l'humour et il ne souriait même pas jaune. Mathilde s'était faite de plomb. Il était obligé de se coltiner ses bagages et sa femme, lui qui aimait avoir la démarche triomphante.

« Le " Monsieur " ouvrit une porte avec une grosse clef; il fit entrer nos voyageurs et il alluma trois bougies dans trois bougeoirs (sans doute préparés).

« " Foutez vos valises dans un coin, dit-il (c'étaient des valises de Harrods de Londres [1]), vous n'en avez plus besoin. On s'en chargera. "

« Il leur mit en main un bougeoir à chacun.

« " Ne nous endormons pas, dit-il, on nous attend. " Et il les poussa dans un couloir.

« " Où allons-nous? dit Mathilde.

« – Je ne sais pas, dit Hubert.

« – Vous verrez bien, dit le Monsieur, en avant la musique. Tout droit! "

« “ Ce n’était pas un Monsieur, nous dit Hubert plus tard (il s’en apercevait pour la première fois). Il avait le plus mauvais genre. Il portait des vêtements très voyants, une cravate criarde, un chapeau melon comme on n’en fait pas, des bagues à tous les doigts, énormes et en or et, comble d’horreur, avec des pierres de couleur, enfin, en tout cas une bague – particulière – comme on ne peut pas en porter quand on est comme il faut : une bague de cardinal (à moins d’être un cardinal). Des souliers vernis à deux tons ! Les cheveux calamistrés, ma chère, vous n’imaginez pas : ondulés, frisés, avec des crans vaselinés. Je n’ai jamais vu ça !... ”

« Ils parcoururent le couloir à la queue-leu-leu. Ils montèrent à un étage ; sur un palier un autre couloir s’ouvrit. En avant ! “ Nous étions, nous dit Hubert, dans des sortes de communs. On sentait le grenier, le poussier, le pipi de rat. ” “ Doucement les basses dit le ‘ Monsieur ’ au bout du couloir. Laissez-moi passer, s’il vous plaît. ” Il agitait un trousseau de clefs. Il ouvrit une porte et s’effaça. “ Encore un petit effort Messieurs-Dames, dit-il, nous arrivons. ” Ils n’arrivaient pas du tout, c’était interminable : couloir après couloir ; après à droite, c’était à gauche ; six marches à monter, trois à descendre, tout droit, demi-tour à droite, tout droit demi-tour à gauche, tout droit quatre marches à descendre, etc. C’était Versailles !

« Ils traversèrent enfin quelques appartements qui semblaient habités, ou tout au moins à usage de gens civilisés, simplement meublés, très anciennement meublés. Dans la lumière tremblotante des bougies, ils voyaient maintenant des fauteuils Louis XIII, des lits à courtines, des tentures rouges et or qui dégageaient cette odeur caractéristique des vieilles étoffes teintées au mercuriel antique ; ils passaient devant des glaces dorées, des trumeaux en gypserie, des cheminées en marbre, notamment une qui portait un écusson et des rinceaux. Pour Hubert, ce fut la colombe de Noé : c’était donc un monde semblable au sien et qui émergeait de l’horreur ; mais il n’eut pas le temps de reprendre haleine :

comme il marquait le pas, il fut houspillé par le “ Monsieur ” au veston cintré et de couleur voyante. Le monde si consistant et si paisible des sujets de pendule (Hubert venait juste de voir le groupe du Jugement de Pâris en bronze) s’enfonça encore dans les abîmes. La lueur tremblante et cassée et l’odeur de côtelette de mouton de sa bougie emportèrent l’univers submergé.

« Après quelques rapides détours, ils entrèrent dans un vaste vestibule, sonore, froid, un peu funèbre (comme tous les vestibules en marbre). Hubert crut voir un abattoir de luxe, malgré un tapis et une tapisserie.

« “ C’est la fin, dit-il à haute voix. (Il ne se souciait plus de surveiller sa voix.)

« – En effet, dit le “ Monsieur ”. Rendez-moi les bougies, vous n’en avez plus besoin. ”

« Il confisqua le luminaire; il souffla les bougies, sauf la sienne et, tendant l’index : “ Ouvrez cette porte et entrez. ”

« Ils hésitaient, évidemment. Il les poussa carrément.

« Depuis qu’ils étaient partis de Toulon (quelques heures à peine) dans cette invraisemblable voiture, les Beaumont étaient terrifiés. Ils ne croyaient pas à un assassinat, à un meurtre, comme ceux qu’on raconte dans les journaux; ils s’attendaient au pire : tout était tellement inconfortable, la veste du bonhomme était tellement cintrée, tellement voyante, la cravate hurlait tellement! Et puis les cheveux, les accroche-cœur, je crois, mon Dieu! Les valises qui étaient maintenant Dieu sait où? (Des Harrods de Londres!); dans un grenier plein de rats; les bougies éteintes (il n’en restait plus qu’une : la dernière!) Ces marbres! Et maintenant on les houspillait. Poussés, ils entrèrent.

« Bref (Hubert était romantique – malgré son constant besoin de picaillons – il vit défiler dans son esprit une Babel d’ergastules et de salles de tortures; ça n’en finissait pas, en même temps qu’il recevait un ramponneau et peut-être même un coup de pied au cul qui le projeta à la volée dans la porte qui s’ouvrit. Mathilde le suivit, en trottinant), bref, comme je te dis, ils se trouvèrent dans le vaste salon de Longagne tout illuminé, le grand lustre étincelant du haut en bas, les appliques, les lampes à pied, tout, le grand jour. C'était un conseil de famille qui attendait les Beaumont; un conseil de famille ou, plus exactement, un tribunal. Hubert, interloqué, avançait pas à pas; Mathilde, bouche bée, trottinait; ils voyaient bien Roger-Hector, leur gendre, si gentil, si triste, Apollonie, leur fille (ils ne savaient pas encore qu'elle avait rejeté son nom de baptême et qu'elle s'était baptisée elle-même Suzanne), leur fille, chair de leur chair, leur sang, et qui les regardait sévèrement, d'une sévérité inimaginable. Que se passait-il? Que se passait-il surtout là-bas au fond? Comme sur un trône, alors que Roger-Hector et Apollonie n'étaient qu'assis dans des fauteuils ordinaires, trônait un personnage que personne n'avait jamais vu, un peu effacé ce soir par l'embrasement de toutes les lumières, mais énorme de toutes les manières.

« En réalité il n'était pas tellement énorme, quoique d'une carrure dépassant l'ordinaire, mais son énormité venait de son extrême vieillesse, de ses fortes infirmités, de son allure de lion, un vrai lion (Hubert n'était qu'un lion en toc, un chien en perruque).

« Je te dis tout de suite qui était ce personnage trônant dans une poussière de lumière, au surplus l'ordonnateur de l'illumination *a giorno* du salon en long et en large. C'était le fameux prénommé Juste M. (un beau prénom), l'oncle de Roger-Hector, le chef de Longagne, le patron, si tu préfères, car des centaines et des centaines de types semblables à celui qui avait transbahuté les Beaumont sur son ordre appelaient Juste M. " le patron ".

« Attends que je t'explique : il y avait trois frères M. quand ils ont acheté Longagne et quand ils s'y sont installés; le premier, l'aîné, prénommé Alfred; le second prénommé Juste; le dernier prénommé Arthur. Bon. Alfred, l'aîné, s'est marié, mais il y a longtemps, la vie des rats [1], avec une Florence Brémond de Saint-Maximin, inconnue au bataillon; ne nous embarrassons pas de Florence Machin; tout ce que nous voulons savoir c'est qu'elle a eu un fils : Roger-Hector (le voilà, notre célèbre Roger-Hector, dit le triste, l'œil de velours, le mari d'Apollonie, dite Suzanne.) Bon, tu y es? Alfred, l'aîné, le père de Roger-Hector est mort de sa belle mort; enfin, belle si on veut! Il y a eu je ne sais pas quoi, de toute façon il est mort. Florence, la mère de Roger-Hector est morte aussi, ce sont des choses qui arrivent. Oui, je sais, nous y viendrons. Après la mort du père et de la mère, Roger-Hector n'était pas en âge de se débrouiller tout seul, d'autant que ses oncles, Juste et Arthur étaient toujours en train de se balader de droite et de gauche. Quelqu'un s'occupe donc de Roger-Hector, nous y viendrons. Terminons d'abord les trois frères, les grands bonshommes. Donc, l'aîné, liquidé. Arthur, le dernier, le plus jeune, eh bien, le plus jeune s'est noyé, où, comment? Personne n'en sait rien, sauf Juste, bien entendu. Juste savait très bien de quoi il retournait, Juste savait toujours tout et il savait aussi pourquoi il disait qu'il s'était noyé. D'où je l'ai également appris, comme tout le monde. Deux frères liquidés sur trois, reste un : reste Juste. C'est une autre histoire.

– Ton fameux Juste, il n'aurait pas un peu poussé à la roue?

– Là alors, pas du tout, ou alors je me suis mal exprimée. Unis comme les doigts de la main. Ce qui n'empêcherait pas, remarque, mais non. Alfred, j'ai dit : sa belle mort; si elle n'était pas tout à fait belle c'est qu'il avait un vieux truc. Arthur, oh! non, là c'est pire. Juste perdait tout à la mort d'Arthur. Juste est aveugle et sourd.

– Aveugle et sourd?

– Oui.

– Il n'entend pas et il ne voit pas?

– Non.

– Alors, comment fait-il?

– Il y a Mademoiselle. Là nous y sommes. Je te vois frétiller. Cette Mademoiselle, c'est quelqu'un pour toi. Attends, commençons par le commencement. D'abord, finissons-en avec les Beaumont. Ils furent jugés comme des coupables par un tribunal constitué par Roger-Hector, Apollonie, disons Suzanne (ce nouveau prénom sera très important, tu verras), le président Juste sur son trône et Mademoiselle.

« Les pauvres Beaumont avaient mis leur nez dans ce qui ne les regardait pas (surtout ils avaient prononcé, sans le savoir, les maîtres-mots : Longagne, Roger-Hector, gendre, etc., et subodoré la fortune.) Il y eut à leur sujet tout un télégraphe arabe et même pas arabe du tout, entre les " messieurs " en vêtements voyants et le patron : Juste. Le patron donna un ordre : Hubert et Mathilde furent enlevés chez leur baron, emportés en auto en quatrième vitesse, débarqués par les derrières de Longagne, conduits par les corridors des communs et projetés à coups de pied au cul dans le salon illuminé. Ils ne faisaient pas le poids.

« Il ne transpira rien de ce qui se dit et se fit à Longagne, cette nuit-là, bien entendu; le linge sale se lave en famille. Des journaliers, toujours occupés à l'époque – il y a dix ou douze ans – à entretenir le parc, les jardins, les potagers, etc., entendirent des éclats de voix, cette sorte de rugissement que poussait le patron quand il se mettait en colère. " Il n'entend pas et il ne voit pas, disaient-ils, mais il se fait entendre et il se fait voir : un morceau d'homme! " Cette nuit-là on l'entendit. Et on se boucha les oreilles.

« Les Beaumont, dûment savonnés, disparurent complètement. Ils vendirent le Logisson, les dettes furent payées recta (et recta n'est pourtant pas un mot du vocabulaire d'Hubert). Passez muscade. Je t'ai dit que je ne sais pas ce qu'ils sont devenus; je n'en sais rien, donc, mais je crois vaguement – je ne mettrais pas ma tête à couper – qu'ils sont, peut-être, du côté de Saint-Jurs : un sacré pays, " Sainte-Hélène, petite île [1] ".

« J'ai vu une dernière fois les Beaumont (et c'est bien les deux que je veux dire : Hubert et Mathilde ensemble) immédiatement (une semaine) après leur aventure. La vente du

Logisson était déjà en train et dare-dare. Ils geignaient; pas trop, en essayant de crâner et tous les deux m'avaient murmuré, dans le tuyau de l'oreille : " Cette pauvre Apollonie! " sans plus. Du " sans plus " ils murmurèrent un peu plus de murmure[1] (ils étaient incorrigibles). En surveillant leurs mots et l'œil aux aguets, ils me dirent qu'Apollonie n'était plus leur fille, non, non; on l'avait envoûtée; elle avait été la plus impitoyable de tous contre eux, sauf évidemment " le terrible vieillard ". Un duo de murmures entre Hubert et Mathilde, l'un pendu à mon oreille droite, l'autre à la gauche. " Elle était de glace; elle n'a même pas regardé son papa et sa maman, nous qui avons tout fait pour elle. Si vous saviez. " Exit les Beaumont.

« Et Apollonie? Eh! bien, Apollonie, en réalité, n'avait fait jusqu'ici que bivouaquer dans les lambris de ses parents ou, quand elle fut grandette, dans le froid glacial des Vichy et autres Marienbad où on la traînait. Et c'était une bonne fille; elle valait mieux; elle voulait plus.

« On l'aurait jetée aux chiens; elle le savait. On la jeta. Elle s'attendait au pire. Elle trouva un homme fait, un homme triste, un homme beau, au surplus qui savait donner. Elle reçut tout de lui avec reconnaissance. Elle aima Roger-Hector sans mesure.

« Sans mesure! Elle était partie du pied droit pour sublimer ses sentiments (c'est toujours très mauvais dans la soupe) quand, heureusement, elle fut l'héroïne d'un opéra. Elle n'avait pas envie d'aller en voyage de noces; elle connaissait trop les palaces; elle n'aspirait qu'à la paix chez soi. En fait de chaleur du foyer, Longagne est immense; on peut faire des marches et des contre-marches dans les couloirs; tu as vu les Beaumont. Apollonie s'installa donc dans le rez-de-chaussée et le premier étage; sans les coins, alors imagine les recoins[2]! Elle était là depuis disons trois semaines. Quand elle était seule, l'esprit vacant, elle entendit dans les profondeurs de la maison une sorte de remue-ménage étouffé et même des éclats de voix. Elle se dit d'abord : " Ce sont les domestiques. " Il y avait en effet quatre ou cinq grosses dondons pour taper les lits, faire la cuisine, les lessives, balayer, traîner la savate, avec notamment une sorte de femme à barbe : tatan [1] Nane, qui faisait là-dedans on ne sait quoi; commandante, semblait-il, vieille et historique de tradition. Ces bruits se répétaient, et de plus en plus curieusement. Ce n'étaient pas les domestiques.

« Apollonie n'osa rien demander à son mari. Rends-toi compte, c'était précisément à ce moment-là qu'elle se baptisait Suzanne. A part le lit conjugal, les nouveaux mariés (surtout Apollonie et Roger-Hector qui avaient tous les deux un fort complexe de biche-au-bois) ne se connaissaient pas encore. Il faut manger dix boisseaux de sel ensemble avant d'être à tu et à toi. Roger-Hector, lui, hésitait et renvoyait de jour en jour le moment de montrer Longagne en détail.

« Un jour elle se dit : " Je veux en avoir le cœur net "; les bruits persistaient et venaient du deuxième étage. Elle monta sur la pointe des pieds. Avant d'arriver en haut elle s'arrêta, elle écouta. Une voix parlait comme dans une sorte de solitude, puis elle se tut. Silence. Le vent grondait (il y a toujours du vent à Longagne); le vent grommela en essayant de forcer les volets; il secoua la verrière du ciel-ouvert dans la cage d'escalier; il frotta les murs; il palpa les vitres des fenêtres; commença la rumeur confuse d'une vieille maison qui a l'habitude de rêver avec sa carcasse, sa charpente, ses voliges, ses conduits souterrains. Le mystère chatoyait. Apollonie s'éleva, marche à marche, et mit le pied sur le palier. C'était un palier " comme tout le monde " mais forcément à Longagne avec des dimensions inusitées. Il s'en allait jusqu'au fin fond du bâtiment, en bas et à peine éclairé par les fenêtres aux contrevents tirés. (Ils sont toujours tirés à Longagne, sauf sur la façade principale.) Notre petite Apollonie n'était pas un foudre de guerre (les ombres serpentaient) mais elle se disait : " D'abord je suis chez moi, et finalement nous sommes au XXe siècle! Qu'est-ce que je risque? " Elle s'avança à pas comptés. Elle remarqua au passage une porte, une vieille glace de Venise sans tain. Apollonie vit ainsi son reflet flotter dans un abîme; une autre porte curieusement absurde – elle donnait l'impression d'être fausse ou de s'ouvrir sur le mur plein. Un peu plus loin était crucifié un grand Christ décomposé, mais elle n'eut pas le temps d'imaginer sa terreur.

« " J'avais, dit-elle, l'habitude à ce moment-là de m'asperger, mais d'un parfum très fin qui mélangeait le réséda et la vanille. Je l'ai, depuis, toujours gardé. " La porte absurde s'ouvrit, même avec une certaine violence et la voix dit, avec une sorte de tendresse géante : " Ah! bougresse, j'ai senti ton odeur. " Apollonie se retourna : ce n'était pas un homme, c'était plus; c'était un incroyable Victor-Hugo! Elle ne vit que cette masse à contre-jour et le bouillonnement d'une barbe et de cheveux d'écume. Il étincelait littéralement. Et il bouchait tout le couloir.

« Pendant une seconde (pas deux) Apollonie se dit : " Ce n'est rien, non ce n'est rien; il ne se passe rien! " Mais pas du tout, c'était quelque chose au contraire! Il se passait quelque chose de très physique et elle hurla.

« Il s'était précipité sur elle, il l'avait empoignée; il la fourrageait et il enfonçait sa main ardente entre les cuisses de notre pauvre amie. Il lui disait ce qu'il allait lui faire en phrases extrêmement obscènes et précises et il l'emporta. Elle était évanouie, bien entendu.

« Quand elle reprit ses sens, elle était paisiblement et correctement allongée sur un lit. Elle vit tout de suite le visage de Roger-Hector et un étrange visage, peut-être de femme, qui se penchait également sur elle; entre ces deux visages elle aperçut un peu plus loin, debout dans la chambre (une chambre indéchiffrable, comme dans les rêves), son agresseur, curieusement les yeux levés au ciel et un peu au garde-à-vous. Il paraissait de carrure normale (pourquoi l'avait-elle imaginé si énorme?) et finalement séduisant, l'âge n'empêchait pas, au contraire. Elle se demanda : " A-t-il fait vraiment ce qu'il s'était promis de me faire (qui était si obscène!) " Elle allait parler et c'est lui qui parla [1].

« “Je suis aveugle, dit-il, et pour comble d’infortune je suis également sourd. C’est beaucoup pour un seul homme. Je ne vous ai pas vue et je n’ai pas entendu vos cris. Je n’ai été guidé que par votre parfum, ou plus exactement par un parfum à partir duquel je prends le plus grand plaisir, le seul qui me reste : tous les parfums quand ils ont de la qualité, considérez-le.”

« Il donna des explications peu communes. “Je n’ai jamais pu me passer de femmes. J’ai beau être vieux, je suis fort comme un Turc. Quand j’avais mes yeux et mes oreilles, j’avais certains plaisirs à côté. Par exemple, il y a vingt ans j’ai planté les grands sureaux qui doivent maintenant faire votre émerveillement. C’est la saison. Ils sont, j’imagine, couverts de fleurs crémeuses. Je ne les vois plus; je ne les verrai jamais plus. Malgré le Turc que j’ai été, que je suis encore, j’aimais le bruit du vent; c’est même pour ce bruit (en partie, mais beaucoup) que j’ai acheté Longagne. Vous l’entendrez; vous avez dû l’entendre déjà, peut-être. Il vous a sans doute effrayée; il m’effrayait moi aussi. J’aimais cet effroi. Vous aimerez aussi cet effroi; il suffit d’avoir le cœur mélancolique. Quelquefois, j’ai eu le cœur ainsi décroché et j’ai eu plus que n’importe qui besoin d’entendre le gémissement du vent. Je n’entends plus rien et, si le cœur me manque, que me reste-t-il? Je n’ai plus que les femmes. Elles ne remplacent pas tout. Il faut bien que je m’en contente. J’arrive à la mort par une mauvaise route, dans la nuit et le silence. Avec elles (il faut bien dire que je m’y connais) je peux presque voir, je dis presque, les fleurs de sureau et entendre le bruit du vent, une sorte de vent, un parfum d’ambre gris.

« “Je suis donc devenu un ogre. J’ai besoin de chair fraîche, mais je suis un ogre bien élevé. Il me faut ma ration de chair (encore ne l’ai-je que deux fois par semaine, et qu’est-ce que deux fois par semaine?) mais la chair qu’on m’apporte est consentante, rassurez-vous, consentante et grassement rémunérée; si grassement rémunérée, même que, quoique consentante, cette chair se débat, par pure conscience professionnelle, pour que je conserve l'impression qu'elle ' passe à la casserole '. Je ne trouve pas de meilleure expression; excusez-moi, nous sommes en famille.

« " Vous vous débattiez et j'étais bien loin d'imaginer que vous n'en connaissiez pas le ragoût. Brusquement, je vous ai sentie toute molle et dénouée. Je n'y comprenais plus rien. Vos cris avaient fait accourir Mademoiselle. Quand elle a arrêté mon bras je lui ai dit : " Quelle est cette petite gourde que vous m'avez envoyée cette fois-ci? Qu'est-ce qui lui arrive? Qu'est-ce qu'elle a? Elle dort? Elle ne bouge plus! " On m'a détrompé, on m'a dit que vous étiez la femme de mon neveu. Je savais bien qu'il en avait une, mais je n'avais pas encore eu l'honneur de vous connaître (c'est fait maintenant) et je n'imaginais pas (encore ce mot; j'imagine sans cesse; je conjugue ce verbe toutes les secondes de ma vie) que vous étiez... comment dire? Aussi... intéressante que votre parfum. Il y a tellement de bécasses, madame! Ah! non, ce parfum a été choisi judicieusement, par une femme experte, une femme rare, croyez-moi, et Dieu sait si j'en ai connu. Je vous ai bien vue; j'ai bien vu. Je ne me sers jamais de ce mot-là; eh bien aujourd'hui, pour vous, je m'en sers. "

« La pauvre Apollonie (Suzanne) était aplatie sur le lit, sans force, comme rôtie par le soleil brûlant de cette voix d'ogre (basse chantante avec des échos et des éclats). Elle qui croyait être vendue comme un bétail, voilà qu'elle se voyait Princesse de Trébizonde[1] (ou les pantalons housards en mousseline des houris...) Elle voulut se lever.

« " Non ", dit Mademoiselle.

« Car ce hongre, ce Hongrois, ce visage avec des moustaches de fil et de beaux yeux était ce fameux – ou plus exactement cette fameuse – " Mademoiselle ", qui devait prendre tant d'importance par la suite pour Apollonie-Suzanne; et nous n'avons pas encore fini d'en parler. " Non ", dit Mademoiselle... Elle avait des mains sèches, dures, fortes;

elle l'obligea à rester couchée. " Non, non, après un coup pareil il faut s'apaiser, respirer lentement, reprendre haleine, se détendre, se dénouer, s'abandonner (' Que m'a-t-il fait tout à l'heure, pendant que j'étais évanouie, se dit encore Apollonie-Suzanne? J'ai donc passé 'à la casserole' comme il dit? Il m'a fait sûrement quelque chose à la façon dont cette femme me parle') et peut-être même dormir, paisiblement, le sommeil arrange tout. ('Je n'ai pas envie de comprendre.') Je reste là, je vous garde, reposez-vous, je ne vous quitte pas de l'œil, dormez. " Apollonie-Suzanne abandonna la main de son mari qu'elle étreignait. " Voilà encore une voix extraordinaire, se dit-elle. On est obligé de l'écouter. " Mademoiselle expédiait les deux hommes; elle se fit comprendre à l'ogre (certains gestes; Apollonie-Suzanne eut le temps par la suite de voir comment marchait la machine de l'ogre); il recula tout d'une pièce, comme un bloc. " Il a dû être très bel homme ", se dit-elle. Il se retourna et il s'en alla, sans étendre les bras devant lui pour se protéger comme font les aveugles. Roger-Hector continuait fébrilement à tripoter sa femme, sa taille, ses hanches, sa poitrine, à lui tapoter les joues.

« " Je suis insensible, se dit Apollonie-Suzanne, Mademoiselle a raison, j'ai envie de dormir. "

« " Et toi, dit Mademoiselle, ne fais pas l'enfant, à ton âge. Tu sais bien qu'elle ne risque rien. Laisse-la tranquille, je la surveille, descends. "

« Elle dormait presque en effet; elle ne vit même pas partir Roger-Hector.

« " Vous dormez? demanda Mademoiselle. – Non, dit Appollonie-Suzanne. " Cette voix était si attirante; elle promettait des quantités de choses. Il ne fallait pas dormir. " Je ne suis pas fâchée, dit Apollonie-Suzanne. – Moi non plus ", répliqua Mademoiselle sans l'ombre d'ironie. »

*

Je mis un terme au dévergondage de Charlotte. Elle en prenait vraiment à son aise avec sa façon de faire parler les gens sans rime ni raison et de raconter à tort et à travers ce qu'elle n'avait jamais vu. Elle n'était pas là quand le fameux ogre prononça son discours bien senti.

« Mon Dieu, non, dit-elle. Si tu vas par là, il est bien certain qu'il ne s'est pas servi très exactement de mes mots ni de mes phrases (qui n'étaient pas mal d'ailleurs) mais il a dit quelque chose d'approchant et peut-être même mieux. Je l'ai très bien connu. Je le connais encore. Il est toujours vert. Il n'a que quatre-vingt-seize ans. Si tu l'écoutais, tu ne me trouverais pas trop exaltée. Tu comprends bien que je fais ici un rapiéçage de faits décousus. Un jour j'ai vu tel regard, un autre jour j'ai entendu telle intonation; j'ai compris tel demi-mot. J'ai su pourquoi était fait tel geste, comment se comportait l'ogre ou Mademoiselle, Apollonie-Suzanne ou Roger-Hector, ou les sureaux, les immenses sureaux, et le mois de mai. Je connais le mois de mai de Longagne qui n'a pas de fleurs, seulement des buis amers, sauf les sureaux splendides couverts de crème de lait et qui en débordaient : les seules fleurs de Longagne. Quand on a ainsi des pièces et des morceaux, on peut très bien mettre les bonshommes en place et les faire parler, ma chère! Ils ne peuvent pas parler autrement.

« Au reste, Apollonie m'a longuement parlé. Elle ne pouvait guère garder pour elle la " bonne nouvelle ". Dans ses déserts, elle sautait sur l'occasion dès qu'elle me rencontrait, ou quand j'y allais, et j'y suis allée souvent : quand elle a eu son premier enfant, puis son second, et quand elle est morte. Elle n'avait pas d'autre confidente que moi. Elle m'a tout expliqué, même si elle l'a tout expliqué de travers (ce que je crois) et, tout de travers, c'est encore plus beau.

« Mademoiselle s'était assise au chevet de la dolente et elle la regardait sans ironie. “ Quel beau regard ”, se dit Apollonie-Suzanne! Ce n’était qu’un regard de jais. La voix de Mademoiselle n’était pas un bel instrument comme celle de l’ogre, la basse-chantante des hommes forts, non, insidieuse peut-être, monotone mais avec des éclats d’or, des mots... Je cherche, des mots importants. Pas extraordinaires, ou sonores, ou difficiles (Mademoiselle n’était pas un puits de science, oh! pas du tout, enfin je ne crois pas. Elle est née par génération spontanée), des mots ordinaires, très simples mais placés exactement à l’endroit où ils faisaient alors le travail qu’elle voulait. Comme par exemple le mot “ tendre ”, ou le mot “ caché ”, ou le mot “ facile ” ou simplement “ joie ”. Elle n’avait jamais eu de joie, la pauvre Apollonie-Suzanne, avec ses Baden-Baden, et le gentil Roger-Hector, très gentil, précisément très “ tendre ” (ce n’était plus le même mot), très triste et disons sans... esprit de synthèse, comme les Chinois [1]. Encore des mots comme “ normal ” (c’était normal), “ famille ” (tant de choses se font en famille!), “ comprendre ”, “ intelligente ” (oh! un mot très dangereux : Apollonie-Suzanne se piquait d’être intelligente).

« Apollonie était allongée en plein abandonnement et les mots ne signifiaient plus exactement les mots qu’elle entendait dans une sorte de murmure de “ grande sœur ” prononcés par des lèvres minces, sèches, dures, mais, comme c’est drôle, humaines parce que moustachues; pas du tout du “ monde ”. Apollonie Beaumont en avait plein le dos de ce “ monde ”; elle voulait s’appeler désormais Suzanne et Longagne, d’un nom qui effrayait les gens. Les terribles vieillards de Longagne, ou plus exactement le terrible, simplement le terrible vieillard : elle savait à quoi s’en tenir, elle; il ne fallait pas lui en conter; elle connaissait cette terreur, finalement délicieuse, avec accompagnement de basse chantante. Elle était de la “ famille ”, de cette famille “ normale ” qu’il était “ facile ” de “ comprendre ”; et elle comprendrait; elle serait intelligente, intelligente pour tout et surtout parce que ce serait son intérêt, oh! pas l’argent! Il y avait même de quoi rire! Elle n’était pas une Beaumont; elle était de Longagne; elle voulait la " joie " " cachée ", " tendre ". Elle ajoutait mille autres noms. Il y a trois sortes de gens, dit-on : les vivants, les morts et ceux qui vont sur la mer; eh bien, il y avait en réalité quatre sortes de gens : les vivants, les morts, ceux qui vont sur la mer et enfin ceux de Longagne.

« Tu vois, c'est facile de " comprendre " tout de travers si on veut. Si on a intérêt à vouloir.

« Apollonie-Suzanne était déjà dans Capoue. Comme par inadvertance, Mademoiselle mit sa forte main sur le ventre chaud d'Apollonie : " Il faut aller voir ton mari maintenant, dit-elle (elle pressait doucement ce ventre chaud). Tu seras toujours la bienvenue ici, ma chérie. "

« Attends, encore deux phrases : Apollonie-Suzanne descendit retrouver son mari. Elle était enjouée, riante, coquette, ses hanches roulaient dans l'huile et elle frappait du talon.

« Voilà, c'est tout. Dans les déserts, et particulièrement celui de Longagne, les femmes, surtout jeunes, deviennent vite sauvages; ce ne fut pas le cas pour Apollonie-Suzanne. Il faut désormais l'appeler définitivement Suzanne. Elle avait des dons, évidemment; bien longtemps avant Longagne elle pensait à un prénom personnel : Vichy, Marienbad étaient le tout-venant; il lui fallait l'Eldorado (la joie cachée, tendre, exactement ce qu'elle voulait).

« Suzanne dit à Mademoiselle un jour (elle avait souvent des sujets de conversation. Elle eut ainsi dix ans de bon) " Aveugle et sourd, c'est dommage! – Au contraire, répliqua Mademoiselle, c'est pain bénit. "

« Il faut connaître l'œil de jais de Mademoiselle : c'est un instrument de mesure. D'où venait-elle? Je te l'ai dit : génération spontanée. On ne la connaissait ni d'Ève ni d'Adam, c'est le cas de le dire. Il y eut d'abord une histoire. Je ne sais plus très bien comment ça s'est emmanché, oui, je crois, à Saint-Maximin, mais avant Saint-Maximin qu'est-ce qu'elle fabriquait? Je ne sais pas et peut-être on ne sait pas. Elle venait de... va savoir! Toulon, Marseille; on peut aussi bien dire l'Amérique, le Bélouchistan ou Aubagne. Et d'ailleurs, jusqu'à son coup d'éclat on ne savait même pas si elle existait. Un dimanche; qu'est-ce que je dis : un dimanche! Pâques ou Pentecôte, un carillonné, je crois même que c'était bien Pâques. Le matin, la grand-messe, tout le monde est astiqué : les souliers vernis, les gants de fil, les trous-trous, les ganses, les colonnes vertébrales au garde-à-vous, et qu'est-ce qu'on trouve sur le parvis de la Cathédrale? (Car c'est une Cathédrale. Tu imagines Mademoiselle ailleurs que dans une Cathédrale!) Un corps, je dis bien un corps, car il ne s'agissait pas d'un costume : c'était gris, une robe grise, des bas gris, des souliers gris, un chapeau gris, un corps, oui, un corps tout seul, étendu, le visage dans la poussière (c'est une façon de dire : il n'y a pas de poussière sur le parvis d'une Cathédrale, même à Saint-Maximin, il n'y a que du marbre. Mademoiselle connaît très bien la différence entre la poussière et le marbre), les bras en croix. On s'écria, on s'écarta; on crut d'abord qu'il s'agissait d'une pauvre femme qui était tombée du haut-mal, comme on dit ici [1], « le mal de la terre ». On vit alors qu'il s'agissait du « mal du ciel » puisqu'elle avait les bras strictement en croix; qu'elle était strictement immobile, strictement scandaleuse. (On ne s'écrase pas le nez dans la poussière et les bras en croix un dimanche de Pâques, ni un dimanche ordinaire, ni même un jour de semaine.) Il n'y a pas de suisse, de hallebardier à Saint-Maximin; le bedeau arrive, le sacristain, quelques messieurs de la fabrique, un vicaire, enfin des gens (des gens bien); des femmes en chapeau (c'était l'époque des grandes jardinières, des ruchés, des sautoirs, des fesses à la Gaby Deslys [2]) s'empressèrent sur la gisante. On la releva, on l'entraîna. Je ne sais pas très bien ce qu'on fit. On chanta la messe comme si de rien n'était. Après on se concerta, on interrogea. La jeune femme avait été chambrée à la sacristie. Elle n'était ni malade, ni idiote, ni affamée, ni misérable : elle avait tout son bon sens, intelligente (très intelligente, dit le vicaire), un œil de jais. Alors? On ne s'étale pas les bras en croix sur le parvis d'une cathédrale pour la grand-messe de Pâques, le dimanche matin, si on est intelligent. " Hé si, précisément ", dit le vicaire (les vicaires ont toujours de bonnes raisons à donner; c'est pourquoi ils ne sont pas encore curés). Il parla d'humilité chrétienne. Les gens bien, les matrones, les chapeaux jardinières, les Gaby Deslys, les visages à moue en savaient beaucoup plus que le vicaire, tu parles, mes enfants! Humilité chrétienne! " C'est une intrigante. Exactement. Elle nous a mis dans notre tort. Exactement. C'est nous qui devrions être le front dans la poussière. Exactement. Et au contraire, nous le relevons. Exactement. Et nous ne savons pas encore ce qui nous pend au nez. Exactement. " " Exactement, disait l'œil de jais, mais prouvez-le! Il y a un fait indéniable. J'étais étendue, les bras en croix (comme le Christ) sur le parvis de la Cathédrale, le dimanche de Pâques, à la grand-messe : vous n'y couperez pas. Et je peux faire plus; il y a encore des quantités de choses à manigancer rien qu'avec le sermon sur la montagne. " " Et elle peut faire encore pis ", disaient les moues, sans remuer les lèvres. " Ma fille, dit madame Blanc, la femme du pharmacien (Junon en crêpe Georgette, un tout petit bout de langue rose passant entre les lèvres, les yeux mi-clos, très bleus, presque noirs aussi, mais bleus), ma fille, nous n'allons pas vous 'laisser tomber' comme on dit vulgairement. Nous aimons beaucoup l'humilité chrétienne (quelques phrases de la correspondance du père Surin [1]). Et le soir, à la fabrique, madame Blanc insista. " Il faut nous débarrasser de cette fille. Il faut lui trouver un truc; pas un travail : elle n'en voudra pas, vous pouvez être tranquille; pas de travail mais un truc. Elle n'est pas belle, évidemment. " Non, mais elle n'était pas laide; elle était jeune à cette époque, elle avait un corps, une sorte de corps. Quelquefois, quand elle cambrait la taille, elle avait des rondeurs, des sortes de rondeurs. Une démarche, oui, une démarche assurée. Robuste, oui, oh! oui. Elle aurait pu très bien faire le bonheur d'un " brave homme ". Un brave homme! Tu te rends compte, Mademoiselle! Alors qu'elle s'était jetée, bras en croix sur le parvis de la Cathédrale, le dimanche de Pâques, à la grand-messe. Et on croyait en être quitte avec un brave homme. On pouvait toujours courir! Ah! la pauvre madame Blanc, avec sa pharmacie (la pharmacie de son mari d'ailleurs), les Présentines et la correspondance du père Surin; et le petit bout de langue rouge qu'elle montrait aux messieurs, le regard filtrant et tout et tout, elle qui passait non seulement pour une colonne du Temple, mais la colonne de tous les temples, elle n'était pas de taille, la pauvre madame Blanc. Offrir des " trucs " à Mademoiselle!

« " Je ne suis pas belle, se dit Mademoiselle, si, si, je ne suis pas belle; eh bien, je serai laide, franchement laide. " Je suis persuadée qu'elle s'est fait pousser la moustache à force de volonté. Qu'est-ce qu'elle voulait? Rien. Essayez de donner des " trucs " à quelqu'un qui ne veut rien. L'or? Elle vous l'aurait jeté au visage. Le prince charmant? Elle l'aurait tué. La puissance? Oui; elle aurait même été " bonne " Mais la puissance n'est pas un " truc ". Ils avaient tous pignon sur rue, ils gardaient la tête des cortèges; c'est pourquoi elle se placarda, toute seule, les bras en croix, sur le parvis de la Cathédrale (peut-être même le dimanche de Pâques à grand-messe) puis elle alla se fourrer dans le fin fond d'une ruelle.

« Je suppose, évidemment; j'étais loin d'avoir à ce moment-là les yeux fixés sur cette " Mademoiselle ". C'est longtemps après, peut-être même vingt ans après, que quelqu'un m'a dit : " La femme qui est à Longagne, vous savez qui c'est? – Non, je ne savais même pas qu'il y avait une femme à Longagne depuis la mort de madame Andrée, la femme de l'aîné, la mère de Roger-Hector [1]. – Eh bien, il y en a une : celle que Monsieur Justin a ramassée et elle y fait même la commandante. C'est celle qui s'était couchée, les bras en croix, devant la porte de la Cathédrale, un dimanche de Pâques, à grand-messe, à Saint-Maximin. " Voilà comment j'ai su que c'était elle. Il y a un sacré chemin à faire du parvis de la Cathédrale à Longagne! Et souterrain. Justin avait...

c'est facile, il avait cinq ans de plus que ma mère; il était donc de 71. Il a aujourd'hui quatre-vingt-seize ans et à l'époque où il a ramassé la " donzelle ", ça devait être en 30 ou 31 (le coup des bras en croix c'était en 25, 26), Justin avait la soixantaine. Et la donzelle, on ne sait pas, mais je me la représente dans les trente, puisque, à un moment donné, on a pensé à un " brave homme ". Elle a dû avoir rapidement de la moustache et elle l'activait dans le fin fond de sa ruelle pendant que madame Blanc, ses consœurs et ses confrères lui proposaient des trucs et des machins pour empêcher l'explosion du sermon sur la montagne. Franchement laide, même le corps : elle ne se nourrissait volontairement que de rogatons. Oh! les consœurs et les confrères auraient bien voulu la gaver, l'engraisser, l'arrondir, l'emberlificoter; certains même, peu regardants, auraient pu en user si elle s'était étoffée (c'était aussi un truc). " Je vous vois venir, se disait-elle, avec vos gros pieds. Je ne suis pas tombée de la première pluie, j'ai fait mes classes. Non, non, je n'ai pas besoin de tant manger, ni des choses bonnes, il faut que je m'endurcisse; pour ce que je veux faire, il faut que je sois pleine d'arêtes. L'apparence, je m'en fiche. Je veux la plus moche. "

« Parfait, la plus moche, mais Justin, ce double Turc? Cette carrure, cette allure, ces neiges d'antan? A soixante ans, il était le miroir aux alouettes. Faisandé jusqu'à la moelle, il en traînait des cœurs après lui.

« J'aurais voulu voir les images dans le Bulletin paroissial des photographies de groupes de notables pour les pèlerinages ou kermesses; il y a toujours quelqu'un dans un coin, mal foutu. Mademoiselle devait être dans ce genre-là, encore plus rencognée, encore plus minable : puisqu'elle s'ingéniait à être un reproche pour tous, un remords vivant.

« De quoi vivait Justin? Non seulement Justin, mais tous ceux de Longagne? Et avant Mademoiselle? Il y a des hectares, mais qui ne valent pas un clou. On dit qu'à une certaine époque (1904-1905) Longagne était plein de gens, des hommes et des femmes, fort bien habillés, pas précisément des messieurs-dames. Il y en avait, paraît-il, jusqu'à vingt ou trente, bien qu'on ne puisse pas dire qu'ils étaient invités. Ils habitaient dans les grands bâtiments maintenant déserts, et d'ailleurs qui commencèrent peu à peu à être désertés à partir de la mort du plus jeune des frères. Là où je t'ai dit qu'on avait entraîné les Beaumont, dans les appartements inhabités. On a prétendu que c'était une bande. Une bande de quoi? Nous étions des fillettes à cette époque. L'hiver, tous ces gens prenaient leur vol; ils disparaissaient. Souvent même les trois frères aussi partaient avec les autres. (C'est ainsi que le plus jeune frère mourut, Justin dit noyé.) Vers la fin de l'hiver, les gens retournaient à Longagne par groupes de quatre ou cinq, trois ou quatre, comme rentrant à leurs quartiers d'été. J'étais une fillette, comme toi. Je ne comprenais naturellement rien à tout ça, sauf que ce remue-ménage m'intriguait. On me répondait : " Ne t'occupe pas. " C'était facile à dire. Longagne a beau être dans ses solitudes, il n'y a pas de solitude qui tienne. Certains jours d'été on voyait (furtivement, parce qu'il paraît que ceux de Longagne défendaient à ses " hôtes " de venir au bourg) des couples excentriques tournicoter aux alentours ou entrer dans des boutiques, furtivement je te dis, et tu parles si j'en restais la bouche bée. J'étais déjà grandette quand je vis monsieur Justin; il était alors dans sa splendeur; il me plaisait beaucoup. Je n'ai jamais rien compris aux marques d'autos et cependant je me souviens toujours de celle qu'il avait; on disait que c'était une Daimler. Il était venu spécialement de St... pour y régler une affaire. Tout le monde en parlait, même moi; j'étais au courant, tellement le bruit s'était répandu. Un type de Longagne était venu furtivement au Café du Commerce et, paraît-il, il avait ratiboisé aux cartes un joli magot. Dans un petit pays comme le nôtre (on disait même que le propriétaire des " Grandes Galeries " en était de dix mille francs), tu te rends compte si les langues marchaient. Justin passa avec sa Daimler. Le bruit s'arrêta net. On dit que Justin remboursa tout le monde, de sa poche, carrément, tout de suite, sans discuter. Il dit, paraît-il : “ Je ne veux pas que des méthodes de ce genre s’installent dans ce pays que j’habite. Je suis responsable de mes ‘ invités ’. S’il en revient un autre, prévenez-moi, je m’en occuperai. Et ne vous amusez plus à ce petit jeu, ce sont des professionnels. ” J’étais folle de lui; j’en rêvais la nuit. Je me disais. “ C’est le plus grand joueur de poker du monde (je ne sais pas encore ce que c’est). ”

– Et Mademoiselle, qu’est-ce qu’elle fichait pendant ce temps-là?

– Ah! C’était tout à fait autre chose, loin du théâtre des exploits de Justin. Saint-Maximin s’arrondissait dans la plaine, dans les vignes, dans l’assiette au beurre. Mademoiselle était un cheveu dans le beurre. Elle décourageait tout le monde, dans tous les sens du terme : elle décourageait toutes les “ bonnes volontés ”, entre guillemets, bien entendu, comme les mettait Mademoiselle, et elle décourageait, absolument. A quoi bon l’azur si, à chaque instant, on était empêché de dansoter en rond? Des rogatons, bon; des souquenilles, bon; à peine le souffle, bon (et qu’elle le perde un bon coup finalement), mais encore elle se dévouait aux “ bonnes œuvres ” et Dieu sait si les bonnes œuvres sont harassantes. Si on allait se balader, ou à des parties fines, ou dans des ombres, voilà Mademoiselle, le remords vivant, étriquée, affamée, le chat maigre de Dieu, sèche, dure, chaste, étroite, jetant sur le monde un œil de jais : un instrument de mesure. Madame Blanc n’avait pas trouvé de “ truc ” pour l’allécher; par contre, Mademoiselle en avait trouvé, entre autres, notamment, le “ truc ” de laver à grande eau le parquet de l’église (la Cathédrale) et pour ne pas déranger les offices elle y consacrait ses nuits. A minuit, toutes grandes portes ouvertes, Mademoiselle s’emparait de la Cathédrale. Elle avait un lumignon, un seau d’eau qu’elle allait remplir à la fontaine de la place, une brosse et, agenouillée, elle frottait le parquet, dalle après dalle, en se traînant à deux genoux. Éreintée sur sa basse besogne, sans s’interrompre, elle jetait des coups d'œil sur la petite ville endormie, au-delà du porche. Quand elle s'arrêtait un petit instant de brosser (il fallait bien qu'elle bande ses reins, le corps n'est pas infatigable comme l'esprit), elle entendait le bruit voluptueux du vent assoupi qui caressait les grands platanes de la place, les petits cris de la fontaine. Bien entendu, elle n'avait pas besoin de se parler en soi-même, elle entendait tout à demi-mot, au quart de mot, au millième de mot, dans le langage le plus secret des choses. Et brosse ma fille, seule. L'ambition c'est très agréable, finalement, l'huile de coude et les tours de reins. Elle ne savait pas (quelle victoire si elle avait su... Elle était peut-être plus ignorante – plus humaine – que ce qu'on croit. En réalité, c'est moi qui crois en faisant mes suppositions), elle ne savait pas (admettons) qu'on venait la regarder. Ils ou elles (ils et elles) se cachaient derrière la barrière de fusains de la terrasse du Café de l'Univers; et ils regardaient le porche béant dans les ténèbres où se traînait le lumignon de Mademoiselle. On se disait : " Ce n'est pas naturel. Est-ce qu'elle ne fricoterait pas avec le vicaire, la nuit? Il est jeune, il est gras, il est rouge, il est sanguin, probablement affamé. Mademoiselle est une femme, après tout – que Dieu nous entende! – Nous en serions pour un vicaire mais nous pourrions monter sur nos grands chevaux. " Eh! non. Ils allèrent jusqu'à fracturer la serrure de l'appentis par où on peut entrer dans la sacristie. Ils se coulèrent à la file indienne pour aller se tapir dans la chapelle de Sainte-Claire. Nuit après nuit. Pas plus de vicaire que dans mon œil. Pire : ils assistèrent au spectacle de la misère triomphante. Écœurés, ils ou elles (ils et elles) rentrèrent dans leurs chambres à coucher. Il n'y avait plus de goût [1]!

« Quand j'étais jeune fille (le moment, tu sais, quand on commence à bien se savonner derrière les oreilles et le cou), Monsieur Justin était mon héros. Il avait au moins trente ans de plus que moi. Il faut bien dire qu'il avait également trente ans de plus que Mademoiselle, mais je le trouvais bien supérieur aux petits jeunes gens. Il était revenu de la guerre, sans auréole si tu veux, mais revenu de la guerre; ce n'était déjà pas mal à côté de ceux qui étaient trop jeunes. Je savais qu'il avait été artilleur dans l'artillerie de forteresse. Je ne sais pas du tout ce que ça signifie, mais avoue que, pour mes dix-sept ans qui se fabriquent un Roland à Roncevaux, c'était un titre. J'entendais tous les autres dire : " Ils sont dans l'infanterie. " Eh bien, celui-là au moins n'était pas du même moule. Il me fallait peu. Remarque que, si j'avais jeté simplement un œil sur un de ceux de Longagne (et un de presque cinquante ans), mon père ou ma mère m'auraient tuée (peut-être pas tuée, mais qu'est-ce que j'aurais pris!...) Non. Ce sont de petits machins; on ne se monte même pas la tête, on " s'intéresse ", on " s'occupe ", on se donne " des buts ". Quand on se donne vraiment un but, c'est autre chose. Mais il y avait, comme je te dis, la guerre. Je voyais tout en beau : l'artillerie de forteresse, la Daimler (ou le Daimler); et puis il avait du goût pour s'habiller. C'était d'ailleurs un très bel homme dans l'opinion de tout le monde et, si j'étais trop jeune, trop niaise, d'autres y touchaient, et il savait s'habiller. Même pendant la guerre (je crois qu'il était maréchal des logis) il était venu en permission, à la gendarmerie; il en sortait quand je l'ai vu et Dieu sait si les soldats étaient mal foutus; même des officiers, tiens, un nommé, je ne me souviens plus le nom, qui avait la grande quincaillerie sur la place de l'Hôtel-de-Ville; il était capitaine mais, si tu l'avais vu avec sa vareuse, ses bandes molletières! Monsieur Justin, non : il avait une culotte, je ne te dis que ça! Et des bottes, pas des houseaux. On dit que dans l'artillerie de forteresse ils ont des houseaux, mais lui, pas du tout; il avait, je te dis, des bottes " Olred ". Il en jetait un jus, ma vieille! Alors, en civil, tu imagines! Il n'allait pas s'habiller de confection aux " Grandes Galeries " de la Grand-Rue. Il avait des étoffes anglaises, et puis coupées!... Ah! je t'assure. J'ai cherché au moins dix ans après mon mariage. Je disais à Édouard : " Achète-toi de l'étoffe anglaise, va faire couper ton complet quelque part, pas ici, même pas à Aix ni à Marseille, je ne sais pas, mais ailleurs; un complet bien fait, quelque chose qui ne gode pas. " Les hommes ont toujours des rembourrages, je ne sais pas, des faux plis, des poches où il ne faut pas, des pendouillages. Tout ce qu'on a trouvé c'est du Prince-de-Galles ! Du Prince-de-Galles, tout le monde en a du Prince-de-Galles. J'aurais voulu du Prince qui ne soit pas de Galles [1]. " Ma pauvre Charlotte, me disait Édouard, qu'est-ce que tu t'imagines ? Je ne suis qu'un professeur d'Université ! " Après j'ai abandonné. Bref, le fameux Justin [2] (et maintenant finalement il est aveugle et sourd, *sic transit...*), le fameux Justin, il en trouvait des Princes qui ne soient pas de Galles. Je me souviens d'un qui lui allait à ravir, ma chère, dans les tons bruns ; une étoffe un peu mousseuse, souple, et coupé !... Il ne sentait pas le ciseau, comme jeté, sans un pli, une aisance. Oh ! Et puis la chemise, la cravate, les pantalons, les souliers, tout, enfin !...

« Je n'étais pas seule à contempler ces splendeurs. Et qui ne se contentait pas de contempler ? Justin avait mauvaise réputation, il n'était pas le plus mauvais. Le jeune Arthur [3], celui qui s'est noyé, était une franche fripouille : fin de famille, comme on dit fin de race ; un petit crevé, pas franchement malade : malsain. Il devait avoir sept ou huit ans de moins que Justin. Lui, Arthur, a frisé... je ne sais pas quoi. Les autres frères, Justin et Alfred, étaient toujours sur le qui-vive à propos d'Arthur. Je crois qu'ils l'ont sauvé une fois ou deux. Quand il s'est noyé, ou quand on l'a noyé, Justin et Alfred n'ont pas été étonnés. Ils ont eu un deuil décent. Justin avait l'air plus touché, lui. Je crois qu'il l'aimait bien. C'était son frère plus jeune, évidemment ; l'aîné (il avait exactement dix ans de plus que Justin, à quelques jours près), l'aîné était déjà beaucoup plus loin d'Arthur. De toute façon, qu'il s'agisse d'Arthur, de Justin ou d'Alfred, on les mettait tous dans le même sac. Quand on les voyait, les uns ou les autres, on se disait : " Qu'est-ce qu'ils font ? Où vont-ils ? " On connaît Longagne, on sait que les corbeaux y meurent de faim. A grand renfort d'eau – en la tirant des puits, et ils sont profonds, des gouffres – on arrivait juste à avoir un peu de verdure; le reste, tu l'as vu : les amandiers y sont morts de tristesse; la terre y produit des lézards, un point c'est tout. Quand les frères ont acheté Longagne, on a dit : " Ils comprendront vite. " Non. Ils y ont prospéré. Non seulement ils y ont prospéré mais ils n'y ont rien foutu, sauf du luxe, des sureaux, comme disait Justin : des fleurs, des roses trémières. Madame Andrée aimait les violettes, eh bien, des massifs de violettes. Les gens d'ici ne comprennent pas ces choses-là. Donc, ils ne foutaient rien; habillés comme des mylords, ils faisaient ronfler des voitures, ils couraient de droite à gauche et ils hébergeaient, l'été, rien que l'été, une compagnie nombreuse : des femmes, des hommes, jamais d'enfants; des hommes qui suçaient des cure-dents, des femmes sur leur trente et un tous les jours de semaine, qui ne faisaient rien de leurs dix doigts, même pas mariés, semblait-il. Et l'argent rentrait. Il fallait bien qu'il rentre pour mener ce train...

Il ne lui suffisait donc pas d'être bel homme, bien habillé, blanc d'argent, beau parleur, il était au surplus beau ténébreux. Ténèbres opaques. Il sortait tous les jours, frais émoulu du sein des déserts, sans un faux pli, je t'assure, c'était à voir. Plus que les ténèbres! un relent de faisandé, un fumet de carnassier faisaient se pâmer celles qui avaient le feu au cul (il faut le dire). Pas plus tôt pâmées qu'empaumées; c'était vite fait. Il avait le tour de main, paraît-il. Au début, au tout début, elles s'attachèrent, comme on dit d'une poêle qu'elle " attache ", ou elles essayèrent, mais c'était pas plus tôt fini ici que c'était déjà commencé là-bas, coup sur coup. A quoi bon? Il y eut – mais au début, au tout début, je te dis – quelques drames, un peu de poison, très peu, juste sur les bords, pas jusqu'au fond, des convulsions, des crises de nerfs, d'intéressantes pâleurs; des divorces, oui, trois ou quatre, à ma connaissance du moins, un même dans la haute; des œufs de coucous, certainement plusieurs, mais pondus dans les lits conjugaux. On efface tout et on recommence; et pas une victime. A force, on n'y fit plus attention : je te tiens, tu me tiens par la barbichette... Il avait un harem; il n'avait qu'à jeter le mouchoir. *Mille e tre* [1], tu parles! Don Juan, non : un taureau dans un troupeau de vaches, ce n'était pas la peine de compter. Il y en avait de toutes les sortes. J'en ai vu qui étaient d'un collet-monté, ma chère! Et qui restaient collet-monté après coup; elles se lissaient le poil et, en avant, comme si de rien n'était. Par contre, d'autres gigotaient comme au bout de l'hameçon, la gueule ouverte et ne s'en remettaient plus. Je n'ai pas connu toutes ses bonnes amies, tu penses bien. C'était vite fait : le vague à l'âme, il passait, pan! Tiens, une : Dorothée. Elle avait le pain et le couteau [2] : un bon mari, un bon commerce, pan! J'en suis sûre, je l'ai vue, rue Amiral Roux (un amiral!) derrière l'école des Arts et Métiers; elle prenait le car de treize heures dix; elle revenait par celui de dix-neuf heures; ni vu ni connu. Puis, ça n'a eu qu'un temps; ça n'avait jamais qu'un temps avec lui. Une autre (c'est pour te dire), tu diras " Non "; eh bien si. On lui aurait donné le bon Dieu sans confession : Madame Rachel! Oui, oui, Madame Rachel en personne, avec ses airs, son profil de médaille. Toutes, toutes très belles, Dorothée était – elle est toujours – la belle des belles. Quand on faisait le Corso, elle représentait la République sur le char de la municipalité. Rachel et sa fille : Madame du Ga... elle aussi : la mère et la fille à deux ans d'intervalle. Deux ans! C'était beaucoup. (Pour certaines il ne mettait que l'intervalle d'un lundi à l'autre entre la mère et la fille [3].) Il avait mis des gants, cette fois-là. Madame du Ga... recevait les huiles et les vinaigres : les préfets, les députés, les ministres. Il y eut pour celle-là quelques remous. C'était loin. Les du Ga... ont leur château dans la Trévarese et j'étais jeune mariée. J'ai su seulement que Monsieur du Ga... (Rodolphe) s'était séparé, un temps, d'avec sa femme; il avait même pris quelqu'un à Nîmes ou à Montpellier : une chanteuse, une chanteuse à voix. Puis ils se rabibochèrent, le mari et la femme. Celle-là, Madame du Ga..., était aussi une beauté, et moderne. Il ne houspillait pas seulement les femmes d'avant-guerre, à corset, à chignon, avec du volume. Madame du Ga... était modern-style, à la garçonne, genre diabolo, les mollets nus [1] et, comme on dit maintenant, “ directe ”, ces femmes qui veulent des gars bien barraqués, des maîtres-nageurs, non, pardon, des “ professeurs de natation ” bronzés, des mulâtres, des hommes du Nouveau-Monde, les muscles longs, la taille entre les deux mains, les épaules en portique, en un mot sportifs, olympiques. Eh bien, Justin, il était plutôt olympien, lui, et avec déjà de la bouteille, avec une bonne petite brioche ; et son tour de taille dépassait certainement de beaucoup ses épaules ; et gras et rose (toujours très grand évidemment) : un verrat. Elle fit des folies pour lui. Et les maîtres-nageurs (oh ! pardon, les professeurs de natation) pouvaient aller se rhabiller, c'est le cas de le dire. Et de semblables à celle-là il y en avait mille, qu'est-ce que je dis : mille ! Tant qu'il voulait. Elles auraient laissé leurs mulâtres tout de suite, rien que pour la nuque bombée de Justin.

« Eh non, finalement il prend qui ? Mademoiselle ! Et il ne l'a pas “ ramassée ”, comme on dit vulgairement ; pas du tout, il l'a cherchée, il l'a recherchée et elle ne passa que par un pont d'or.

« Oui, je dis bien : un pont d'or. Et ça ne se fait pas en cinq minutes un pont d'or (ce n'est plus du tac au tac maintenant). Il faut creuser des mines, monter les assises, arrondir les arches (de triomphe), aplanir la voie, et c'est seulement après que la reine passe.

« Drôle de reine. A force de laver, de brosser et de frotter à genoux sur le parquet de la Cathédrale, nuit après nuit, quelque temps qu'il fasse, du 1er janvier à la Saint-Sylvestre, Mademoiselle se déjetait. Elle avait maintenant, je crois, une coxalgie. Elle chaloupait dans sa ruelle. Et les moustaches ! Terribles, les moustaches : comme un conscrit, déjà à les friser de l'index et du pouce. “ Je suis horrible ”, se disait-elle. Eh bien, non, justement elle n'était plus horrible ; c'était pire : elle n'était plus qu'une pauvre fille. On n'avait plus peur d'elle. Il y avait déjà longtemps – trop tôt – que Madame Blanc ne réclamait plus des “ trucs ”. Non, maintenant c'était simplement une pauvre fille. Elle avait jeté son venin. Certains disaient, moins méchamment : " Elle a jeté son éclat. " Elle était partie pour aller loin : les bras en croix, le front dans la poussière, sur le parvis de la Cathédrale, le dimanche de Pâques à grand-messe, cela faisait image – et elle n'a pas fait long feu : elle n'est plus qu'une pauvre fille qui frotte les parquets. Holà ! S'ils avaient été plus intelligents, ou intelligents tout simplement, elle ne frottait pas " des parquets ", elle ne frottait que les parquets de la Cathédrale, que les parquets du Christ. Le chanoine n'était pas si bête; il avait la puce à l'oreille.

« " Reposez-vous, lui disait-il, nous n'avons pas tellement besoin d'un parquet miroitant, ne suez plus sang et eau. Dieu nous voit assez dans le miroir de nos cœurs. " Il essaya surtout de la payer. Et Dieu sait si un chanoine ne pousse guère à la dépense. " Si elle accepte qu'on la paye, nous sommes sauvés. " Elle n'accepta rien : des rogatons, des souquenilles. " Je n'ai besoin de rien." " Ah! diable ", se dit le chanoine, mais il était seul de cette opinion. " Attention, disait-il, ce n'est pas du tout une pauvre fille, comme vous dites; elle frotte des parquets, oui, mais regardez les parquets qu'elle frotte. – Les vôtres, répondait-on. – Non, non, pas les miens, disait-il, ce ne sont pas les miens, ce sont les parquets de Dieu, les parquets sur lesquels Dieu se balade avec ses pieds nus; le psalmiste dit qu'ils sont semblables à des magnolias [1]. Vous ne vous en rendez pas compte, malheureux, malheureuses. De qui sera-t-il fier? De sa servante, de celle qui frotte constamment et récure, prosternée; de sa servante et pas du tout de vous, là, les dames avec vos ongles carminés, et là, pas du tout les messieurs, vous, là, avec vos gants en pécari. Cette pauvre fille, comme vous dites, j'aimerais mieux lui donner quarante sous de l'heure. Elle ne serait plus qu'une femme de ménage, comme vous et moi; je serais beaucoup plus tranquille. Qu'est-ce qu'elle fera encore, un beau jour? – Mais plus rien du tout, monsieur le Chanoine, qu'est-ce que vous voulez qu'elle foute d'autre? Elle frotte les parquets de l'église, un point c'est tout. Il ne faut pas quand même se monter le bobichon [1]; on dit cathédrale, oui, mais enfin c'est une toute petite cathédrale, il n'y a pas lieu de tout casser. Au début, d'accord. Au début, elle a eu un coup de revertigot [2]; on s'est dit : 'Les bras en croix, le front dans la poussière, c'est peut-être bien quelqu'un.' Mais, monsieur le Chanoine, les parquets! Avec des seaux et la patte-mouille! Vous en avez vu des saints avec la patte-mouille? Elle est minable! – Oui, j'ai vu des saints avec la patte-mouille, et saint Labre, et saint Cid, et sainte Elwinthe qui, dans Cologne ramassait du crottin de cheval, et sainte Obtusia [3] qui frottait bien autre chose que des parquets : elle frottait des petits 'trucs', comme dit Madame Blanc, de petits péchés capitaux, de tout petits péchés pour de toutes petites 'caput', les fesses des Romains tout nus avec la pierre ponce et l'éponge douce dans les bains. Mais attention! Précisément, Mademoiselle n'est pas une sainte, oh! là là, bigre non! Une sainte? On s'en accommoderait d'une sainte, mais elle! Elle est ivre! Vous autres, vous n'êtres pas ivres, vous n'êtes que de petits ivrognes, vous lampez de petits alcools 'en douce', en cachette, en cachette du tribunal de la pénitence ou des tribunaux tout court. Vous n'êtes que de petites têtes (à bon entendeur, salut, je me comprends), de toutes petites têtes pour de tout petits péchés capitaux, des capitaux minuscules; vous ne tenez pas le vin. Si vous forcez un peu sur la dose, vous roulez sous la table. Mais elle, ah! ah! Plus elle est ivre, plus elle se tient debout, comme une de ces colonnes de vent qui marchaient devant Moïse – ou devant je ne sais plus qui [4]. Une sainte, dites-vous? Mademoiselle, c'est le contraire. Une sainte c'est facile, mais l'autre... et aussi forte..., peut-être même plus forte puisque rien ne l'arrête, que Dieu même ne l'arrête pas. »

« " Oh! Il se fait vieux, se dirent-ils; il ne sait plus ce qu'il raconte. Il a sûrement ses douleurs; il ne peut plus trotter comme avant; il reste tout le temps avec ses livres, il n'y comprend plus rien. "

« Mais Justin comprit. Quoi ? A force de tripatouiller des tonnes de matières purpurines, il s'est peut-être dit : " Et la foudre[1] ? "

« Ça arrive souvent quand les hommes sont très forts : carrure, reins, nuque ; c'est une question de cage thoracique. Ils ont tous envie d'être foudroyés. Il ne faut pas oublier que Justin a toujours voulu avoir plus et autre chose qu'il n'avait. C'est pourquoi il avait tant. C'est moi qui ai vu clair, et la première, quand je n'étais encore qu'un agneau de lait ; c'était mon héros, je te l'ai dit, et j'ai dit : " C'est le plus grand joueur de poker du monde " (un jeu dont je connais à peine le nom).

« Comment se fit la conjonction, enfin disons l'approche ? Je ne sais pas, je ne peux même pas l'inventer. Souvent j'invente (presque tout, mais là, non). Des ténèbres opaques. Dans... je ne sais pas. Je ne veux pas savoir. Dorothée, Rachel, la jeune du Ga... et tant d'autres, je sais, mais Mademoiselle, je ne sais pas. Il y eut un coup de tonnerre et une assomption.

« On dit alors n'importe quoi ; et je me garderai bien de dire n'importe quoi dans une affaire qui n'est pas simple, souviens-toi : des rogatons, des souquenilles, la coxalgie, la moustache. J'entrevois, je comprends vaguement, je n'ai pas de mots, et Dieu sait !...

« On a dit : " Elle a bien caché son jeu. " Caché ? Elle l'a étalé, et elle a étalé un jeu détestable. Évidemment détestable d'après certaines règles et très beau jeu d'après d'autres règles. Il ne s'agissait pas pour elle de lits ouverts pleins d'odeurs légères[2] ; elle s'en foutait, passe-moi l'expression. Si Justin aimait les lits ouverts, il n'avait pas à s'en priver. Il en avait à " Tu en veux tu en as ". Il s'agissait bien de bagatelle pour Mademoiselle ! Si elle avait voulu jouer à ce jeu-là, elle était fort capable de chercher les cartes qu'il fallait et de se faire une main du tonnerre. (Je donne l'impression de connaître les jeux de cartes. En réalité, je t'assure, je n'y connais strictement rien.) Quand je l'ai vue, Mademoiselle, je me suis dit “ Toi, si tu avais voulu!... ” Il n’y avait qu’à regarder : les yeux d’abord, évidemment, les yeux tout de suite, des instruments de mesure, mais aussi des lueurs, un goudron, un miel, des moires; et ses lèvres : si on faisait abstraction des moustaches, des moustaches qu’elle a “ voulu avoir ”, ses lèvres n’étaient pas mal, pas mal du tout même, un peu minces mais fermes, un acier froid. Il y en a qui aiment beaucoup cet acier froid. Enfin, ce n’était pas une poupée de porcelaine (ce que j’ai appelé tout à l’heure des matières purpurines); elle pouvait être une femme, elle n’a pas voulu. Nous oublions toujours qu’elle était jeune. Justin avait la soixantaine bien sonnée, elle trente à peine.

« La dernière en titre à ce moment-là, c’était Madame S., Louise, la femme d’un gros négociant d’agrumes de Marseille; des amours foraines qu’il ramena par ici. Il se servit de Madame S. Elle n’avait pas du tout besoin ni envie de venir à Saint-Maximin, elle avait tout ce qu’elle voulait à Marseille : odeurs légères, etc. Justin exigea. Il savait exiger. Il fourra Madame S. (Louise) dans sa Daimler et, en réalité, il avait eu des cinquantaines de sacrées Daimler depuis, et il arriva à Saint-Maximin. Il fit un beau virage sur la place et il s’arrêta pile à la terrasse du café de l’Univers. Je crois même que c’était le café des Deux Univers. Un petit café, une petite terrasse, une petite haie de fusains, trois tables en fer, quatre chaises en fer. Et il fit asseoir Madame S. à la terrasse des Deux Univers. Pas moins mais pas plus. “ Je reviens ”, dit-il. Madame S., c’était l’archevêque en personne. A part ses volumes (Vénus), elle se donnait du volume. Elle était très mal assise sur la chaise en fer. “ Mon petit, dit-elle au patron, vous n’avez pas un petit coussin? ” Aux Deux Univers, un coussin, tu te rends compte! L’autre crut que c’était une blague; il se contenta de rigoler bêtement. Il n’avait jamais vu une femme semblable. Ce n’était même plus une femme à son sens, c’était du cinéma. Il fallait voir madame S. Elle aurait appelé “ mon petit ” le Président de la République; surtout assise sur une chaise en fer. Elle toisait tout le monde.

Elle se disait : “ Il m’a plantée là; il a laissé sa voiture, il ne doit pas être loin. ”

« Oh! que si, madame, il était déjà très loin. Après avoir frappé tout doucement à une porte cachée (dans la ruelle, tout était prêt depuis quelque temps) il était parti avec Mademoiselle à pied, bras dessus bras dessous parce qu’elle boitait. Ils prirent à travers champs, par les sentiers qui suivaient les filioles d’arrosage [1]; ils arrivèrent dans les chemins de terre, vers Sillans, et puis, en avant dans les collines, les bois, les solitudes, seuls et libres. Ils allaient à Longagne. A pied? Oui, oui, toujours; la Daimler, c’était bon pour les matières purpurines, mais nous! Oui, cette fois il disait nous. Elle boitait, elle était robuste, elle pouvait aller n’importe où. Elle avait bien frotté les parquets de Dieu, par terre, pendant une éternité. Maintenant, appuyée à son bras, les chemins étaient tous faciles. Ils mirent trois jours pour aller à Longagne, sans manger ni boire : de l’eau dans un ruisseau, des pommes, et encore! Il ne devait pas y avoir beaucoup de pommes dans les parages du Castillon. Ils auraient pu demander des fromages de chèvre dans ces deux ou trois fermes, perdues mais il y en a deux ou trois. Du fromage de chèvre et du pain. Ils n’y pensaient même pas. Est-ce qu’ils parlaient entre eux? Non, je ne crois pas, même pas. Ils étaient toujours bras dessus bras dessous, et cependant elle ne boitait plus guère. Ils allaient d’un pas de promenade bien accordé. Dormir? Il n’était plus question de lits ouverts pleins d’odeurs légères : assis contre le tronc d’un pin, ils fermaient les yeux; au réveil ils se retrouvaient et, bras dessus bras dessous, ils repartaient.

« Mademoiselle fut installée à Longagne dans les pièces du deuxième étage. Tout de suite – un mois à peine – elle dit à Justin : “ Vous avez interrompu par ma faute (j’en ai peur) une conversation très intéressante avec Madame S. Il faudra la reprendre. ”

« La soixantaine de Justin était plus verte que beaucoup de jeunesse. Émerillonné, toujours curieux, sa fatigue ne venait pas de ses reins, mais il se dit de plus en plus : “ A quoi bon? ” Il reprit Madame S.; il reprit et il prit à droite et à gauche, nonchalamment. Mademoiselle était beaucoup plus intéressante. Une cathédrale est d'un maniement un peu raide, mais Longagne était d'une souplesse et d'une extrême variété. Il y avait Alfred (Arthur [1] était déjà mort depuis longtemps), Madame Andrée, le petit Roger-Hector, les hôtes saisonniers : ces curieux personnages comme pris de court et toujours furtifs, les déserts (Mademoiselle aimait beaucoup les déserts; elle était elle-même un désert) et les au-delà des déserts : ces invraisemblables occupations de Justin et d'Alfred, et d'Arthur qui en était mort. Mademoiselle s'enroulait dans ces tenants et aboutissants.

« Madame Andrée mourut avec beaucoup de cris. “ Il faudrait lui faire une piqûre ”, dit Alfred. Il n'était ni très “ entrant ” ni bavard cependant. “ Je ne peux pas faire plus, dit le docteur (le nôtre, d'ailleurs, le père Machin, de la vieille école); elle a eu de la morphine, elle a eu... tout. Ce sont des cris effoyables, je sais, mais inconscients; ce n'est qu'un bruit. Il n'y a qu'à attendre. ” Il avait l'air de dire : “ Regardez mon regard : nous sommes dans le désert, laissons-la crier, il n'y a pas de voisin. ”

« Mademoiselle envoya les hommes dans le désert. Alfred, le petit Roger-Hector, Justin et les hôtes saisonniers – il y en avait quelques-uns, à ce moment-là – les mâles. Les femmes dirent : “ Nous restons. ” Elles étaient six. “ Bon, dit Mademoiselle, elles feront tapisserie. ” Et aux hommes, elle leur recommanda d'emporter des fauteuils. Elle insista. “ Vous serez mieux assis. Vous n'entendrez plus rien; il est inutile d'aller là-bas pour être mal assis. ” Ils ne discutèrent pas; ils emportèrent les fauteuils du salon. Ils étaient une quinzaine, plus Alfred, Justin et le petit Roger-Hector, en rond, à plus d'un kilomètre au nord de Longagne. Ils n'entendaient rien. Le vent emportait les cris. Enfin, une femme vint leur dire que c'était fini.

« “ Elle n'était pas insensible, dit le père Machin, elle me l'a dit et je l'ai vu. Les femmes s'accoutument plus vite aux cris que les hommes. Celles qui étaient là sont restées aussi. "

« Mademoiselle prit soin de Roger-Hector. Le petit avait dix ans. Il savait ses quatre règles. Mademoiselle le mit au lycée.

« Ex-abrupto Justin dit : " La conversation m'ennuie. – Ce n'est pas la "conversation" qui vous ennuie, dit Mademoiselle, c'est le bavardage. La "conversation" en elle-même vous plairait au contraire, vous ne vivez que pour ça. – J'en vivrais s'il n'y avait que la fleur, l'extrême fleur, dit Justin. – L'extrême fleur? Rien que l'extrême fleur? Vos bonnes amies ne sont pas assez intelligentes, dit Mademoiselle. Nues, elles auraient le pain et le couteau, mais l'amour-propre! – Et je n'ai plus le temps de leur faire des salamalecs. Je voudrais mettre les bouchées doubles. "

« Mademoiselle ne tricotait jamais, et de dentelle encore moins. Immobile, elle s'occupait. Brusquement, elle parut désoccupée; elle regarda Justin. " Vous m'inquiétez, dit-elle. – Depuis quelque temps, répondit-il, mes yeux ne vont pas. – Votre vue baisse. – Elle ne baisse pas, elle voit noir. – Le noir est beau, dit Mademoiselle. – Est-ce le mot juste? Et le juste prix? – Le mot, non, mais l'idée. Ou alors, consultez un spécialiste. – J'ai consulté, dit Justin. Je ne suis pas parfait. Je ne voulais pas vous l'avouer. – Vous auriez dû, dit Mademoiselle. Je ne suis pas parfaite, moi non plus. Mille défaillances, disons cent mille. Puis, le métier entre et on s'aperçoit que le noir est beau ".

« A la suite de cet entretien il y eut une très grosse histoire. Mademoiselle vint chercher notre Albert national; c'était un homme à tout faire (en premier lieu il ne faisait rien). On lui donnait la pièce pour de sales travaux. Mademoiselle lui promit au-delà de la pièce : des billets, des gros, et beaucoup. " Beaucoup, dit Albert; je veux bien jeter un coup d'œil, mais je vous garantis rien. " Il regarda le puits de Longagne, celui dont on tirait l'eau par un petit moteur pour l'usage domestique. " Il n'est pas à la portée de tout le monde, dit Albert. Il a au moins trente mètres, sinon plus, mais c'est encore dans les choses possibles. – Et l'autre? demanda Mademoiselle. – Ah! dit Albert, je vous vois venir : celui de l'Adélaïde? – Il y a cinquante ans, ce n'est pas d'hier. " Une femme s'est jetée là-dedans. Mais, en effet, comme disait Mademoiselle, ce n'était pas d'hier. On avait muré l'orifice.

« " C'est pas l'Adélaïde qui m'inquiète, dit Albert, c'est que c'est profond. – Qu'est-ce que vous en savez? – J'y suis venu, moi, en 1922, 1923, faire une dalle; un gros orage avait démoli le bord. "

« Avec la pointe du piochon il retira la dalle. " Doucement les basses, dit Albert. Il ne faut pas s'approcher d'un truc comme ça sur nos deux pieds. " Il se mit à plat ventre, et Mademoiselle aussi. Il fit dépasser précautionneusement la tête, au-dessus du trou. Il se recula brusquement.

« " Eh bien, ma vieille, dit-il, oh! pardon. "

« Mademoiselle s'était reculée, elle aussi, et très vite. Ils restèrent allongés tous les deux, côte à côte, sans parler. Albert respirait un peu vite; il poussa un soupir. Leurs deux têtes étaient à quelques centimètres de l'abîme. Venaient, du fond, de vagues sonorités, sourdes; mieux : le silence total; le bruit de leur propre sang.

« " Que voulez-vous foutre d'un trou pareil? dit Albert. – J'aimerais... dit Mademoiselle. "

« Albert soupira (encore une fois). " Alors, dit-il, habituons-nous. " Et il avança prudemment la tête au-dessus du trou.

« Albert se paya une bamboche du tonnerre de Dieu. Effectivement, on lui vit dans les mains des billets, et des gros, et beaucoup; tellement qu'on se dit : " Ce n'est pas possible. – Mais si, brigadier, dit-il, c'est tellement possible que j'en ai encore cinq, tenez; et quand j'en aurai plus, j'en aurai d'autre et c'est pas fini. " Enfin, il expliqua qu'il allait descendre dans le puits d'Adélaïde. On n'y crut pas. Certains le disaient même sans fond : le puits de Longagne s'ouvre sur des gouffres souterrains, des lacs dans les profondeurs de la terre. Quand l'Adélaïde s'est jetée là-dedans, on n'essaya même pas d'aller la chercher. On mura l'orifice et c'est tout.

« " Ah! des lacs, peut-être bien, dit l'Albert, ou l'Océan Atlantique. J'ai lancé des journaux en flammes et, mon collègue, au bout d'un certain temps ça s'éteint. C'est tout ce que je peux te dire. " On se dit : " C'est de la blague! " Mais, trois semaines après, on vit arriver du matériel.

« " Est-ce que je peux vraiment faire de gros frais? avait demandé Mademoiselle. – Les plus gros du monde; avait dit Justin. Depuis que mon frère Alfred est mort, nous sommes seuls, vous et moi. – Et Roger-Hector, répondit Mademoiselle? Attention, ce garçon étonne tout le monde. Il a la bosse des mathématiques. Il faudra le pousser. Et il n'y a qu'à Paris. – Paris et Saint-Denis, dit Justin : tout ce que vous voudrez[1]. Nous avons plus d'argent qu'un chien de puces. "

« Il avait décommandé depuis longtemps ces " hôtes saisonniers " qui venaient se mettre au vert chaque été.

« " Cette industrie est terminée, dit Justin. L'auto a tout changé. Le moteur à explosion a déluré les populations laborieuses; elles vont maintenant à Monte-Carlo. J'ai changé mon fusil d'épaule. On a maintenant des mille et des cents. "

« Le matériel était conséquent, comme on dit. Saint X s'extasia. Il y avait quatre ou cinq gros camions, des treuils, des câbles, des outils américains comme on n'en voit pas. On en resta baba! Ce fut le cri public. Il y avait des chauffeurs, des quantités de gens : plus d'une dizaine. On prétendait même qu'il y avait un ingénieur. (Tu parles si les langues marchaient; et on se disait : " Eh bien Longagne! Il faut un argent du diable pour faire un train pareil. ") Mon Albert était fier comme Artaban. Il avait la haute main sur tout. " Monsieur Albert par-ci, Monsieur Albert par-là ", collègue! (comme il disait). Lui qui ne foutait jamais rien, là, il se mettait en quatre.

« “ Vous n’y comprenez rien, répondait-il. Oui, je vais descendre. ”

« En réalité, il avait Mademoiselle à la bonne. Il avait vu, comme lui, cette vieille femme (et il s’était dit : “ Elle n’est pas vieille dès qu’elle sourit, et même pas très laide ”), à plat ventre s’avancer, centimètre par centimètre, jusqu’à plonger son regard sur l’abîme.

« On dégagea les abords du puits Adélaïde, on installa le treuil, la génératrice, un câble pour une “baladeuse ”. D’abord.

« “ Oui, oui, dit Mademoiselle, il faut d’abord voir. »

« Justin assistait à tout ce branle-bas.

« “ Pourquoi avez-vous embarqué ce pauvre bougre d’Albert dans cette aventure? dit-il. Puisque vous avez un ingénieur? – L’ingénieur est sans génie, dit Mademoiselle, il n’a que de l’école. Depuis qu’il est là, il ne parle que de mesure et il fait des comptes sur un carnet. Albert m’a dit quelque chose de bien plus joli. Quand nous avons essayé de sonder le puits du regard, c’était épouvantable, nous nous sommes reculés tous les deux (écartez de moi ce calice [1]) et il m’a dit, je vous le jure : ‘ Habituons-nous ! ’ C’était une petite voix, mais têtue. ”

« On fit donc descendre une lampe électrique au bout d’un fil souple. Albert, Mademoiselle, Justin, l’ingénieur, le contremaître, les ouvriers, à plat ventre, regardèrent la lumière qui était avalée lentement. C’était extrêmement profond. Le puits très ancien n’avait été creusé, en partie de main d’homme, que sur quinze ou vingt mètres; au-delà s’approfondissait une sorte de caverne naturelle. La lampe n’éclairait rien; c’était simplement un point d’or qui descendait, quarante, cinquante, puis cent mètres. “ Cent ” dit l’électricien qui déroulait le câble sur le tambour enregistreur. Enfin, vers cent vingt, cent trente mètres (incertitude, car le câble flottait) l’ingénieur décida qu’on venait de trouver l’eau. Oui. Peut-être. Sans doute, finalement oui.

« “ Allez, dit Albert, descendez-moi. ”

« C'est l'histoire du puits Adélaïde que je te raconte. A Saint X, c'est la chanson de Roland. Albert ne fut jamais plus ce qu'il avait été auparavant. Va donc désormais lui donner dix sous pour qu'il vienne déboucher les cabinets ! Trop glorieux ! Nous, on n'a pas tous les jours des puits de cent cinquante mètres sous la main – car, finalement, il lui fallut descendre jusqu'à cent cinquante mètres – Mademoiselle lui fit une petite rente. Il est parti, finalement.

» Mademoiselle voulait de l'eau. L'entreprise dura très longtemps. Les pompes ordinaires ne marchaient pas. Il fallut faire, en bas, des travaux considérables. On essaya une pompe de mine; le débit n'était pas fameux.

« " Je peux l'améliorer, dit l'ingénieur. – Non, dit Mademoiselle. – Ce ne serait pas très cher. – Il n'est pas question d'argent, dit-elle, je n'ai plus le temps. " Il la voyait ardente. " Je vous tiens quitte d'une explication technique, dit-il, mais, chaque fois que le moteur se mettra en route, le bélier va donner des coups terribles pour monter la colonne d'eau, même si elle n'est qu'un tuyau de pipe. Vous aurez des pulsations extrêmement sensibles dans la maison, et alentour même. – Tant pis, ou peut-être tant mieux, dit Mademoiselle. Je suis obligée d'aller très vite maintenant. "

« " Voilà votre eau, dit Mademoiselle, plantons vos arbres, dépêchons-nous. – Vous avez raison, dit Justin, et d'ailleurs je n'ai pas besoin d'arbres de luxe. Il y en a un très vulgaire qui me plaît : le sureau. – Est-ce qu'il pousse vite ? – Très vite. – Nous avons quand même le temps de nous retourner, dit Mademoiselle. Vous ne voudriez pas des... – Non, dit Justin, je veux des sureaux. Ils poussent sur les décombres. Il n'y a qu'à les soigner, ils deviendront très beaux. "

. . . .

Olympe

Autant Dragoon *avait été longuement médité et lentement écrit, avec hésitations et reprises, autant* Olympe *semble surgir brusquement dans l'imagination de Giono. La rédaction débute immédiatement*[1] *et se poursuit, apparemment d'affilée, pendant quelques mois, avant d'être à son tour interrompue. Autant aussi Giono avait parlé à ses visiteurs du projet de* Dragoon, *dans lequel il voyait la grande œuvre de sa vieillesse, autant les mentions d'*Olympe *sont rares dans les interviews et dans les témoignages. En février 1968, au moment où depuis plus de six mois il a délaissé* Dragoon *(alors désigné sous le titre « Les Roses de Jéricho ») pour* Olympe *(alors désigné sous le titre « L'Oiseau gris »), Giono parle de la nouvelle métamorphose qu'il prépare avec les deux romans en chantier : « A un moment, comme j'étais enfermé dans ce gros roman, pour en sortir, j'en ai commencé un autre plus court, " L'Oiseau gris "* [...] *Il sortira fin 1968. C'est une entreprise qui me passionne. J'y essaie l'approche de personnages par le monologue intérieur vers un drame pathétique caché, comme ils le sont souvent dans nos campagnes, qui se révèle peu à peu. L'époque est moderne. Il y a même un curé en civil. C'est très difficile*[2]. *» En avril, un extrait paraît en prépublication*[3]. *A cette date, la rédaction a sans doute déjà été interrompue, et elle ne sera pas reprise. D'*Olympe, *il restera ce début, qui contient des morceaux de la meilleure veine, comme l'épisode de la recherche du poulain, qui conduit Kruger à l'amour, ou l'évocation de l'espace à l'intérieur et à l'extérieur de la* *ferme-forteresse d'Olympe. Pour le reste, les documents de genèse sont beaucoup moins riches que ceux de* Dragoon. *Quoique abondants*[1], *ils ne font guère qu'accompagner avec leurs esquisses le progrès de la rédaction. Chemin faisant, on trouve pourtant des précisions non dépourvues d'intérêt sur l'idée d'ensemble que Giono se faisait de son roman, et quelques indications complémentaires sur des épisodes qui n'ont finalement pas été rédigés.*

On a vu, en étudiant la genèse de Dragoon, *comment, au milieu d'esquisses consacrées à ce roman, surgissent toutes écrites, presque sous leur forme définitive, les premières phrases d'*Olympe *: « Un type arriva sur les plateaux en traînant une femme [de toute beauté] sacrément belle. [Il n'était pas mal non plus] Lui non plus n'était pas mal : des moustaches souples, blondes, à la Clovis. (Il avisa dans les quartiers déserts une maison.) Il s'installa dans la maison du Grec. Il fit sauter la serrure et il entra, tout simplement » (carnet « Janvier 67 », f° 85*[2]. *Le « Grec*[3] *» ne deviendra le « Vieux » que quelques pages plus loin dans le carnet, et, dans le texte rédigé, la figure du « type » ne sera pas aussitôt mise en lumière; mais pour l'essentiel, tout est là, et pas seulement l'attaque du roman. Le commentaire qui dans le carnet suit immédiatement cette esquisse précise d'emblée ce que Giono se propose, avec ce nouveau récit à écrire : « puis la mort du " Grec ", les enfants, une bataille de femmes, un autre frère. Batailles générales. Il [le " type "] tire peu à peu à lui la ferme. La femme (belle) a des enfants (du Grec ou de ses fils, on ne sait plus). Un mélange extraordinaire. Les mélanges d'intérêt, les drames, la tragédie, des hymnes extraordinaires (f° 85) ». Avec la répétition de cet adjectif, on saisit quelque chose de l'enthousiasme qui va permettre à Giono de se lancer dans cette nouvelle aventure d'écriture romanesque : à quoi bon écrire, s'il ne s'agissait chaque fois d'« extraordinaire »? Ici, c'est un enchevêtrement de conflits mettant aux prises deux « familles », homme contre homme (les moustaches blondes contre le Grec, ou le Vieux), femme contre femme, et génération contre génération. Une famille, père, mère et fils, est maîtresse de tout un pays; arrive un couple venu on ne sait d'où : de proche en proche, six ou sept individus vont se trouver réunis dans une mêlée sans merci par le jeu du sexe et du désir de posséder, d'ac-*

quérir ou de conserver. Avec cet homme de plus de soixante-dix ans à qui dans sa vie rien n'a jamais résisté mais qui ne résiste pas au désir qu'il a d'une femme; avec cette femme qui a si peu à faire pour séduire qu'elle méritera d'être nommée « La Pachate » (fos 92, 103, etc.); avec les fils du Vieux, appelés à devenir ses rivaux auprès de cette femme; avec ce « type » froidement déterminé à se servir du désir du Vieux pour s'approprier son domaine; avec enfin et surtout la femme du Vieux, qui ne fait qu'un avec le domaine, plus particulièrement avec la maison construite à sa mesure pour qu'elle puisse y loger moins encore ses biens que ses rêves, et capable de tout si elle se juge menacée, Giono s'est donné des personnages, des forces et des circonstances tels qu'une série de crimes doit s'ensuivre fatalement, et comme naturellement. C'est l'idée, toujours associée à des souvenirs de tragédie grecque, qui va le guider tout au long des pages de carnet consacrées à Olympe *: « Olympe-Le Vieux. Explication de leur prédisposition très forte, sinon tout à fait irrésistible, au crime. Les Atrides = le destin » (fo 119). Une curieuse page, dont l'enchaînement n'est pas entièrement clair, mais à laquelle Giono attachera assez d'importance pour la reproduire telle quelle à peu de chose près dans le second des deux carnets de travail, généralise et explicite l'idée : « A la suite d'une série de crimes il y a eu la constitution de la famille (du clan, de la dynastie). Cette série de crimes a existé parce qu'une famille furieuse était en train d'éclater et projetait les éclats de tous les côtés. ("J'ai fait régner la paix et j'ai construit dynastie et palais.") Et ici où la passion pourrait tout enflammer, le crime sera encore le ciment qui gardera la famille intacte — dynastie et palais — le droit du nid, de la propriété. ("Je sais trop bien comment elles éclatent, les passions, l'égoïsme, l'amour, etc.") Supprimer les passions extrêmes par le crime (la mort nécessaire). L'apologie de l'assassinat » (fo 159[1]). Entre le moment où il avait pour la première fois jeté ces notes sur le papier et celui où il les recopie, Giono avait encore écrit : « Les passions passent. Ni la dynastie ni le palais ne peuvent rester. La légitimité des actes meurtriers d'Olympe (et du Vieux) » (carnet « 26-2-68 », fo 1). On le voit, dans cette série de notes, moins soucieux de logique que d'agiter en tous sens et de faire se heurter les idées de passions, de dynasties (avec les palais qui en matérialisent la* *puissance) et de crimes, comme on frappe l'une sur l'autre des pierres pour en tirer des étincelles.*

Quelques épisodes, prévus de manière plus ou moins précise dans les carnets mais ne figurant pas dans le texte rédigé parce qu'ils se situaient dans l'histoire au-delà du point où le récit s'interrompt, gravitent eux aussi autour de l'idée de crime. L'un se rattache à l'enfant que le Vieux doit avoir de la Pachate. Le carnet prévoit que « l'homme vient inviter le Vieux au baptême. On donne [*à l'enfant*] *le prénom du Vieux. Prénom idiot et très personnel. Cather*[1]*. Grabuge à la maison sur cet enfant » (f° 90). Avec Olympe, désignée ici encore comme « la vieille mère » bien que son nom soit inscrit à la page précédente du carnet*[2]*, les choses menaçaient d'aller au-delà du simple grabuge : « Quand on lui amène le petit, pas un mot, pas un geste. Immobile. Le petit enfant la touche, s'amuse avec elle. Elle sans un mot, sans un geste. Elle relève ses bras pour ne pas le toucher et elle dit (à sa fille) : " Attache-moi les mains " (pour qu'elle n'ait pas envie de la tuer). Elle demande souvent : " Attache-moi les mains " » (f° 93).*

Une mort violente devait attendre, pour de bon cette fois, un personnage qui n'apparaît encore qu'en arrière-plan dans le texte rédigé. Le fils aîné, dans les notes du carnet, n'était pas destiné à toujours faire « le zouave » avec des machines. Il devait à un certain point intervenir dans le drame : « On vient chercher le Zouave pour mettre le père à la raison, et le Zouave est pris. L'enfant qui va venir. Le Zouave et le Vieux. Antagonisme. Le drame pour la femme » (f° 90). Trois pages plus loin, on trouve la suite inévitable de cet antagonisme : « La mort du Zouave. Le cri *dans l'atroce lumière, les horribles fantômes du cri (comme les Euménides dormant dans le temple au début d'Eschyle) » (f° 93*[3]*). Mais c'est naturellement sur le meurtre du Vieux par Olympe que les notes s'attardent le plus. « La mort du Vieux. Olympe saoule le Vieux et elle le traîne jusqu'à l'écurie; elle le jette aux pieds du mauvais mulet qui piétine le Vieux à mort » (f° 93). Sur ce « pilotis », Giono revient ensuite par deux fois, avec un mouvement remarquable à la fois en lui-même et par sa conclusion. Dans un premier temps, il se ravise par un ajout d'une autre encre placé à la suite des lignes précédentes : « Non. Il* [sic *pour : elle*] *va simplement le faire tuer par le soleil*[1]. » *Mais dans un deuxième temps, il revient à son idée initiale. Il l'avait écartée pour ne pas paraître répéter l'épisode d'*Ennomende; *mais il imagine maintenant de mettre au contraire les deux épisodes en relation explicite et de faire du premier la référence du second, comme d'un point à un autre du même univers : « Si. Elle va faire ce qu'elle a entendu faire à Ennemonde. » La reprise des mêmes circonstances fera d'autant mieux ressortir la différence des situations. Car le Vieux n'est pas Honoré; une note du carnet ne tardera pas à marquer ce point : « Complicité du Vieux (entre Olympe et lui) pour* sa propre mort. *" Il m'aidera " » (f° 101). Très vite, l'imagination rebondit sur cette donnée. Une nouvelle note rapporte d'abord le « Il m'aidera » d'Olympe à un personnage de « marchand de lunettes » souvent mentionné dans le carnet sans que rien permette de l'imaginer plus précisément*[2]. *Puis elle développe sous forme de dialogue l'idée d'une complicité du Vieux dans sa propre mort : « Olympe : " Lui m'aidera. Je le lui demanderai. Il m'aidera (au marchand de lunettes). " — Le Vieux : " Oui, fais-le, Olympe. Moi je ne pourrai que retourner à cette Pachate. Oui, fais-le. Oui, saoule-moi et puis porte-moi au mulet qui me piétinera. J'ai déjà un enfant d'elle. Elle en aurait encore. Je m'y mettrais encore. Mais fais-le Olympe. Empêche-moi " » (f° 103). Le carnet n'ira pas plus avant dans la préparation de ce dialogue, mais il en mentionnera de nouveau le projet. Giono, de même qu'il avait voulu achever* Dragoon *sur une explication entre Mafalda et Florence qui éclairerait rétrospectivement tous les points de l'histoire restés jusqu'alors obscurs, envisage pour* Olympe *un « Grand dialogue Olympe-le Vieux (au moment de sa mort). Tout s'explique (entre les deux) » (f° 117).*

Certains autres des épisodes que devait comporter le roman restent dans les carnets à l'état de simples mentions. Giono avait imaginé, peut-être pour un second chapitre consacré à cet épisode, « l'homme [*qui*] *balade le poulain à travers les bois. Les enfants baladent la jument pour essayer de trouver le poulain » (f° 91). Il avait conçu la participation au récit du second des trois frères, Danton, sous la forme d'un « monologue sur l'excrément des pigeons » (f° 138). Pour se faire une idée de ce qu'aurait pu être ce monologue, on peut sans* doute se fonder sur les premières indications données dans le texte sur la « démesure » de la « pestilence » que le Vieux, envié précisément en cela par Danton, recherche dans son colombier (Olympe, p. 204). Déjà la seconde version de Dragoon comportait un épisode situé dans un colombier (Dragoon, p. 131). Les sensations liées à cette expérience sont, elles, déjà présentes dans les souvenirs d'Olympe, lorsqu'elle évoque l'odeur des hirondelles, l'été, dans une chambre proche des génoises du toit : « L'odeur des oiseaux me fait peur. Elle m'attire; c'est une puanteur brûlante. La pourriture est simple, mais elle est très compliquée quand il s'y ajoute la décomposition des œufs (Olympe, p. 211-212). » Quant à l'ordre dans lequel Giono envisagerait d'enchaîner ces épisodes, nous ne le connaissons qu'à travers une récapitulation sommaire : « La montée du caractère du Vieux jusqu'à l'horreur / Rupture, et Kruger et la fille de Silance / L'exorcisme / L'aîné / Mort de l'aîné / Le marchand de lunettes / Le crime / Olympe et le Vieux / Le Vieux se hausse jusqu'à la tragédie / Mort du Vieux / Kruger et l'amour / Danton et la fiente des colombes / Pretoria / Conclusion d'Olympe » (f° 128).

Comme le titre finalement retenu l'indique à lui seul[1], et comme le confirme la partie rédigée du texte, c'est autour d'Olympe que tous les fils de l'histoire devaient se nouer. Depuis Les Ames fortes, Giono a été plusieurs fois tenté par le récit du passé d'une femme arrivée à l'âge de la vieillesse. Après Thérèse, il y a eu Ennemonde, et ce personnage de Mafalda-Madame Hélène auquel il a pour finir essayé de rattacher tout le récit de Dragoon. Ce type de maîtresse femme, déjà incarné par la vieille Ariane de Deux cavaliers de l'orage, n'a pas cessé de le séduire, mais il trouve qui plus est dans ces bilans faits au terme d'une vie la possibilité de juxtaposer plusieurs versions des faits, voire de les démentir l'une par l'autre, et par là de modifier la relation du lecteur au récit. Pour Olympe, le texte rédigé oppose ou superpose déjà l'histoire telle que la raconte l'aubergiste et celle que reconstituent les souvenirs du personnage. Une note tardive envisagera de faire de même de l'abbé Lombardi « une sorte de chœur, la rumeur publique », et de reprendre ces images contrastées dans un dialogue avec Olympe, qui opposerait point par point sa vérité au « On a dit » rappelé par l'abbé (carnet « 26-2-68 », f° 8). Mais

Giono a été précédemment plus loin, lorsqu'il a noté dans son carnet cette idée soudaine et que l'inachèvement du récit laissera sans suite : « Le Vieux va donner son opinion sur les " crimes ". Il n'y a pas eu de crime du tout. Imagination d'Olympe et de l'opinion publique. Le vrai caractère du Vieux. Un tendre, un timide, un amoureux de tout » (fº 160). C'eût été retrouver le schéma narratif qui avait fait la réussite des Ames fortes.

Le récit sera interrompu bien avant d'en être arrivé là. Giono avait prévu de faire de l'épisode de l'exorcisme une confrontation d'Olympe avec Dieu même, par l'intermédiaire du curé : « Olympe et le curé Lombardi (Dieu et Olympe) » (fº 102). Mais, en dépit d'un travail dont témoigne le nombre de pages du second carnet consacrées à sa préparation, le dialogue se prolonge dans le pittoresque et l'humour sans se dépasser du côté de la métaphysique. S'il est vrai qu'on peut percevoir là un certain ralentissement de l'élan narratif, il doit être pour quelque chose dans le fait que Giono, la rédaction une fois interrompue, ne la reprendra pas. En mars 1968, il fait un séjour à Rome. Dans le nouveau carnet qu'il a emporté à cette occasion, les notes du voyage seront suivies d'esquisses pour d'autres récits, dont très vite le dernier qui s'imposera jusqu'au bout, L'Iris de Suse.

Un type arriva sur les plateaux en traînant une femme sacrément belle. Dans un coin perdu il trouva une maison fermée. Il fit sauter la serrure à coups de pied, il entra et il s'installa.

Le piéton, qui fait sa tournée dans ces parages, vit la maison habitée; en redescendant au Vallon, il fit un petit détour et il alla demander au Vieux :

« Tu as mis des gens là-haut?

– Où donc là-haut?

– Dans ta maison fermée; maintenant elle est ouverte et il y a une femme qui fait la popote. »

Le Vieux prit son bâton et alla voir. Eh oui : il y avait un feu dans la cour, sur le trépied une marmite et la soupe qui cuisait.

Le Vieux renversa la marmite et dispersa le feu. Il entra. La femme était là, pas prise de court du tout, au contraire. « Qu'est-ce que tu fous là, toi? dit-il. C'est ma maison. C'est ma marmite. C'est mon feu, tu as même cassé mon coffre pour le brûler. »

Elle ne répondit pas; elle préparait lentement sa bouche (large et épaisse) comme sur le point de parler, ou peut-être de sourire.

Le Vieux regardait partout. Il se disait : « Elle a forcé mon placard, elle se sert de ma vaisselle, de mes couverts en fer, de mon couteau en corne, de ma débéloire [1], de mon moulin, de mon café... »

Elle avait fini de préparer lentement sa bouche; c'était fait : elle souriait, ses yeux étaient dorés et son visage de lune.

« Bon », dit le Vieux. Les mots ne s'emmanchaient pas. « Bon », dit-il encore. Finalement il tourna les talons. Dans la cour, du bord de la semelle, il ramassa les braises.

« T'as qu'à souffler, dit-il, ton feu reprendra. »

Quand il rentra au Vallon, Olympe demanda : « Qu'est-ce que c'était? – Rien », dit le Vieux.

Olympe est sèche. Dans son temps, elle a allaité le Zouave, puis Danton, puis Kruger, puis la fille : Prétoria. Elle dit : « J'ai été femme. Mon lit est maintenant plein d'os. Je ne suis plus qu'amadou; le soleil m'enflammerait. Je ne circule plus que dans l'ombre, sous des voûtes, le long des couloirs, des corridors, des enfilades, des passages, des tunnels, des galeries, des vestibules. Je vis de noir.

« J'ai eu ma fleur, dit-elle. J'étais de lait, j'étais une tonne de lait; j'en étais pleine, je ruisselais, je l'ai donné à tous mes enfants. »

Le Zouave en a eu plus que tous, à chaque instant elle lui donnait le sein. C'était l'aîné; il est devenu un bel homme, blond, des moustaches souples à la Clovis.

Il a quitté le Vallon; il avait besoin du vaste monde. Il aime les monstres. Il en a trouvé. Il voulait mille chevaux, il se voulait juché sur des milliers de chevaux : bouldozeurs, scrapeurs, gratteurs, concasseurs, fouisseurs, déchausseurs, broyeurs et autres cyclopes en tous genres [1], les monstres du bois sacré américain, qui transportent les montagnes (mieux que la foi). Et il s'est mis à transporter les montagnes, à emporter les fleuves dans sa gueule, à secouer les rivières aux quatre coins du pays. Il inverse tout, il transporte tout, il emporte tout dans des nuages de poussière, de tumulte, d'effondrements et de fracas.

Il a un prénom : avant de s'appeler le Zouave, il se prénommait Saint-Just. L'abbé Lombardi [2] s'était gendarmé; il avait dit : « Saint-Just, non. Non et non. »

Le Vieux (il n'était pas tellement vieux à ce moment-là) dit : « Tu recommences! C'est mon premier-né et j'en aurai d'autres. C'est mon aîné. Je te préviens : je tiens à l'appeler Saint-Just. Tu m'écoutes ou non?

– Je te vois venir, disait Lombardi (l'abbé).

– Bien sûr que tu me vois venir, dit le Vieux, puisque tu sais que j'irai de toute façon où je veux aller, et ton catéchisme ne me fait pas peur. Alors, vas-y, quoi! Saint-Just, c'est pas terrible. J'y tiens.

– Tu me fatigues, dit Lombardi (l'abbé). Tu m'auras à la fatigue. Tais-toi. »

Et il expédia la cérémonie.

Donc, il se prénomma Saint-Just. Quand Saint-Just fut bien en train de tout inverser, un beau jour, le Vieux eut envie d'aller voir ce travail. Il arriva sur un chantier, n'importe lequel. On changeait bien entendu les montagnes de place juste à ce moment-là : tout s'écroulait, se fracassait, s'écrasait et bouillonnait en poussière. Le Vieux vit là-haut dans les nuées son aîné assis sur la sellette et qui manipulait des leviers, qui tournait son volant, qui sautait et sursautait comme secoué bêtement par un mulet. Il dit : « Il fait le zouave. » Le nom lui resta définitivement.

Pour Danton, Lombardi (l'abbé) dit simplement : « Je te baptise Danton », et il soupira.

« Tu soupires? dit le Vieux.

– Pourquoi pas?

– Tu es libre », dit le Vieux.

Pour Kruger, le Vieux se dit : « Il faut ce qu'il faut. » Il alla au presbytère. Onze kilomètres.

« Tu vas encore..., dit Lombardi (l'abbé).

– Non, dit le Vieux. Ne commence pas à gueuler comme un âne. Écoute. En 1902, mon père m'a mené à Marseille. J'ai vu le Président de la République du Transvaal[1]. Oui. Il arrivait d'un bateau. Il avait un grand chapeau, une grande barbe et une grande lévite. On criait bravo! Et j'aurais voulu m'appeler Kruger, comme lui. Eh bien, tu n'as qu'à baptiser mon troisième Kruger, et ça fera la rue Michel[1]. Je suis pas méchant, tu vois. Il y aura comme ça un petit bonhomme qui s'appellera Kruger. C'est pas grand-chose, mais le nom du pauvre président retentira dans le Vallon, c'est déjà pas si mal. Quand j'aurai une fille (il l'a eue par la suite) je l'appellerai Prétoria, où le pauvre président a chargé avec son grand sabre de bois contre les Anglais rouges. Tu m'écoutes? Sois un peu humain. »

Danton et Kruger ont trois ans de différence; ils se jalousent. Trop de colombiers, trop de bergeries, trop d'étables, trop de charpentes, trop de voûtes, trop de murs, trop de terre pierreuse, nue. Quand on a trop, on fait trop de comptes.

Le Vieux s'occupe des colombiers. Il ne cesse pas de gratter, de récurer, de vider les œufs couvés, de tirer au râteau les cadavres d'oiseaux; de mettre un peu d'ordre dans cette pestilence. Il a choisi précisément ce travail parce qu'il aime l'ordre, et que la pestilence est la démesure. Rien n'est plus démesuré qu'une odeur (surtout aidée par la mort).

Danton gouverne le troupeau. Il voudrait gouverner les colombiers, surtout l'odeur (la puanteur enivre – surtout quand il n'y a plus qu'une légère peste, et le vol des colombes la soulève). Il aimerait ainsi être couronné constamment d'un battement d'ailes, de l'odeur de la mort, et du gémissement des oiseaux.

Kruger est roi du rucher. Il a une trentaine de petits ânes gris. Il les a dressés au silence; il leur a enveloppé les sabots avec du feutre. Ils déambulent sans bruit comme des fantômes; à la queue leu leu, gris, presque blancs, la grande lumière les efface, ils disparaissent, à peine si on voit passer un tremblement dans le soleil. Ils emportent des ruches dans des bâts. Kruger s'en va faire des mélanges de miel. Dans le Vallon, il n'a que du miel d'immortelles, un peu rude, qui emporterait le gosier. Il s'installe pour cinq à six jours dans les quartiers de Vaubelle où il y a des balsamines, des origans fleuris, du persil sauvage, de la piloselle ou oreille de souris dont les abeilles sont très gourmandes[1]; il va quelquefois dans le terroir du Général, sur le sommet où il y a des terres bonnes à triturer, de la tuthie et de la pierre calaminaire[2]. Kruger les calcine, les pulvérise et il les met à rougir au gros du soleil. Les abeilles ne peuvent ici que butiner ces poussières rouges, une sorte d'essence minérale; elles préféreraient n'importe quoi d'autre, mais dans le terroir du Général il n'y a pas de fleurs, rien que des pierres. Kruger installe une ville de ruches, et il se promène dans sa capitale, pendant que les abeilles adoucissent ainsi le miel d'immortelles avec de la tuthie et de la pierre calaminaire. Ou alors il va dans le grand Adrech où sont les taillis de clématites. Chaque fois il décharge les ruches, il en fait une ville, il rassemble les petits ânes, il les abandonne au soleil (ils en ont l'habitude) et ils disparaissent, la lumière les recouvre. Il est le roi; les abeilles grondent comme le temps éternel.

Kruger a très envie d'avoir des troupeaux (et pourquoi pas celui que gouverne Danton? Plus de deux mille têtes). Il a besoin de nombre; il ne compte que par essaims; il se sent bien, seul en face de cent mille (minuscules s'il faut, mais cent mille); il est constamment un peu ivre, très frais. Il dit : « C'est noir de mouches, c'est noir de monde. » Et pour lui, quelque chose qui éclate, c'est noir. « Je ferais une armée, se dit-il : d'abord mes ânes, trente-quatre, presque tous gris, chargés de ruches fumantes, et ils sortiraient sans bruit de ce sacré Vallon nu et cru, fait de pierrailles et d'immortelles, et ils disparaîtraient dans le soleil, en ne laissant que le tremblement de la lumière. Alors s'avanceraient les béliers, beaucoup de béliers, bien plus de béliers que n'en a jamais eu Danton (qui n'en a jamais qu'une vingtaine). J'en voudrais des centaines; je les vois s'avançant à petits pas, balançant la tête, les lourdes cornes, les babines à ras de terre, puis moutonnant sans s'arrêter de moutonner, lentement, pas à pas, les uns et les autres sur les flancs de ce sacré Vallon et disparaissant aussi dans le soleil. Il ne resterait plus que moi, noir comme un pétard... »

Prétoria est laide; pas terrible, hélas, simplement laide. « Viens », dit Olympe. Elle voudrait l'entraîner avec elle dans l'ombre de la maison, au milieu du chochotement des bêtes. Mais Prétoria se dégage du bras qui l'emporte. Elle n'a pas du tout envie de piétiner dans un labyrinthe comme sa mère. Le soleil ne l'effraie pas. Elle sait que la laideur a autant de clients que la beauté; pas les mêmes, bien sûr, pas les téméraires, mais, se dit-elle, je n'ai pas besoin des téméraires, il y a les timides, des quantités de timides qui ne demandent pas mieux. Elle n'a que vingt ans[1], elle est encore très maternelle. Elle prend la jeep; elle va à la foire. Elle se dit : « Celui-là, par exemple, qui n'ose pas, qui n'osera jamais, je le prendrai, je le caresserai, je lui ferai du bien. Ou l'autre, là-bas; il est encore bien plus joli. Il ne regarde jamais en face. Il se détourne, il se cache, il a peur de tout. Jamais personne ne l'aidera. Je l'aiderai. Il aura tout ce qu'il veut. » Et parfois elle tremble, vidée de son sang, bras ballants, plantée sur ses pieds, stupide : elle voit passer un bel homme plein de ronds, plein d'éclairs, plein de balance, et elle se dit : « Oh, mon Dieu, non, non, non, non... »

Ils sont tous à la foire : Prétoria, Danton, Kruger, le Vieux. Ils ne font pas d'affaires, ils se baladent. « On ne peut pas toujours être confiné dans le Vallon, se dit le Vieux. J'ai tout fait sur cette pierraille nue. Il n'y avait qu'un fil d'eau; un fil; et, à côté de ce fil que la terre buvait, quelques touffes de prêles, ce n'est même pas de l'herbe, c'est du poil. J'ai planté mes piliers, j'ai dressé mes murs, j'ai allongé mes façades, j'ai couvert mes charpentes, j'ai six cent trente mètres carrés de toitures. J'ai creusé dix mille mètres cubes de citernes. Depuis cinquante ans j'entends (et tout mon ménage entend au fur et à mesure qu'il se met à vivre) jour et nuit, sans arrêt, le grondement de ma fontaine qui tombe dans mes bassins souterrains.

« J'aime beaucoup la petite ville. J'ai construit, j'ai élevé, j'ai excavé et j'ai capté énormément, surtout de l'eau claire; je l'ai enfouie et elle s'entasse dans mes caves, sous mes fondations. Maintenant je me régale dans la petite ville. J'en fais le tour par les boulevards. J'ai le temps. (J'ai quarante-sept piliers d'un demi-mètre de diamètre, cent treize voûtes superposées depuis les assises jusqu'aux greniers; je n'ai jamais compté la surface de mes plain-pieds et de mes parquets en mètres carrés, ni en mètres courants la longueur de mes corridors. J'oublie volontiers le cubage d'une énorme quantité de matières construites, par moi, ou par mon ordre.) Je regarde les vitrines. Il y a toute une exposition : des souliers vernis, des boîtes de conserve, des légumes pour les fonctionnaires, ou les bureaucrates, ou les professeurs, ou les députés. Ils achètent une aubergine, ou une courgette, une salade. Ils ouvrent une boîte de petits pois, ou de la langouste des pêcheries de Mourmansk. Ce sont des gens qui s'organisent. Les commerçants ont certainement beaucoup de sous. Et moi : j'ai combien de moutons? Bon sang! Je ne sais pas. Je n'ose pas. Je ne risquerai pas un chiffre. Ce n'est pas une question de chiffre; c'est qu'un chiffre n'en démord pas. Un c'est un, deux c'est deux, trois c'est trois, ainsi de suite. Deux mille six cent quatre-vingt-trois, par exemple, – je sais très exactement – c'est un chiffre, il n'en démord pas; mais si tu ajoutes quarante béliers (c'est aussi un chiffre) ça fait combien? Ça fera combien dans quelque temps? Sans que je m'en mêle, avec la semence? Il sera bien obligé d'en démordre. Entre vifs (comme dit le notaire) il n'y a pas d'arithmétique. Ce n'est que pour les machines que Monsieur Barême a raison – entre morts. Mais je n'ai qu'une centrifugeuse pour le miel, et la jeep, ça fait deux – et encore : la jeep a cent ans de dimanches [1], on l'a eue à des surplus. Il y a de très jolies machines au garage où on vend des machines agricoles. A une époque, il y avait aussi un banquier : Monsieur Aubert de Pical. Ce n'était pas un noble, ça voulait dire : Aubert, successeur de Pical. On cherche toujours des choses extraordinaires et c'est zéro. Maintenant, il y a des Sociétés, et anonymes, avec le capital social, le siège social et des succursales. Les machines ne font pas des petits. (Je n'ai que la centrifugeuse et la jeep, ah oui ! j'ai aussi un butagaz.) Pour faire des petits, il faut des mécaniciens, des factures, des Monsieur Doit... par conséquent des Sociétés, naturellement anonymes et en avant la musique !

« Aubert de Pical, on entrait d'abord (j'y suis allé deux fois en tout et pour tout) dans une chambre sourde. On n'y voyait rien, surtout si on venait du grand soleil. Il fallait s'accoutumer, avant de voir, vaguement, une sorte de grillage et un guichet; de l'autre côté du grillage, sous le guichet, qui s'éclairait d'une lampe-pigeon (et auparavant, la première fois, une lampe Carcel), on voyait tout d'un coup cette vieille pomme de père Aubert de Pical qui grognait. Moi aussi, j'ai grogné, et pourquoi pas ? Il me disait : " Qu'est-ce que vous faites de vos sous ? " Je répondais : " Ah !... " Un point c'est tout. Je n'aime pas me compromettre. Le fameux Aubert de Pical me regardait par-dessous ses bésicles. Moi aussi : un chien peut très bien regarder un évêque. Il avait landau et voitures à l'époque. Ça ne me fait pas jeune. Puis il a eu des autos. Il avait un domaine à La Verrerie, femme et enfants d'ailleurs, j'ai passé une fois dans ces endroits-là. Il avait beaucoup d'herbe et de l'eau en veux-tu en voilà : des fontaines, des ruisseaux, des bassins (à l'air libre), une eau rigolote, presque perdue. Elle courait à l'abandon sous les arbres. »

Olympe garde la maison. Elle aime être seule. « Les hommes, dit-elle, regardent les choses de haut (une jeune fille, Prétoria, n'est jamais qu'une sorte d'homme, tant qu'elle est fermée). Les femmes regardent terre à terre les détails.

« Les hommes (et Prétoria, qui n'est pas une femme, loin de là) sont partis pour la foire; je suis à mon aise. Les domestiques vont et viennent, au ralenti, et loin de moi. J'ai le temps, et du large, pour m'occuper de moi. »

Elle fait la soupe. Elle s'installe sur une chaise basse, les cuisses largement ouvertes pour prendre tous les légumes dans son tablier. Elle a toujours fait ses couches accroupie, même pour Prétoria en 1940, comme elle est maintenant accroupie devant le chaudron de la soupe.

« Le Zouave était très gros, se dit-elle; il avait déjà les épaules carrées. Elles ne passaient pas facilement. J'ai travaillé des heures; des sueurs de mort, ma belle!

« Prétoria, non, minuscule, elle a glissé comme un fuseau. Je ne savais même pas si j'avais fait quelque chose. On m'a dit : " C'est une fille. " J'ai dit : " Ah bon! " Le premier était le Zouave, Prétoria était la dernière. Je le sentais : qui pouvait glisser désormais plus facilement qu'un fuseau? Rien. J'étais finie. Il faut s'envelopper dans des voûtes, des escaliers, des corridors. »

Olympe a toutes sortes d'occupations machinales; son corps est distrait et vagabond; elle est nonchalante et paresseuse comme les pierres froides.

Elle écoute : un domestique siffle un air de la télévision; un autre fait un bruit avec un outil quelconque; il doit y en avoir deux au rucher; on entend traîner des seaux sur le carrelage; les bergers sont partis avec le troupeau; un autre, ou peut-être deux, sont restés et grattent avec des râteaux; dans les étables, des chaînes tintent. Tous ces bruits sont très délicats, espacés les uns des autres; il faut y prêter attention, sinon ils passent pour des remue-ménage de souris, le soupir des murs, le craquement des meubles qui se dessèchent, le silence (tant que la soupe n'a pas encore pris son bouillon). Même celui qui siffle là-bas ne trouble pas le monde compact. Elle aime ce mortier solide.

Elle va voir. Elle s'approche de la porte : c'est une simple découpure sur du blanc ardent. Le chat noir précède Olympe, il passe le seuil, il sort, la lumière l'écrase, il disparaît. Il n'est plus qu'un peu d'air sirupeux.

Olympe se garde bien de sortir, elle regarde. Les corbeaux descendent des hauteurs; ils se perchent sur le mur de la cour; ils disparaissent aussi : ils ne sont plus qu'un peu d'air tremblant. Ils dorment en étreignant de toutes leurs griffes les pierres brûlantes. Immobiles, ils apparaissent en éclairs comme des flammes noires; elles s'éteignent en un clin d'œil dans l'aveuglante blancheur. Blanc pur qui ressemble à du silence malgré, de temps en temps, la vague rumeur des domestiques qui sifflent ou grattent, trimballent des seaux, font tinter des chaînes ou interpellent un cheval. Le champ de maïs (au-delà des murs de braise de la cour) miroite.

« C'est pourquoi, se dit-elle, je laisse les hommes faire leur trafic naturel dans le soleil, comme je laisse Prétoria faire son compte tant qu'elle est une sorte d'homme. Ils essayent de se débrouiller à l'aveuglette; moi j'ai besoin d'ombre, de voir, d'entendre.

« ...les sérénades aux filles de Jeanton. Une s'appelait Paule. Il y avait un grand mince et un petit râblé, il jouait du hautbois. Je les entendais de ma maison. Je couchais sous les toits avec ma mère; elle ne pouvait pas dormir tellement il faisait chaud, elle s'éventait toute la nuit. J'écoutais le hautbois, ses roulades comme un oiseau, et la voix du grand mince, si froide, si noire, qui ne s'arrêtait plus (ni le hautbois); ou alors, c'était l'écho dans le feuillage des ormes, me semblait-il, ou le battement de l'éventail de ma mère, et je m'endormais.

« Je me réveillais quatre ou cinq fois, ruisselante de sueur. Il faisait tellement chaud! Nous entendions grésiller les tuiles et craquer les poutres. Ma mère relevait ma chemise et m'éventait, et je me rendormais, juste le temps d'entendre le battement d'aile de l'éventail, la roulade d'un rossignol (pas du tout le hautbois cette fois – il était très tard), et j'entrevoyais à peine une étoile, énorme, dans notre ciel ouvert.

« La petite fille dort, mais elle peut entrevoir une énorme étoile au ciel ouvert, dans la chambre sous les toits où nous couchions avec ma mère, tous ces étés oppressants. Il y a une très grande différence entre une petite fille et une jeune fille : les petites filles voient des quantités de choses, rien qu'en entrevoyant, et jusqu'à une énorme étoile, tandis qu'une jeune fille est une sorte d'homme, comme Prétoria.

« Grand-mère mourut interminablement, en tout cas pendant plusieurs étés (malgré les sérénades aux filles Jeanton). A la fin, nous couchions, ma mère et moi, dans la soupente, loin des gémissements, mon père restant en bas en cas d'histoire.

« Mon père était taillandier. Nous avions un peu de bien. J'étais fille unique. Ma mère était une demoiselle Jaquier, très célèbre ici, une artisane, par conséquent. Elle lisait des feuilletons, j'ai encore son lorgnon dans un tiroir. Ses cheveux longs descendaient jusqu'à ses pieds ; une coiffeuse venait chaque matin les peigner, les natter, enrouler le chignon et l'épingler. Elle portait des manches à gigot, des capelines avec des grappes de raisin, ou des dahlias en étoffe, ou alors des feutres avec des plumes-couteaux. Vint aussi la mode de porter à la taille un gros bouquet de violettes également en étoffe.

« Ma mère gardait sa fleur d'oranger en celluloïd dans le globe de la pendule *Pierrot et Colombine* ; elle y est encore ; la mienne est dans le globe du " bronze " *En patrouille* ou peut-être *Le Gladiateur mourant;* à moins que ce soit la fleur d'oranger de la tante Hélène qui soit accrochée au gladiateur mourant ; la mienne serait alors à la pointe de la lance du uhlan. Nous nous sommes toutes mariées en blanc.

« On photographiait ma mère : avec mon père, avec ma tante Hélène, avec moi en canotier et chaussettes rayées, en groupe, ma mère au milieu et, de chaque côté du groupe, une sœur de la Présentation. On retrouve la pharmacienne, le pharmacien, Madame Clara, la Philarmonie.

« Madame Nicolas, bien qu'opulente, mourut de la grippe espagnole ; une bouchère, Madame Franc, en mourut aussi. Déjà à cette époque la Philarmonie battait de l'aile ; néanmoins elle jouait très bien *Joyeux Tirelis* [1] qui est très difficile à la clarinette. Il faut dire qu'il y avait de très bons sujets. Nous aimions tous la musique. Et puis la vie tourna.

« L'odeur des oiseaux me fait peur. Elle m'attire ; c'est une puanteur brûlante. La pourriture est simple, mais elle est très compliquée quand il s'y ajoute la décomposition des œufs : la mort est naturelle, mais l'œuf qui se décompose me désoriente.

« J'ai failli mourir; j'avais beaucoup de fièvre. Je suais, j'inondais mon lit. Je n'étais qu'une enfant. J'avais tout à attendre des autres, je ne savais pas me sauver toute seule. Je ne connaissais que l'odeur de ma sueur. J'étais encore dans la soupente sous les toits, comme chaque fois que la mort rôdait dans la maison. La fenêtre ouvrait au ras des génoises; sous le creux des tuiles nichaient des ribambelles d'hirondelles. J'entendais leurs criailleries (dans ma fièvre); en soulevant mes paupières lourdes, je voyais les énormes gueules jaunes des oisillons. Les mères leur apportaient des becquées; tout en épine noire, les ailes aiguës, les queues fourchues, nerveuses comme des folles gémissantes. La saleté qui s'accumule dans les plumes, leur corps brûlant qui distille l'odeur, et leur fiente avec laquelle ils bâtissent ou tapissent leurs nids – les deux peut-être. Ma mère me donnait des gorgées de tisane, à la cuillère à café. Elle ne s'était plus couchée (juste quelque repos dans le fauteuil près de mon lit), peut-être même plus changée de linge, elle avait gardé sa vieille camisole. De tout le temps que j'ai été malade, la coiffeuse n'est pas venue coiffer les longs cheveux de ma mère, si bien que, lorsque la fièvre me quitta, je vis le chignon de ma mère écroulé sur son épaule (elle toujours si nette).

« C'est exactement comme un cerf-volant. Ah! J'ai toujours désiré avoir un cerf-volant. Et un cheval mécanique, et une carabine à air comprimé. Avec un cerf-volant, un cheval mécanique et une carabine à air comprimé, j'aurais été en paradis. Non. Ce n'était pas de mon temps; ce n'était pas non plus de mon milieu; nous étions assez riches, mais un cheval, une carabine et un cerf-volant à une petite fille, non; et cependant, quand on connaît la vie...

« Le fils Arnal (Arnal frères, marchand de cierges) avait un cerf-volant. Le curé Odemar l'avait fabriqué avec de vieilles *Croix*[1], de la colle de pâte, des roseaux et des papillottes (pour la queue). A ce moment-là, je ne l'enviais plus;

j'avais d'autres soucis. Le fils Arnal était un peu plus jeune que moi, à peine, deux-trois ans, mais cette différence d'âge suffisait, j'avais déjà fait du chemin.

« Dès que j'avais un moment de libre, je montais vite mettre le nez à la lucarne de la soupente. Je voyais s'élever le cerf-volant; il se dandinait, il bourdonnait un peu, propre, net, sans fiente ni œufs pourris. Mais je regardais au-delà : à l'horizon, sur les crêtes là-bas, la grande ferme avec ses bosquets et ses pignons : les Maugras, sacré famille! Trois fils, ils se battaient comme des chiens, père, mère, frères; il ne se passait pas de semaine... Les gens qui en revenaient disaient : " Ils sont encore là-bas en train de se flanquer des peignées. " Ah, les Maugras!... Finalement, j'en ai pris un.

« Un beau; ni le premier, ni le dernier : celui du milieu [1]. Il m'avait fait la cour. Je m'étais bien débrouillée pour qu'il s'enferre. Ce lion était doux pour moi. Je crois que les Maugras se battaient pour le plaisir. Il était bien un peu question de gros sous, mais ils se foutaient beaucoup plus de beignes que les sous n'étaient gros. S'arracher de son plaisir pour me chercher était flatteur. Il faisait envie.

« Il fait encore envie. Il a perdu un peu de sa dorure (après plus de soixante-dix ans) mais il en reste. A revendre : certains parlent encore de ses bagarres, de sa famille, en particulier de la mort de son père, de sa mère qui s'envola dans les arbres, des frères (il en restait deux, il n'en reste plus), du Vallon, ce sacré Vallon (notre maison), où il n'y a pas de vallon du tout, au contraire : une terrasse plate, rocailleuse, dure, nue; un simple nom de gloriole, comme les noms de ses enfants; et tout un chacun voit ce qui est construit (autour du Vieux) : les colombiers, les ruchers, les bergeries, les voûtes dont on parle, ou qu'on entrevoit, qu'on imagine, et les citernes énormes où il a (dit-on!) emmagasiné sous terre l'eau, l'ombre, et de longues pailles de soleil passant par le soupirail.

« Ah, le Vieux, je le connais, et comme ma poche. Je ne suis rien, encore moins maintenant; c'est même tout juste si j'ai été. Mais je peux parler, qui m'empêche? Et sans discours, trois mots, trois : miracle, cocagne et orgueil, c'est tout. Quand il me toucha de la tête aux pieds (il s'impatientait dans mes jupons; je me laissais faire) : miracle, cocagne, orgueil; le père étendu comme un porc, la gorge crevée, saigné à blanc sur des sacs d'orge : miracle, cocagne, orgueil; oh, et la mère s'envolant par-dessus les fayards, et les frères moulus comme farine, finalement. Un jour, à quatre heures de l'après-midi – c'était l'hiver – nous avons dansé, le Vieux et moi (enceinte de mon premier) au son d'un piano mécanique dans un bistrot de Meyrargues : la nuit tombait. Il a fait le diable à quatre; il a fait 14; 40, non : il n'était pas mobilisable. Je voudrais bien revoir ma mère, et tout ce qui fut emporté aux quatre coins du vent, sauf moi; et tout ce qui fut construit. Trois mots : miracle, cocagne, orgueil! Voilà le portrait du Vieux tout craché.

« Nous avions un maçon qui aimait les murs épais. Moi aussi, je les aime. Avant même de les voir sortir de terre, j'allais les tâter dans les fondations. " Épaississez-moi encore un peu ces murs ", disais-je. Ils étaient monstrueux quand ils s'élevèrent pour se voûter, ils échappèrent à ma vue, tellement énormes, tellement forts. Je croyais être pompette; pourtant je n'avais pas bu : j'étais toute chavirée. C'était la force des murs. Je me disais : " Qu'est-ce que nous allons faire de ces catacombes! – Eh bien, tu t'amuseras ", me dit le maçon. Certes oui, je savais bien que je m'amuserais, mais à ce point-là, on ne s'amuse plus que timidement. " Vas-y, vas-y, dit le maçon, va voir, va te balader dans les caves. " En bas, la source remplissait (déjà) tout doucement le bassin, et des échos vivaient à leur aise sans s'occuper de nous, comme s'ils étaient chez eux. Ah non, bien sûr, le maçon avait raison, il fallait tout de suite s'imposer; il était absolument nécessaire d'être présent; sans la présence, les choses vous échappent. Et je voulais que les choses soient à leur place. On ne peut pas laisser une fontaine toute seule. " Pourquoi? dit le Vieux, qu'est-ce qu'on risque? On a une surverse[1]. "

Ce n'est pas une question de surverse. Ah! J'en ai vu des fontaines! Chez Monsieur Roy, il y en avait deux : une pour faire boire les chevaux, l'autre une fontaine de plaisance pour Madame Célina, sous les saules. Et j'ai très bien connu cette Célina : elle est partie avec le lieutenant. Quelle histoire! Et je voyais très bien comment ça allait finir. Tous les soirs il passait par la petite porte et Célina éteignait les lampes. Ils n'étaient plus que tous les deux dans l'obscurité; ils se tâtaient et ils se rencontraient. Pendant ce temps-là Monsieur Roy faisait sa partie de bézigue au café Pécoul[1]. Je me disais : " Ça ne fera pas long feu. Ils ne tarderont pas de prendre le large. " Le fait est qu'un beau soir... vogue la galère, c'est le cas de le dire. Le lieutenant n'était pas la fine fleur; il finit, peut-être un an après, par la laisser en plan. Elle fut obligée, je crois, de faire des ménages. Elle qui avait le pain et le couteau, une maison toute montée, de l'argent de poche et finalement une fontaine! Quand Célina fut partie, Monsieur Roy me dit (il m'aimait bien) : " C'est surtout pour la fontaine que j'ai du chagrin. Je l'ai construite en pierre de Rognes[2] et l'eau vient d'un aqueduc du tonnerre de Dieu, dans les collines, de l'eau de roche, superbe, je l'avais choisie. Maintenant, elle va mourir, tu vas voir. " Je le trouvai bizarre : comment une fontaine pouvait-elle mourir? Eh bien, elle est morte, bel et bien. J'ai tout fait pour la sauver : je venais m'asseoir à côté d'elle, je lui parlais, je la touchais, je l'écoutais (c'est parfois très important d'écouter ceux qui souffrent), j'étais très gentille avec elle. Elle ne m'écoutait pas. Je sentais bien qu'elle n'avait besoin que de Célina. Et Célina préférait le lieutenant. Elle a périclité, elle noircissait; sa voix se voilait; la mousse l'embarrassait; enfin, elle ne fut plus qu'une fontaine ordinaire, morte donc.

« Et j'ai dit au Vieux : " Fais-moi un chemin de ronde pour que je puisse me promener à mon aise autour des bassins, en bas dans ces catacombes (comme dit le maçon). " On le fait; on fait même un plan incliné – la maison sortait à peine de terre – pour que je puisse descendre à mon aise dans ces profondeurs. Je me promène donc autour des bassins : c'était un concert d'échos, et peu à peu je m'attache à cette fontaine. C'était une eau de paille, brune, presque noire, luisante sous le rayon du soleil qui passait par le soupirail, fraîche, bien sûr, dans ces caves, légère comme le vent. Je me goberge; je circule dans l'ombre. Je serais encore en train de m'y goberger.

« Un beau jour, le maçon vint me tirer de là : " Alors, ma belle, dit-il, qu'est-ce que tu fiches dans ton domaine? Nous avons déjà construit tout un univers, nous, viens voir. Ta maison te recouvre. – Ils ont donc fini par se rejoindre, ces murs qui partaient jusqu'au fin fond du soleil, dis-je. – C'est que nous avions bien l'intention de les obliger à se rejoindre. Tu voulais un toit au-dessus de ta tête? Eh bien, je crois que je t'en ai fait un. Viens voir. "

« Il me tire donc des entrailles de la terre où j'étais si bien, j'émerge et je débouche sur le plain-pied : je me trouve dans une vraie salle de bal, parole! Large, longue, voûtée, de toute beauté. Cette dimension me va bien, cette voûte m'enchante. Je me dis : Ça me plaît, c'est vaste mais solide; je déteste les camps-volants. Ici, c'est mon cocon, c'est ma coquille; je vais y fourrer des quantités de choses.

« " Attends, dit le maçon, tu n'as pas tout vu. "

« Nous prenons un long corridor. Ah, c'était déjà un empire! Un escalier, je m'élance, je monte, il tourne, je tourne, la tête me tournait. " Doucement, disait le maçon, doucement, les basses. " Ah, tant pis! Je me disais : Tourne, tourne, saoule-toi, tu es chez toi! " Minute, dit le maçon, tu ne vois pas la moitié des choses : je t'ai fait des quantités de petits refuges. Tu as déjà passé, sans les voir, devant deux ou trois petites chambres sourdes que j'ai cachées dans les détours de l'escalier; elles sont pourtant très intéressantes, tu verras. Il faut voir les détails, c'est plein de machin-chouettes. Je n'ai pas fait une maison pour dire qu'on en a fait une, mais pour qu'on s'amuse. Là, par exemple... " (Nous étions sur le palier.) Je lui coupe la parole : “ C’est, dis-je, censément le premier étage? – Je te vois venir, dit-il, qu’est-ce que tu racontes avec ton “censément”? – Ce n’est pas tout à fait un premier étage, dis-je. – Juste, Auguste, dit-il, ce n’est pas tout à fait un premier étage, c’est en réalité une cave. Tu veux garder tes richesses? – Oui. – Tes commodes? – Oui. – Tes tiroirs, tes placards pleins de draps? – Oui, pleins de draps, pleins de quantités de choses encore, et mes coffres, et mes resserres, et mes réserves, et mes cachettes, et mes boisseaux, et mes recoins, et mes cache-pots, et mes caisses, et mes boîtes, et mes cartons, et mes malles. – Bravo. J’avais tout prévu, dit-il. Tu ne veux pas les laisser à l’abandon? – Oh, certes non! – Dans des murs en papier à cigarette? – Non! – Dans la bise, la bourrasque et le soleil (il est beaucoup plus emmerdant que ce qu’on croit). – Non, ni mes amours, ni mes cœurs, ni mes tendres, rien. – Dans une maison qui branle au manche? – Oh non! – Eh bien, regarde! ”

« Il ouvre une porte. Je n’avais jamais rien vu d’aussi beau! Aux embrasures des fenêtres, le mur avait plus d’un mètre d’épaisseur, le plafond était voûté. “ Toi qui disais que les murs ne se rejoindraient pas, dit-il, regarde! ”

« Ah! C’était très exactement ce que je voulais : la sécurité. Dormir enfin, dormir sur mes deux oreilles! “ Je le savais, dit-il. Quand j’avais onze ans, mon père a fait faillite. On nous a vendu nos meubles à l’encan, sur la place publique. Je me suis dit, si jamais un jour je fais une maison à mon idée, il ne sera plus question de place publique, mais d’une cave, rien que des caves, depuis les fondations jusqu’au toit. ” Sapristi que j’étais contente! Il avait fait une maison à mon goût. “ Le Vieux m’a demandé de grands greniers, dit-il. Ils sont là-haut dessus, viens voir. ” Je voulais rester à ce premier étage, si agréable, si bien enfermé; tout voir, tout revoir, renifler dans tous les coins et les alcôves (il avait mis des alcôves partout). Je me voyais déjà en train d’habiller mes étagères en gros papier bleu, puis d’entasser mes draps, mes satinettes, mes écheveaux, mes laines, j’ai des quantités d’histoires!... J'ai encore les jupes de ma mère, qui elle-même avait les cotillons de sa propre mère, ce qui fait que je les ai; des couvertures piquées, du cadis et du feutre, des plaques de feutre qui viennent de l'an quarante, on ne sait plus de qui : l'oncle Ugène, ou va savoir; dans un temps, on en faisait des bérets, ou des surcots, ou je n'en sais rien, je ne sais pas quoi, certainement plus rien maintenant, mais je ne voudrais pas perdre ce feutre pour tout l'or du monde. On ne sait pas, peut-être un jour, les temps sont tellement drôles!

« Et les édredons, et les couvre-pieds, et il en faut! Et des boîtes de boutons, j'en ai au moins une cinquantaine, des rubans, même des plumes : j'ai encore un boa en plumes de ma marraine; elle faisait la pluie et le beau temps (il n'y a qu'à y mettre des boules). Et des pendules. Oh, mille choses, je ne vais qu'au plus pressé : des pendules dans des globes; ou sans globe, des quantités, elles viennent des quatre coins de la famille. Il y a les grosses qui marchent à peu près, et celles qui ne marchent pas. Oh, une qui doit provenir de la Philarmonie; je ne sais plus qui avait gagné le premier lot de la tombola : un *Cuirassier de Reichshoffen* en albâtre, et qui m'est revenu. J'ai des coucous, deux ou trois; il suffit d'y mettre des chaînes et les poids. Oh, autre chose : des lampes! Alors, des lampes, j'en ai à revendre : des à pied, des suspensions, à pétrole bien sûr, en cuivre, en verre, en plomb, en truc, en chose...

« " Alors, me dit-il, tu rêves? Tu n'as pas besoin de t'en faire. Ne rumine plus. Flanque-moi tout ça en vrac : c'est exprès que je t'ai fait des casemates. Viens voir le vent. "

« Il prônait le vent, c'est facile, il n'a pas le sou.

« " Pas du tout, dit-il. Qu'est-ce que tu t'imagines! J'ai ma chair et mes os, d'abord, et ensuite les apparences. Tu connais les apparences? – Non. " Nous montons aux greniers (j'aurais préféré voir toutes mes chambres fortes, enfin il y tenait). Je dis : " Oui, c'est vaste, et je vois bien que le Vieux entassera là-dedans des foules de grains et de fourrages, et peut-être même des lavandes, et peut-être bien des quantités de denrées. Si c'est ça ton vent!... – Oh, pas du tout, dit-il. Est-ce que tu n'as jamais écouté la mer dans un coquillage? – Si, cent fois. – Alors viens ", dit-il.

« Il applique une échelle contre le mur. On arrive à une trappe, il la pousse, il l'ouvre, il fait un rétablissement, hop! il est en haut. Je le suis, hop! moi aussi. Alors, là, c'est tout à fait autre chose! C'est tellement extraordinaire que je ne comprends pas d'abord ce que signifie cet enchevêtrement de poutres, de chevrons, de voliges, de potences, de passerelles, de ponts-volants, d'échelles. Il me semble vaguement que toute cette construction paraît être une charpente, peut-être la charpente de ma toiture, ou une coquille, mais... Le maçon met un doigt en travers de sa bouche. Il faut se taire. Je me tais, j'écoute : j'entends le vent, le vent fantôme roule tambour. Je dis timidement : " Pourquoi m'as-tu tirée de mes catacombes? Écoute : la charge bat! – Oui, murmure-t-il, mais je t'ai fabriqué une sorte de trône, présente-toi, tu vas voir. "

« Il me pousse vers une des lucarnes. Je regarde, il a raison : je suis reine! Reine des apparences, je suis éblouie. La lumière – il est midi – a tout effacé. Il n'y a plus de monde, un brouillard de chaleur le couvre. J'aperçois l'horizon : les collines, les bois, les montagnes à peine charbonnées. Ce sont des ombres. Je mets cependant des noms là-bas. Le Poil-Majastre, une montagne : une trace de suie, ou plutôt une trace de craie, blanc sur blanc, à peine marquée (elle est pourtant couverte de forêts, je sais); les Quatre Gués : il ne s'agit pas de gués comme vous et moi, mais une simple croisée de chemins dans des landes, au tonnerre de Dieu, loin sur des hauteurs plates, désertes, la sauvagine, des renards, des hiboux, on dit des loups, malgré l'époque. Quand j'ai regardé par la lucarne de ma maison toute neuve, encore inhabitée, sauf moi dans les catacombes, vide, sans meubles, et le maçon m'avait fait un trône! J'étais jeune, quarante ans plus jeune, peut-être grosse de mon premier, ou à peine; maintenant, j'ai trois fils et Prétoria, je ne suis plus qu'un fagot de bois mort. Cependant, il y a deux ans, le vieil Uxebis Abdon est passé avec sa camionnette, et il nous a montré un loup qu'il avait tué précisément aux Quatre Gués. " Affaire, disait-il, d'avoir simplement comme avant la patience d'attendre contre le vent, sans bouger, et le loup arrive, malgré les avions et les saloperies. On disparaît vite, mais les choses ne disparaissent pas. " C'était un beau loup couché sur le plancher de la camionnette, la gueule en sang : " En pleine tête, j'ai pas fait le détail, dit Uxebis Abdon. – Qu'est-ce que tu vas en foutre de ce bestiau? – Peut-être en manger, j'ai idée, je mange de tout, sinon je saurai jamais ce que c'est. " Il nous parla des Quatre Gués, des vols de corneilles qui couvraient sans arrêt les landes désertes, des gros hiboux qui sautaient à cloche-pied dans les absinthes; il a été pris (de surprise, il a emballé son moteur, dit-il) dans un passage de rats, des milliers, qui s'en allaient, où? Je n'en sais rien, dans l'ouest. Qu'est-ce que c'est, l'ouest, aux Quatre Gués? Oh, rien : ils allaient au petit bonheur la chance. J'imagine qu'ils étaient décimés par les aigles, les renards, ou des choses... Ce sont des quartiers pas très catholiques, on y va très peu, il faut Uxebis Abdon, il est le seul, je crois. Par contre, moi, simple femme, je suis allée toute seule dans la forêt de Janas. Je l'ai vue, à son heure, quand j'étais sur mon trône de reine, par la lucarne, dans la charpente de ma maison, inhabitée, vide, ce midi-là, à travers le brouillard de chaleur. C'est au-delà le mont Apollon, les crêtes du Plan, une trace un peu plus noire, comme de l'encre; je n'en connaissais à ce moment-là que le nom de forêt de Janas, sans savoir qu'un froid glacial et un feu de Saint-Jean m'y attendaient. Je suis allée soi-disant faire l'affaire pour un verrat primé, chez Hermolaüs (un pire verrat). Si le Vieux avait eu un peu de jugeote, il n'aurait pas envoyé une femme (moi) chez ce phénomène, seule dans les bois (il avait peut-être une idée dans la tête). Très beaux, ces bois, c'est vrai, surtout pour nous, pour moi, qui ne voyons jamais d'arbres, jamais d'ombres, jamais de fraîcheur, jamais de repos. Et là, c'était l'ombre et la paix; des feuillages épais, pleins d'écume; des trembles qui ruisselaient sans vent; une odeur de champignon ou d'un moisi si charmant, si rare; des perspectives qui s'ouvraient, se refermaient à chaque pas; j'avais été obligée de laisser la jeep à la fin du chemin charretier et j'étais entrée dans un sentier. J'étais beaucoup plus seule qu'avec moi, beaucoup plus; sans rien, glacée jusqu'aux os avec une tendresse horrible, tout était beau! J'étais prête. Quel cochon, un bouc; enfin, non. C'est mon affaire, tant pis (ou tant mieux).

« Comment veux-tu qu'à travers un brouillard de chaleur aussi épais qu'un lait d'amandes tu puisses voir à vol d'oiseau les chênes, même millénaires, du " Bordel Chinois "? Et j'étais loin d'imaginer... J'ai ramené en pleine soûlographie le Vieux dans une charrette prêtée par Clélie Hubard, un mercredi des Cendres en 53. Il pleuvait à seaux. Il y avait eu d'abord l'hiver et un bistrot. Nous revenions d'acheter, ou de vendre, de l'essence de sauge et de lavande. Chez un particulier, une sorte d'empereur; il avait encore tout son stock d'essence (de sauge et de lavande). Qu'est-ce qu'il voulait en faire? Le Vieux s'est foutu en rogne. Il est mauvais dans ces cas-là. L'empereur nous a balancés avec pertes et fracas. On a filé, et la jeep nous a laissés en plan dans un drôle d'endroit, dans les nuages. A la nuit, et qu'est-ce qu'il tombait! on a vu heureusement une lueur, une fenêtre éclairée, peut-être, oui. On a couru, c'était plus loin que ce qu'on croyait, et qu'est-ce qu'on a pris!

« C'était une sorte de bistrot : " Une sorte de jambon, une sorte de sel, une sorte de soif, une sorte de vin, une sorte de pluie, une sorte d'hiver, une sorte d'empereur, un bordel chinois ", a dit le Vieux. Il s'est commencé avec des canons et il s'est fini avec des petits verres. Ratiboisé, à plate couture; à ne pas mettre un pied devant l'autre. Je me suis dit à voix haute : " Tu es fraîche maintenant, tiens! – Tu as un toit sur ta tête, dit la femme (veuve je crois, patronne en tout cas), un bon feu, qu'est-ce que tu veux de plus? Laisse donc roupiller ton bonhomme. De toute façon, écoute ce qui dégringole. Qu'est-ce que tu ferais? " De fait, c'était un déluge. Finalement, la veuve et moi, nous avons cassé la croûte, comme des patates. Après on a taillé des bavettes. Le Vieux ronflait de plus belle, il faisait même des bulles.

« La veuve a été institutrice. " J'ai le brevet supérieur ", dit-elle. J'ai dit : " Moi aussi; même j'aurais pu aller plus loin, sans forcer. J'étais bourgeoise, mais j'ai cherché à sortir de ma condition. Je voulais jouer avec le feu. – Moi, dit-elle, j'ai exercé dix ans, mais je n'avais pas le don. Je n'ai jamais su parler aux enfants : c'est un monde! Tandis qu'aux hommes, aux hommes saouls, alors là, c'est mon affaire. " J'ai dit : " Moi, je veux être riche. " »

A l'entrée de l'hiver, Léonce le berger demanda son compte.

« Finalement, dit-il, j'ai plus de quatre-vingts ans. Qui l'aurait dit?

– Personne, dit le Vieux, même pas toi.

– N'empêche, dit Léonce, je les ai. Un beau jour je me rendrai compte, et je tomberai comme un sac. Autant vaut que je profite de mes belles années.

– Et qu'est-ce que tu en feras?

– M'asseoir, dit Léonce, entre quatre murs et ma porte fermée. Je suis fatigué de grand air.

– Et où tu les trouves, tes quatre murs?

– Sapristi, les miens, dit Léonce. Mon père n'était pas manchot : il avait construit une maison. Je l'ai encore.

– Elle doit être belle depuis le temps! Si tu veux vraiment des murs, reste ici, tu en auras.

– C'est pas les miens, dit Léonce. Chez toi, c'est trop grand. Un rien me contente.

– S'il veut partir, qu'il parte, dit le Vieux. On ne va pas l'attacher. »

Prétoria le mena avec la jeep à la Croix de Pain-Perdu où passe le courrier. Jean la Douce attendait déjà avec le sac postal à côté du gros peuplier.

« Et où tu vas comme ça? dit le Jean.

– Chez moi, dit Léonce.

– Tu as un chez-toi?

– Pardi : la maison de mon père.

– Et où donc?

– A Saint-Cyrice.

– C'est au diable!

– Oui, mais j'ai un car, à Séderon, si ça fonctionne.

– Demain.

– Je suis pas pressé. Après, j'ai le courrier pour Étoile. Il me laisse à la côte et je monte à pied.

– Tu quittes le Vallon?

– Oui.

– Qu'est-ce qui se passe?

– Rien.

– Il y a un bout de temps que tu y étais?

– En 34.

– Ça fait un bail!

– Plus de trente ans. J'ai gouverné au Vallon[1], tout seul d'abord, après avec Danton.

– Tu as eu des mots?

– Pas la queue d'un. C'est même la petite qui m'a mené. Tu as vu?

– Alors, pourquoi tu pars?

– J'ai fait mon temps. Je suis pas jeune.

– Ils te l'ont dit?

– Non, mais moi je l'ai dit.

– Pourquoi?

– J'ai quatre-vingts.

– Et après?

– C'est un chiffre.

– C'est pas une raison pour partir.

– C'est pas non plus une raison pour rester. A propos, dit

Léonce, tu fais la tournée là-haut sur les hauteurs, toi?

– Non. C'est Tricon qui tourne, maintenant. Moi, maintenant, je suis officiellement préposé. Je reste au bureau, moi, maintenant, ou alors, je porte le sac comme maintenant.

– Tu sais pas, par exemple, si le Tricon passe dans sa tournée à la maison fermée, qui n'est plus fermée d'ailleurs. Il doit y avoir une femme, là-haut.

– En principe, il y passe. S'il y a des lettres ou un journal il y va, mais j'ai rien vu. J'aurais pu voir, ne serait-ce que des réclames – il y en a beaucoup : des " Tricosil " ou " Art et Beauté ", un truc américain – mais je te dis, j'ai rien vu.

– Une femme, dit Léonce, et on m'avait dit aussi un homme. Où est-il? Je ne sais pas. Il y était sûrement d'abord, mais après, je ne sais plus.

– En tout cas c'est : secret professionnel.

– Moi, on m'a dit, il y a peut-être plus de six mois, attends octobre, septembre, août, juillet, juin, mai... Oh oui, c'était en mars (j'étais pas là tout ce mois-là, un jour non l'autre nous achetions des "algériens"), huit mois, oui, on m'a dit que le piéton était passé...

– C'était Tricon. Moi, j'ai été nommé préposé " officiellement " le 6 janvier, je ne faisais plus la tournée.

– Qui que ce soit, il est venu au Vallon. Il a même vu le Vieux, d'après ce que je crois. Et il a dit (Olympe en parlait) : " Tu as mis des gens là-haut? – Où donc là-haut? – Dans ta maison fermée, et maintenant elle est ouverte. "

– Le Vieux ne le savait pas?

– Non, première nouvelle.

– Il a dû fumer!...

– J'étais pas là, je te dis.

– Il est pas commode!

– Je crois qu'il s'est accommodé.

– Accommodé? C'est pas croyable!

– C'est pas très croyable, mais, cette femme? Elle vient d'où? Et l'homme? Ils sont entrés en cassant la porte...

– Cassé la porte du Vieux? Et ils sont entrés? Et ils y sont encore? Qu'est-ce que tu racontes?
– La vérité.
– Je demanderai à Tricon.
– Il te dira rien.
– Je suis son supérieur hiérarchique.
– Il s'en foutra.
– J'y donnerai l'ordre.
– On y a donné la pièce.
– Pourquoi?
– Pour la boucler.
– Pourquoi?
– Ça fait l'affaire à quelqu'un.
– Qui?
– Sais pas. Je me doute.
– Dis qui.
– Non, j'ai que des doutes. Demande à Tricon. Tu verras. S'il la boucle, c'est que j'ai raison. »

A Séderon, Léonce poussa la porte; sur la vitre était marqué : *Bazar Universel, Josias fils.*

« Holà », dit Léonce.

Arriva Josias fils du fond de l'arrière-boutique.

« T'as pas entendu la sonnette? dit Léonce.
– Si, dit Josias fils, je croyais que c'était Thérèse.
– Non, c'est moi, dit Léonce. Je voudrais une valise.
– Une valise en quoi?
– Solide.
– J'en ai en fibre.
– Fais-moi voir tes fibres. »

Oui, c'était une bonne valise.

« Et après? dit Josias fils.
– Après, plus rien, dit Léonce, je suis pas milliardaire. Ton père est là?
– Où veux-tu qu'il aille? Il est devant le poêle.
– Il dort pas?
– Qu'est-ce que tu veux qu'il fasse?

– J'ai envie de tailler une petite bavette.

– Tu restes un moment ?

– Pourquoi pas ?

– Si ça te fait rien, veux-tu me garder un peu le magasin ? S'il vient quelqu'un, tu m'appelles. Je suis en face.

– Vas-y, vas-y. »

Léonce entra dans l'arrière-boutique. Josias (le père) dormait devant le poêle. Il ronflotait.

« Et alors, mon Paul, dit Léonce, tu t'es mis en daube !

– Et qu'est-ce que tu fabriques, toi, à cette heure-ci ? dit Paul.

– Je couche en ville, dit Léonce. J'ai dit un mot à la Baptistine en descendant du car. Et puis je suis venu acheter une valise au fils.

– Qu'est-ce que tu veux faire avec une valise ?

– J'ai encore quelques affaires à l'auberge : il y a peut-être six ans, oh, qu'est-ce que je dis ! il y en a peut-être vingt, c'était encore du temps de Casimir. Je l'ai dit à Baptistine. Je lui ai dit : " Garde-moi une chambre, je viendrai souper tout à l'heure, et si tu me trouves le paquet que j'ai laissé au Casimir, je le prendrai. Je vais d'abord chercher une valise chez Josias. " Je suis rentier maintenant.

– Comment, rentier ?

– Oh ! pas tout à fait, mais enfin, je vais toucher un peu de la Sociale[1], j'ai bien quelque mille francs quelque part, et puis, ils m'ont réglé mon compte, ça fera la rue Michel. Je vais rester à Saint-Cyrice.

– Y a plus personne.

– Eh bien, il y aura moi. J'aime pas tellement la foule. Tu as vendu ta maison là-haut ?

– Elle est pas à moi, elle était à l'oncle. Qu'est-ce que tu veux vendre ? Ça vaut pas un pet de lapin, c'est tout écroulé. Et toi ?

– Moi non. J'y suis encore allé à Pâques en 65, j'ai un peu rafistolé. Il n'y a pas une gouttière.

– Tu aurais mieux fait de rester au Vallon. Ils t'auraient gardé.

– Je sais bien. Mais tu sais ce que c'est.

– Non, je ne sais pas. A ta place, je me serais arrangé.

– En temps normal, peut-être oui.

– Et pourquoi c'est pas normal?

– Le Vieux se dérange.

– Se dérange en quoi?

– Il a une femme.

– Olympe.

– Si c'était qu'Olympe!

– Alors laquelle?

– C'est pas facile. Je sais presque rien, je me doute. Enfin non, je ne me doute pas, j'ai vu. Je n'ai pas très bien vu, mais... Écoute : il y a six mois, non, tiens, il y a même huit mois, j'en ai touché un mot, à mots couverts, au Jean la Douce – je voulais savoir si le piéton connaissait cette femme –, bref, il y a donc huit mois, une femme (je ne sais pas qui) et un homme (je ne sais pas non plus, peut-être même son mari) sont passés là-haut, dans la hauteur. Qu'est-ce qu'ils y faisaient? J'en sais rien, de toute façon, ils ont vu la maison du Vieux, la maison fermée vers les crêtes. L'homme, sans doute, ouvre la porte à coups de pied (la maison du Vieux!) et il entre, avec la femme, et il s'installe, comme chez lui. Et il y reste.

– Il y reste!

– Eh oui, c'est comme ça!

– C'est pas normal.

– Tu vois bien.

– Qui c'est ce type?

– Ah, ça, mon beau, on n'en sait rien, ou du moins, moi, j'en sais rien. Moi, je l'ai pas vu, cet être.

– Et qu'est-ce que tu as vu?

– La femme, oui. J'étais au Mesnil, au-dessus. Je voyais la maison du Vieux en bas dessous; on en avait parlé. Je me suis dit : Va un peu voir. J'étais seul. Danton vient jamais au

Mesnil. C'est mon quartier. Lui, il est toujours vers les Grès. Il n'est jamais venu au Mesnil, je ne sais pas pourquoi. Donc, j'ai poussé doucement les bêtes dans le devers, par en bas. Je les ai laissées à midi sous les petits chênes et je suis allé un peu flairer. Je l'ai vue.

– Qu'est-ce qu'elle faisait?

– Rien. Elle a tiré de l'eau à la citerne. Rien. A un moment, elle a regardé devant elle; pas spécialement à un endroit précis, nulle part, comme chez elle, paisible.

– Quel âge?

– Ah, voilà, jeune. Je suis plus très fort pour te dire l'âge, moi, maintenant, avec ces sortes de genre qu'elles ont; vingt-cinq-trente, je pense, pas plus de trente sûrement. En tout cas, une belle plante.

– Et le Vieux?

– Ah, le Vieux, alors ça, c'est une autre histoire. D'abord, tu connais le Vieux.

– Comme ma poche.

– Eh bien, si tu le connais comme ta poche, explique-moi un peu comment il se fait que cette femme soit encore dans la maison du Vieux, où ils ont cassé la porte (le mari si tu veux, mais enfin...), où ils se sont installés sans permission. Ça, sans permission : ils ont cassé la porte, ils se sont installés, et voilà tout. Et c'est la maison du Vieux!

– Peut-être il n'en sait rien.

– Mais que si. Explique-moi autre chose, alors : je l'ai vu, moi, le Vieux! Il est venu, il est entré. Et un autre jour il est venu et il est entré. Et un autre jour encore. Sans compter toutes les fois qu'il vient; je n'ai pas l'œil constamment sur lui. Je me suis toujours demandé quel âge il avait.

– C'est pas difficile : il est de la classe 15 comme moi.

– Eh bien, mon Paul! Toi, tu te chauffes, mais lui, qu'est-ce qu'il fait? J'en sais rien, enfin il se remue en tout cas.

– Il s'arrêtera, comme tout le monde.

– Lui? Qu'est-ce que tu racontes! Il ne s'arrêtera pas du

tout. S'il mord, il mange; et s'il mange, il avale. Tu le sais bien. »

« Qu'est-ce que tu veux qu'il sache », se dit Léonce, en s'en allant chez la Baptistine (Hôtel du Commerce). Il emportait sa valise; il se disait : « Mon Paul est complètement bouché à l'émeri. Il dort trop. Il est tout le temps autour de son poêle. Il a le sang épais. Il a dix ans de moins que moi, même beaucoup moins, peut-être quinze, et il ne reconnaît déjà plus sa droite de sa gauche. Je lui parlais, et il ne savait même pas de quoi il s'agissait. Il est incapable de se rendre compte de quoi que ce soit. Ah, tu peux courir! Le Vieux est un drôle de farceur. Si je fous le camp, c'est que je sais comment il galope, ce zèbre. »

La nuit était venue. Une électricité jaune éclairait quelques vitrines. Le vent soufflait; pas un chat dans la rue.

« Je l'ai, ton paquet, dit Baptistine. Il y a au moins vingt ans qu'il était sur le haut de mon armoire.

– Maintenant il va servir », dit Léonce.

Il ouvrit le paquet : c'était un costume de velours; neuf.

« Attends, dit Baptistine, donne-moi ça, que je te l'aère un peu. Tu vas le mettre?

– Qu'est-ce que tu veux que je mette ça la nuit? Bigre non! C'est pour demain matin, je prends le car pour Buis. Tu me fais coucher comme d'habitude?

– Oui, là-haut. D'ailleurs le premier est fermé, le second aussi. C'est la morte-saison. Il y a peut-être juste parfois un représentant, le samedi, et encore.

– Qu'est-ce que tu vas me faire manger?

– Rien, mon beau. Il y a plus personne. Je suis toute seule. La grande salle est fermée, tu as vu? La cuisine, rien. Si tu veux manger avec moi, j'ai des restes.

– Des restes de quoi?

– Viens voir.

– Je sens d'ici : des tripes?

– Non : du gras double.

– Il y a des années que je n'ai pas mangé de gras double; avec quoi tu l'as fait : tomates?

– Oui, oh, et des choses, c'est mon affaire.

– Je paye le vin bouché.

– Ça, le vin bouché, c'est pas difficile.

– Eh bien, trouve-le, tiens. »

Ils s'installèrent dans la cuisine personnelle de Baptistine. Le poêle ronflait. « J'ai toujours un peu trop chaud dans ces maisons », se dit Léonce. Il y avait un agrandissement de la photo de Casimir, une radio avec un dessus au crochet; ah, enfin (je me retrouve), une bouteille de rhum entamée (largement), à demi cachée (oh, pas très bien cachée, la Baptistine ne s'est jamais beaucoup occupée du qu'en-dira-t-on) derrière une pile de vieux journaux.

« Tu connais le Vieux? dit Léonce.

– Quel vieux? Ton Vieux du Vallon?

– Bien sûr. Quel vieux veux-tu que ce soit?

– Du Vallon, tu parles : le Vieux, Olympe et tout ce qui s'ensuit. Elle est d'ici, Olympe. C'est une Boissel, sa mère était une Jaquier. Le père Boissel, Hermolaüs, était taillandier rue Gibier, maintenant c'est rue Jules-Plat, entre un magasin de cierges à l'époque (maintenant un magasin de vaisselle) et un boucher (et il y a encore un boucher aujourd'hui). La mère Boissel (Jaquier), elle se prénommait, attends, son premier nom c'était Eugénie, mais l'autre, attends, c'était, oh, c'était curieux, enfin ça me reviendra; la mère Boissel, Eugénie Jaquier – à un moment donné elle a fricoté avec Voltaire, Voltaire Rousset, le chef de musique. Ça n'a pas duré très longtemps. Le Voltaire est parti, je ne sais plus où, aux colonies je crois, en Égypte ou en Espagne, je ne sais pas très bien. C'était un blond, mince, de grands cheveux, de petites moustaches. Oui, Eugénie, oh oui, Eugénie! elle était bien. Elle avait été élevée aux Présentines[1] : fière, ma chère, fille unique; les Jaquier se poussaient du col. Le père Jaquier était huissier-audiencier; un gros rouge avec toujours des cols « glacés » de dix centimètres de haut. La mère Jaquier, eh bien mon vieux si elle m'entendait! C'était Madame Jaquier. Eugénie (mais comment était son autre prénom?) finalement s'est mariée à un taillandier, tout simplement. On disait : elle prendra un prince; non, elle prit un taillandier, le Boissel, Hermolaüs, de la rue Gibier. Tu le connaissais?

– Eh bien non. Moi je suis resté à Saint-Cyrice jusqu'à mon service militaire, puis tout le temps sur les hauteurs avec des moutons.

– L'Hermolaüs était à peu près de ton âge. Il avait hérité de son père le magasin de fers. Il fit d'abord la pluie et le beau temps puis le vent tourna. Il renvoya un commis, puis deux, puis trois, puis tous. Sa mère traîna longtemps. Sa femme (Eugénie) eut Voltaire, ce n'était pas grand-chose, si tu veux, mais c'était tout de même Voltaire. Le magasin de fers ne faisait pas beaucoup de bruit (d'habitude un magasin de fers fait beaucoup de bruit), puis il n'en fit plus du tout. On n'ouvrait plus les grandes portes. La forge ne fumait plus. Les uns et les autres achetaient des camionnettes, même des camions, l'Hermolaüs, non. Un jour, il vendit son stock. Il s'acheta un canotier; il avait toujours des vestons d'alpaga, il alla promener côte à côte avec Eugénie. Elle avait toujours des guimpes, une ombrelle; même lui, il portait un en-cas vert[1]. Olympe était dans une " Institution ". Elle revint. On vit qu'elle avait les yeux plus gros que le ventre.

– Et le Vieux?

– Ah, ah, le Vieux, comme tu dis, c'est toute une histoire! Ça n'a rien à voir avec le pays. C'était au moins à dix kilomètres. On n'allait pas fourrer le nez à dix kilomètres dans des choses qui ne sentaient pas bon. J'ai vu cinquante fois les gendarmes, à pied, à cheval et en voiture.

« Ils n'étaient pas d'ici d'abord; ils venaient de plus haut. Ici, on les appelait les bestiaux. Il y avait le père, la mère, l'aîné, le cadet et le jeune. Le jeune, le dernier, c'est précisément celui que tu appelles maintenant le Vieux, quoiqu'il ait au moins dix ou douze ans de moins que toi.

– Si je compte bien, il a même quinze ans de moins que moi.

– Il me semblait. Ils sont donc venus de... du côté de... tu dois connaître, au-dessus de Bourdeaux, les Bourdettes.

– Dans les Charriers?

– Oui, vers Saint-Hugon, là-haut, les forêts...

– Oui, je vois, les grands couverts, les châtaigniers, même plus les taillis, les fourrés, les grands bois : le Madrit?

– Le Madrit, voilà, c'est ça!

– La fin des rats[1]! Oh, le Madrit, je connais bien. J'ai fait cinq ans dans ces endroits-là, encore plus loin, bien plus reculé que le Madrit. Le Madrit, c'était encore cocagne, mais là où j'étais, il fallait voir!

– Le Madrit, c'était déjà pas la ville-lumière.

– Oh là là!

– Eh bien c'est de là qu'ils sont partis, comme de la sauvagine. Ils ont senti la chair fraîche, ils ont vu le soleil, ils ont descendu comme un train de bois. Ils se sont installés finalement, ils ont tourné et retourné, et virevolté avant de s'agripper; ils se sont battus comme des chiens partout, partout; à la ferme du père... attends, le père Siffroy, un tranquille s'il y en avait un : une jarre d'huile! Ça n'a pas traîné. Et hop! Le père Siffroy était seul; les autres étaient quatre hommes, plus la femme qui valait deux hommes. Au cimetière, le père Siffroy, oui, oui, au cimetière, tout simplement! Ah, ils ne faisaient pas le détail : il a signé, il a été liquidé, recta. Ils avaient une de ces sacrées faims, mon ami!

« Évidemment, nous non plus nous ne crachons pas sur les sous, évidemment; mais nous ne sommes quand même pas des bestiaux; pas tout à fait. A mon avis, ce n'était pas une question de sous, c'était une question de naturel. Ils étaient mauvais. Peut-être même pas mauvais...

– Le Vieux n'est pas mauvais du tout.

– C'est ce que je te dis.

– Pas mauvais, mais entier[1].

– Avec quelques petites choses de plus, quand même, écoute, Léonce ! Ton Vieux (celui qu'on appelait le jeune à l'époque, le dernier, et d'ailleurs le dernier de tous, puisqu'il est le seul vivant maintenant), ton Vieux, je le connais bien. Je suis même payée pour le connaître. Tu étais dans ton Saint-Cyrice, toi, ou ton Madrit, mais j'étais là, moi, ici, et avec Casimir heureusement. Nous venions juste de prendre l'Hôtel du Commerce pour la foire des Rameaux. Nous avions à peine payé une échéance. J'avais mis les petits plats dans les grands : la plus grosse foire de l'année. Nous nous disions : elle va nous remplumer un peu. Je m'étais mise en cuisine, tu peux me croire, ça sentait bon à cent mètres, j'ai eu du monde. La grande salle était pleine, et d'autres attendaient dans l'escalier. J'étais en eau. A cinq heures, ouf ! je ne m'étais pas encore assise de toute la journée. Casimir me dit : " Viens un peu voir. " Je réponds : " Laisse-moi souffler. – Tu souffleras après, dit Casimir, il y a un type en bas qui fait les cent pas sur le trottoir. Il surveille la porte de l'écurie et il regarde sans arrêt la fenêtre du premier. Qu'est-ce qu'il nous veut ? " Bon, je me lève et je viens voir. C'était un jeunot. A première vue, il n'était pas terrible ; eh bien, à seconde vue si on peut dire, il l'était. Des entiers, comme tu dis, j'en ai vu de toutes sortes, sans compter Casimir lui-même, oui mon beau, tu peux me croire, mais le type en bas, sur le trottoir, il n'en avait pas la physionomie : un renard, un long nez fureteur, de petits yeux, pas du tout de menton, pas de bouche, rien, un long nez, c'est tout.

– Oui, il a toujours été comme ça, je sais.

– Pas seulement lui. Tu connais la famille ?

– Non, je ne connais que lui, et encore, à partir de 29, 30, quand je suis entré au Vallon.

– Ils étaient tous pareils. C'était une famille, mais c'était surtout une race. Même la mère ; tu ne m'enlèveras pas de l'idée que le père et la mère étaient frère et sœur.

– Qu'est-ce que tu chantes ?

– Oh, rien qu'à la voir! Ou bien alors ils se sont cherchés et ils se sont trouvés. Elle aussi elle avait un long nez de renard. A se demander lequel était le plus long. Enfin, de toute façon, je te le répète, j'en ai vu des gros, des maigres, des petits, des grands, de tous les formats, mais tous ils avaient des carrures. Ils te cassaient la gueule, oui, bon; ils y revenaient ou ils n'y revenaient pas, mais le jeune (le père, la mère, l'aîné, le cadet), le type en bas sur le trottoir n'était pas un homme, ce n'était pas de la force naturelle, c'était de l'esprit de sel, ça brûlait, ça emportait le morceau, ça détruisait tout.

– Bref.

– Oui, bref. Tu le défends?

– Non, non je ne le défends pas. Il ne m'a pas détruit, moi, en tout cas.

– Bon. Donc je le regarde : il faisait les cent pas et il guettait sans arrêt notre fenêtre. " Tu le connais? dit Casimir. – Pas du tout. – Il est venu peut-être manger chez nous à midi? – Certainement pas, je me serais souvenue de cette tête. " Au bout d'un moment, Casimir dit : " J'y vais, c'est pas catholique. " Il descend, il accoste le type. Je n'ai même pas le temps de jeter un cri, au premier mot, cet espèce de petit saligaud, il semblait une roue de feu d'artifice; il frappait du poing et du pied dans le ventre, dans les choses, dans le nez, dans les yeux, partout! Le Casimir ne s'y attendait pas, il ne pouvait même pas savoir ce qui se passait. Le Casimir le valait cinq fois mais il ne pensait pas à se battre, il se pliait en deux, il se tenait l'entrejambe à deux mains, et l'autre lui tapait dans la tête de toutes ses forces. Je me disais : il va le tuer, et je ne pensais même pas d'ouvrir la fenêtre, de crier. Enfin, le Casimir, c'était un sacré morceau d'homme, il prépara un de ces sacrés coups, mais, brusquement, plus personne, le type avait foutu le camp. Eh bien voilà. C'est pas fini!

« Le Casimir pissait le sang, c'était rien, c'était le nez, mais il avait aussi reçu un coup de couteau, un petit coup si tu veux, et dans le gras du bras, mais c'était un coup de couteau quand même. Nous, jamais. On tue quelquefois (tiens, précisément, le Civis Bedos, le chauffeur de Monsieur Garaud, tu sais bien), oui, bien sûr qu'on tue, on n'est pas moisis, mais d'un coup de bêche, ou de hache, ou de faux, ou de serpe, d'un outil, quoi [1]! D'un couteau, non. Avoir un couteau dans la poche pour tuer quelqu'un, non, c'est mesquin. C'est pourquoi je dis que ton Vieux, c'est-à-dire à cette époque le jeune, n'est pas entier, pas comme était mon pauvre Casimir par exemple, ou le Numa, tiens, celui de la Coopérative, qui mène sa barque contre vents et marées : voilà ce que j'appelle un entier.

– C'est pas question de barque.

– Si, si, Léonce, la barque, c'est l'ensemble.

– Je t'entends bien; mais le Vieux est tout à fait capable (notamment ce qu'il fait au jour d'aujourd'hui) et il est même capable de changer de barque, même si c'est ton ensemble. Et c'est tout à fait autre chose qu'une coopérative.

– Oh mais, attends, j'ai pas tout dit. Tu m'as interrompue. Ça ne s'arrête pas à la bagarre; l'histoire a été beaucoup plus longue. Nous étions nouveaux, je te dis, nous n'avions l'hôtel que depuis quatre ou cinq jours; jusque-là nous n'étions jamais sortis de notre trou. Nous ne sommes venus des Pierrehugnes que quand nous avons eu l'héritage de l'oncle. Nous ne connaissions personne. Le Casimir se plaignait de ses... de son entrejambes : " Et qu'est-ce que je lui ai fait? Qui c'est? Il m'a esquinté. " Les voisins me dirent : " Nous sommes payés pour le connaître, Madame Baptistine, c'est un sauvage, c'est une famille de sauvages, ils se battent entre eux comme des chiens : les frères (il y en a encore deux autres), le père, et même la mère, et c'est même la pire. "

« Bon, j'arrange le Casimir. Le droguiste m'avait donné du " fluide glacial " pour le nez, et j'avais badigeonné le bras avec la teinture d'iode (peu de chose, un tout petit coup, un " avertissement ", dirent les voisins). Et la nuit tombe; je faisais ma caisse : j'avais très envie, c'était notre première foire. Casimir s'occupait de choses et autres, mettait de l'ordre. Il va à l'écurie, il revient, il me dit : " Ça continue, c'est toujours pas catholique. Va chercher le bourrelier (c'était un gros, lui aussi, juste en face), il y a quelqu'un caché dans l'écurie. "

« Le bourrelier faisait deux mètres; il avait apporté un nerf de bœuf. " Attends, dit-il, j'ai appelé Jaume. Si c'est le même que tout à l'heure, nous ne serons pas trop de trois. " Jaume arrive, et celui-là avait son fusil. " Oui, dit-il, il ne faut pas s'embarquer sans biscuit. Emporte donc un couteau de cuisine, dit-il au Casimir. – Non, non, dit le Casimir, je porte une fourche, et s'il fait le couillon je l'embroche. Je fais ni une ni deux. – Vous n'avez pas une lampe électrique, Madame Baptistine? " Si, bien sûr, j'en avais même deux ou trois. " Venez donc avec nous et éclairez-nous, on va le faire sortir, le phénomène. – Mais qu'est-ce qu'il fout en bas dans mon écurie? – Il faut pas chercher à comprendre, sortons-le, un point c'est tout. "

« Nous descendons un petit escalier. Et voilà l'écurie. Tu la connais : énorme, des quantités de recoins. Nous ne connaissions pas encore très bien les aîtres. A l'époque, c'était l'écurie de l'auberge de roulage. C'était maintenant un garage. Nous avions juste notre camionnette, et la Peugeot de Monsieur Vignon qui m'avait dit : " Je la prendrai demain matin, je couche ce soir chez ma fille. " Nous faisons le tour des voitures, rien; on regarde dedans, rien; je balaie les recoins avec le rayon de la lampe, rien. " Il est là, dit le bourrelier! " C'était dans les vieilles mangeoires. En effet, quelqu'un se dresse; mon Casimir prépare sa fourche. Non : c'était une femme. " Attention, attention, dit Jaume, c'est la mère, oh là là, tenez-la, tenez-la, celle-là! " Elle essaye bien de s'échapper, mais cette fois mon Casimir en avait pardessus les oreilles; il empoigne la femme, il la secoue un peu (et quand il secoue, il secoue). " Qu'est-ce que tu fiches ici dedans, toi, alors, dit-il. Alors, vite, vite, qu'est-ce que tu fous dans les mangeoires? – Et alors, dit la femme (elle ne perdait pas le nord), je ne les ai pas mangées tes mangeoires ! " Elle commença à chanter des Nom de Nom de Nom de Nom. Elle nous habilla de haut en bas, tous les uns et les autres : elle appela le bourrelier le grand... je ne te dis pas quoi, et il y en eut pour tout le monde. Le Jaume, elle lui dit cocu (ce qui était vrai paraît-il – et le vrai fâche); Casimir, pis que pendre, et jusque moi où elle me dit salope, et des choses abominables (que je n'ai jamais faites, je t'assure, et personne d'ailleurs). Les hommes en étaient baba.

« Elle était là pourquoi ? Je vais te le dire. Elle était venue à la foire toute seule, en cachette du père et des trois fils, et elle avait vendu tous les agneaux par-dessus la tête de toute la famille ; elle avait encaissé les sous et elle prenait le large. Le père et les trois fils la cherchaient partout. Le jeune l'avait aperçue : elle s'était faufilée chez nous, dans les écuries. Voilà pourquoi il faisait sentinelle devant la porte. Et voilà aussi pourquoi il regardait nos fenêtres, car il se disait : " Elle est capable de donner la pièce aux gens de l'hôtel (nous) pour se cacher là-haut dans les chambres. "

« Et d'ailleurs, en bas dans l'écurie, elle nous proposa de l'argent : " Cachez-moi, dit-elle carrément. – Allez, allez, ouste, dit le Casimir, décanille, déguerpis, et vite s'il te plaît. "

« Oui, mais attends, on la met dehors ; et dehors, à cinquante mètres, qu'est-ce qu'il y avait : le père et les trois fils, avec des triques. Oh, ce n'était pas pour nous, ils nous l'ont dit, c'était pour elle.

– Oui, oui, dit Léonce, on m'a raconté des quantités de choses, notamment la mort du père.

– L'aîné est mort avant, passez muscade, de sa belle mort. On a entouré cette mort de beaucoup de calme : trois mois avant et trois mois après, jour pour jour. A ce moment-là, ils avaient presque figure humaine, rien dans les mains, rien dans les poches. Tant qu'il s'agissait de se flanquer des gnons, on amusait le tapis, mais la mort, ça s'étudie.

« On a fait l'autopsie. Tous les soirs, le brigadier venait prendre le pernod chez moi. Il ne s'installait pas dans la salle, il me disait : " Mettez-moi dans un petit coin, je suis fonctionnaire; si j'en bois un, et si j'ai envie d'en boire deux, on se dira tout de suite que je suis plein. " Je le mettais à la table, là où nous sommes. Je lui ai dit vingt fois entre quatre-z-yeux : " A votre avis, l'aîné, de quoi est-il mort? – On n'en sait rien, dit le brigadier. – Mais les docteurs? – Les docteurs n'en savent rien non plus. Ils l'ont ouvert, ils ont tout regardé et rien ne clochait. – Pourtant, on m'a dit (je ne l'ai pas vu) qu'il était devenu tout noir. – Ah, Madame Baptistine, les macchabées sont toujours noirs, ou verts, mais quand ils sont verts ils sont noirs. – Pourtant, enfin, de ces gens-là on peut tout attendre. – Eh oui, on peut même attendre de les voir mourir comme vous et moi. – On m'a dit qu'on l'avait trouvé. – Non, non, ils l'ont soigné. Ils l'ont peut-être pas très bien soigné, mais ils ont mis des cataplasmes, enfin des trucs; enfin, il n'est pas mort tout seul; ils étaient tous autour de lui : le père, la mère, les deux frères; non, non, on ne l'a pas trouvé, comme on dit. – N'empêche, Monsieur le Brigadier, que vous avez fait une enquête. – Oui, oui, on fait toujours une enquête, parce que le docteur n'avait pas soigné le malade, et qu'il ne signe jamais le bulletin quand il n'est pas sûr... – Ah, vous voyez qu'il y avait quelque chose. – Non, moi j'ai cherché. – Enfin, un homme qui était l'image de la santé. – Oui, oh il était costaud. – Et d'un seul coup... – Oui, c'est la vie. "

« Ils disent toujours ça. Le brigadier n'avait pas inventé la poudre. Moi j'ai parlé à la Catherine Cathelard. Elle savait des choses, celle-là; elle avait fait presque amitié avec la mère. Presque. Quand elle venait à l'épicerie, la Catherine lui donnait des tickets-primes, et une fois une théière avec deux tasses. Enfin, elles échangeaient deux ou trois mots. Eh bien, elle m'a dit : " Madame Baptistine, vous ne m'enlèverez pas l'idée que l'aîné, on lui a fait passer le goût du pain. – Comment? – Eh bien comment, c'est facile, il y a tout ce qu'on veut : le mauvais café, la mort aux rats. – Oui, mais les docteurs? – Les docteurs! Le nôtre? Le vieux Oustric, ou bien Monsieur Fulgence, c'est pas des aigles. Ou si c'est le petit jeune, là, le petit de chez Saint-Bonnet, alors c'est pire; ils n'ont même jamais vu, les uns et les autres, que mon pauvre Louis avait une éclosion intestinale. "

« Non, la Catherine " barjaquait[1] ", mais elle m'a dit finalement des choses justes. Par exemple, la mère : pendant ces trois mois de silence (avant la mort), elle filait doux. Jusque-là c'était le tonnerre de Dieu et son œil curieux, noir, dur; et à partir d'un beau jour (quand cette mort se préparait) elle avait toujours le même œil noir et dur, mais elle baissait les paupières, comme une poule qui reste la patte en l'air. Autre chose (c'est souvent les petites choses qui mettent la puce à l'oreille) : le père. Tout ce temps-là, avant la mort, il venait quelquefois à la ville, comme d'habitude, avec sa vieille Ford. Il était toujours en panne. Il fallait l'entendre! Là, quand cette mort se préparait, motus, pas un mot. Il relevait le capot gentiment; il tripotait ses trucs, sans même un Nom de... ce que tu dis. Les choses faisaient silence. L'aîné vivait comme un colosse qu'il était, et trois fois plus gros que le père, la mère et les deux fils réunis; et autour de cette vie de colosse, le silence, la paupière baissée, et certainement autre chose encore qu'on n'a pas vu.

« Je voudrais bien connaître le fin mot de cette mort. Quand je saurai comment l'aîné est mort, je saurai comment est mort le père. Le père, pas d'histoire, ça a fait assez de bruit : c'est une mort sanglante, à la face du soleil. Encore faudrait-il une véritable face du soleil. Oui; le soleil n'éclaire pas tout. Qu'est-ce qu'il y avait? Rien : il n'y avait qu'un tracteur rouge, et qui se baladait à flanc de coteau, entre les vignes si tu veux tout savoir; dessus le tracteur, le père. Un point c'est tout. La mort n'avait pas besoin de musique militaire, ou des lampions du 14 juillet (si je te parle du 14 juillet, c'est parce que précisément je t'en parlerai tout à l'heure). Donc, le père de famille (il faut bien l'appeler comme ça!) se baladait sur le tracteur à la papa, c'est le cas de le dire. La mère aurait dit (elle l'a dit aux gendarmes en tout cas je crois) elle aurait donc dit, vers les quatre ou cinq heures (le soir tombait) : " Le père n'est pas venu goûter. " D'abord, est-ce qu'ils goûtaient, des gens de cette sorte? Admettons. Mais le soir, dans le calme, un tracteur, ça s'entend. D'autant qu'il n'était pas très loin de la maison : cent cinquante, deux cents mètres, le bout du monde. Or, quand on a trouvé le tracteur les quatre fers en l'air au bas du talus, et le père écrasé comme une tomate, il était mort depuis longtemps. Depuis tellement longtemps qu'ils étaient froids, les deux, le tracteur et le père, froids comme la glace. On dit qu'ils étaient morts, le tracteur et le père, depuis plus de deux heures, peut-être trois, peut-être quatre. La mère n'a pas quitté la maison (dit-elle), les fils, le cadet et le jeune, étaient où? On ne sait pas, ils ne savent pas, ils ne le disent pas, ils bricolaient dans les communs, par là. Bon, admettons. J'admets d'autant plus qu'ils pouvaient donc, la mère, le cadet et le jeune, très bien entendre le bruit du tracteur, et même le voir, le tracteur, puisqu'il était rouge. Eh non : " Le père n'est pas venu goûter ", mais on ne s'en inquiète pas. Il suffirait d'un coup d'œil ou de tendre un peu l'oreille, et on comprendrait pourquoi " le père n'est pas venu goûter ".

« Voilà encore une autopsie. Et qu'est-ce qu'elle prouve? Que le tracteur s'est renversé et a écrasé son conducteur. On le savait déjà. Faites l'autopsie du tracteur, vous y verrez plus clair. Ce n'est pas moi qui le dis, et ce n'est pas le brigadier non plus. C'est le garagiste. Le garagiste (qui a vendu le tracteur) a dit : " Cet engin ne se renverse pas si facilement que ça, même s'il dégringole le talus. Il faudrait regarder pour voir s'il n'y a pas de pièces cassées. C'est pourtant une bonne camelote. Mais, vous savez, avec des limes on fait ce qu'on veut, hein. "

– Alors, qu'est-ce qu'ils ont trouvé?

– Rien. Ils ont tout examiné, et plusieurs fois. Non. C'était vraiment de la bonne camelote, rien n'était cassé, je veux dire trafiqué.

– Et le talus où il avait dégringolé ?

– Un talus normal ; comme tous les talus dans les coteaux. Au bout des rangées de vignes, il y avait de la place pour tourner, amplement. A moins d'être aveugle, et encore.

– Rien d'autre ?

– Mais si. Ils étaient sur le point de s'associer. Ils se battaient toujours pour des questions de sous. La fois où elle s'était cachée dans notre écurie, je te l'ai dit, elle avait vendu tous les agneaux pour son compte personnel ; une autre fois, l'aîné avait barboté je ne sais plus quoi, les frères aussi, et ainsi de suite, sans cesse. Tous les jours ils se foutaient sur la gueule : ils étaient tous en train de se tirer des carottes. Le notaire avait essayé de mettre le holà. Il avait dit : " Faites une association familiale. " Ça n'arrangeait rien, au contraire, avec leurs caractères, c'était une façon d'avoir barre les uns sur les autres. Le soir, le père avait dit : " Cette fois, vous allez passer à la casserole. Samedi, j'irai chez le notaire, je signerai, et vous serez obligés de signer, tous tant que vous êtes. Je suis le patron. " De signer quoi ? Peau de balle. Pour jeter de l'huile sur le feu. Et le lendemain, l'idiot va monter sur son tracteur rouge. Voilà tout ; il n'en faut pas plus, à mon avis.

– On me l'avait raconté différemment, dit Léonce. D'après Numa, c'est purement et simplement un accident.

– Mais d'après moi aussi. Il faut bien que le bon Dieu fasse son travail de temps à autre, une fois n'est pas coutume. D'ailleurs Numa était l'employé du Vieux.

– Oui, moi aussi.

– C'est pourquoi, moi aussi je te dis que c'est un accident pur et simple. Personne n'a pu dire le contraire. Le cadet, deux ans après, eh bien, typhoïde ; typhoïde sûr et certain. Et un an après, la mère, le canon, eh bien, encore une belle mort. Accident, maladie.

– Oui, le canon, on m'a parlé de ça également. Pas Numa, un type de Vernoux.

– De quoi ils se mêlent les gens de Vernoux, ils étaient à cinquante kilomètres de là.

– Non, c'est un forain. Il est de Vernoux, mais il vend des souliers sur un banc dans les foires. Il m'a parlé d'un canon, parce qu'un canon, c'est déjà quelque chose!

– Oui, le canon c'était évidemment pas ordinaire; mais la typhoïde, c'est pas ordinaire non plus.

– Une maladie comme une autre.

– Non. Ici, il n'y a jamais eu de typhoïde, sauf ma belle-sœur, et elle a été guérie en deux coups de cuillère à pot avec les nouveaux médicaments, des pilules. Très bien, fini tout de suite, comme un rhume, même pas. Tandis que le cadet il a attrapé la typhoïde, nettoyé en deux temps et trois mouvements. Alors, dis-moi si tu veux qu'ils n'ont vraiment pas de chance. L'aîné, on ne sait pas de quoi il est mort, le père, il se fait écraser par le tracteur, on ne sait pas pourquoi ni comment, le cadet, il crève de rien. On donne des pilules à ma belle-sœur, la voilà sur pied; on donne les pilules au cadet, va te faire fiche. Explique-moi?

– J'y connais rien, moi, aux typhoïdes.

– Moi non plus. Et je suis pas très forte; mais je sais compter. En voilà deux qui passent l'arme à gauche, maladie, tracteur, enfin n'importe comment. Ces deux-là qui disparaissent, ils n'ont plus droit à la cagnotte. Puis typhoïde, en voilà trois qui ne mangent plus du pain. Ça compte. Attends. Le cadet avait simplement la fièvre. Il n'est pas bête. Il prend la Ford. Il grelottait. Il vient ici. Il va voir Monsieur Fulgence. Monsieur Fulgence lui dit : " Je crois, je suis pas sûr mais je crois. On va faire l'analyse. " Et il met le cadet à l'Hospice, enfin à l'Hôpital. Il lui dit : " Non, vous ne pouvez pas retourner à la ferme, vous avez besoin de soins. – Je ne demande pas mieux ", dit le cadet. Il entre à l'Hospice (à l'Hôpital). Les bonnes sœurs l'ont gardé quatre jours en tout et pour tout. Des soins superbes, et il empirait. On lui a donné les pilules, comme celles de ma belle-sœur, exactement les mêmes. Tu peux te fouiller, passez muscade ! Monsieur Fulgence n'en revenait pas.

« Alors comptons, Léonce. Ils étaient cinq au départ, après le cadet, ils ne restent plus que deux : la mère et le jeune (c'est-à-dire ton Vieux). Encore un petit effort et le canon entre en danse.

« Le canon, c'est le plus drôle ; on a cherché des poux sur des têtes de marbre partout : la maladie de l'aîné, le tracteur rouge, la typhoïde, mais pour le canon on a dit : "Ah non, comment voulez-vous qu'on tue quelqu'un avec un canon ! Ça ne se fait pas." Eh bien justement, à mon avis, voilà pourquoi ça s'est fait.

« Il y en avait des canons : il y en avait quatre. Quand on a fait des vergers de pommes, de poires, de pêches et d'abricots dans les abris, les quartiers des Savels, à la fin de l'été nos orages éclataient toujours sur ces endroits-là. Précisément parce que c'est l'abri (contre les gels des Saints de glace), le courant de l'air y porte. Toutes les années, à la chaleur, quand les fruits étaient sauvés, ils étaient régulièrement détruits par la grêle. On a acheté des canons. C'était le Polite qui les vendait ; il vendait aussi, bien entendu, la poudre et les balles. Enfin, ce n'étaient pas des balles, c'étaient de gros machins qu'ils envoient en l'air et qui explosent. Les propriétaires de vergers se sont cotisés et voilà leurs canons installés ; quatre, je te dis. Dès qu'un orage arrivait, ils bombardaient.

« Dès que les bombardes se sont mises à péter, le jeune (ton Vieux) et la mère elle-même dirent tout de suite : " Nous aussi nous voulons jouer. " Rends-toi compte ! Ils achètent un canon. On dit : " Ils sont fous ! Qu'est-ce qu'ils veulent en faire ? Ils n'ont pas de verger. Et en plus, là-bas où ils sont, la grêle n'y tombe jamais. – Si, dit la mère, avec vos bombes vous envoyez l'orage de notre côté, vous faites grêler sur notre vignoble. Je vais me défendre. » On dit : " C'est une emmerdeuse, qu'elle fasse ce qu'elle veut. Ça revient très cher, elle verra bien, ça coûte cinquante francs la bombe (en nouveaux francs). ”

« Oui, ça coûtait cher, mais tant pis. Ils avaient tous les deux, le jeune et la mère, une idée (la même) dans la tête.

– C'est toi qui le dis.

– Non, Léonce c'est pas moi qui le dis, c'était visible comme le nez au milieu de la figure.

– Ils avaient peut-être simplement envie de se garer de la grêle comme tout le monde.

– Non, non, non, ils aimaient mieux tout que la moitié, Léonce, crois-moi. Ils ne jetaient pas l'argent par les fenêtres. L'artillerie coûtait les yeux de la tête, mais ils se disaient l'un et l'autre : “ C'est toujours un accident possible, surtout si on prête un peu la main. ”

– Oui, mais, qui a prêté la main?

– Personne, ou tous les deux. Il n'y eut pas la moindre enquête cette fois; c'était du cousu main. A quatre heures de l'après-midi, un 14 juillet, le jeune (ton Vieux) arriva chez nous, sur la place, sous les guirlandes des lanternes vénitiennes, pour le soir. Nous étions tous assemblés; on le vit parfaitement bien : il enjamba le banc, il s'assit aux tables et il demanda un verre de limonade gazeuse. Tu entends?

– Oui, oui, Baptistine, gazeuse, oui, mais enfin, il avait bien le droit de boire un coup de limonade gazeuse. C'était pas la Bête du Gévaudan!

– Mais évidemment, Léonce, je ne te dis pas le contraire, je ne te dis que ce que j'ai vu. Ne me fais pas dire ce que je n'ai pas dit : il a bu un verre de limonade gazeuse.

– Eh bien voilà!

– Et puisque tu veux des détails, il était à la table où tout le monde peut se mettre, avec les Gonzague, le cordonnier, la femme et la petite fille; il y avait encore le gros Robert, deux des cyclistes qui ont gagné la course, et Monsieur et Madame Paul. Il y a eu le concours de chant. Il n'a pas bougé; il a applaudi comme tout le monde, surtout la petite Ernestine des Jonquières. On criait bravo. On faisait silence au moment où elle allait chanter un bis. Nous avons entendu un bruit terrible et nous avons vu une grosse fumée qui montait au-dessus des collines. Noire. Qu'est-ce que c'est? Et c'est Gonzague précisément qui a dit au jeune (ton Vieux) : " On dirait que c'est chez toi. "

« En effet, c'était bien chez lui. Tout le monde a couru. Il n'y avait plus que des morceaux. Il fallut tout ramasser et c'était pas beau. On en laissa. La mère? disparue en fumée. La nuit tombait. On trouva la tête le lendemain dans un hêtre.

– Et Olympe?

– Ah, Olympe, celle-là! Elle était très jolie, mais maigre : un chat écorché. " La lame use le fourreau ", disait Monsieur Oquier. C'était quelqu'un, Monsieur Oquier. Il l'avait dit; il me l'avait dit à moi-même quand Olympe (qu'on appelait d'ailleurs Mademoiselle Boissel) revint de son Institution. Elle n'allait pas aux écoles ordinaires, elle allait aux " Institutions ", et notamment en dernier lieu à l'Institution Sainte-Agathe, à Cannes, sur la côte d'Azur.

« Monsieur Oquier prenait son pernod tous les jours sur la terrasse. Il regardait au-dessus de son lorgnon; " Ah, Madame Baptistine, me dit-il, cette petite se consume, vous verrez. "

« Moi, je la trouvais mignonne. Évidemment, c'était pas trop gai pour elle, après avoir fréquenté des Mademoiselles de... dans les mimosas et les palmiers. Ici, il n'y a que des buis. Le père Boissel avait fait la croix sur la vie après la mort de sa mère, et sa femme avait aussi fait la croix après le départ de Voltaire; ils se promenaient donc tous les deux, sans un mot, à petits pas, sous deux ombrelles, dans des chemins de terre, toujours les mêmes. Ils embrigadèrent Olympe sous une troisième ombrelle. " Ça n'ira pas très loin ", dit Monsieur Oquier.

« Olympe trottinait gentiment. On la sentait bien élevée. Je la regardais : le dimanche, à onze heures, après la messe, elle achetait douze croquants, six durs et six mous, un petit paquet bien ficelé qu'elle tenait au petit doigt, les yeux baissés, un chou de ruban à la ceinture. Je me disais : “ Elle est très bien, cette petite (un peu maigre). ”

« Non pas maigre; c’est Monsieur Oquier qui avait raison. Il voyait tout au-dessus de son lorgnon; il n’avait pas autre chose à faire qu’à siroter son pernod. “ La lame use le fourreau. Les filles d’ici, c’est de la fesse rigolarde, disait-il, ça bâfre et ça pisse n’importe où. Ah, ah, la petite Boissel, pas du tout, il ne faut pas mélanger les torchons et les serviettes. Vous verrez, Madame Baptistine. C’est de l’hostie (disait-il). – Il est de fait que l’hostie, c’est pas gras. – Oui, oui, répondait-il, mais c’est le Corpus Christi. C’est pas gras, et ça fait son beurre. La petite Boissel, c’est pareil. ”

« Elle faisait des ravages, bien que maigre, Monsieur Oquier avait raison. Il y avait le petit Richard, du magasin de cierges, et deux ou trois autres qui faisaient des yeux de merlans frits, et même le fils Gambert, alors très huppé, qui avait une automobile, et pétaradait à qui mieux mieux pour faire sa cour. Quand Olympe sortait seule (c’était rare, seulement pour faire ses commissions), elle était toujours escortée à distance, mais avec de belles cravates, de beaux canotiers, des cols hauts, même des cannes. C’étaient les Messieurs : le fils Egisthe du marchand drapier, le petit Bedos, dont le père était percepteur, Pancrace évidemment – celui-là était tout le temps en chaleur; dès qu’il voyait un cotillon, il n’avait plus sa tête – et d’autres. Elle n’encourageait personne; elle ne décourageait personne non plus. Elle passait sans relever les yeux, sans les baisser. “ Je suis aux premières loges ”, disait toujours Monsieur Oquier.

« “ Voyez-vous, Madame Baptistine, disait-il, le jour où l’on n’a plus pris la peine de mettre soi-même son morceau de sucre sur la petite cuillère ajourée au-dessus du pernod, on a de nouveau perdu le paradis qu’on avait retrouvé. Les distillateurs mettent eux-mêmes du sirop dans l’anis, c’est foutu; on finira par n’avoir plus rien de personnel. C’est comme Olympe. Pour elle, ça ne sera ni Bedos, ni Egisthe, encore moins Pancrace (c’est du sirop dans l’anis), ni même le petit Richard, qui cependant jusque-là était le mieux placé parce qu'il a l'air béat, mais il a encore les yeux un peu trop acides pour son goût à elle, un peu trop 'industriel'. Laissez-la faire, vous verrez. Elle m'intéresse beaucoup. "

« Il se piquait un peu le nez (c'était un professeur dégommé), mais je l'aimais bien. Il vivait dans une seule pièce, où il est mort d'ailleurs, qui donnait sur une cour derrière les Boissel. Il voyait leur cuisine et une partie des appartements. Il m'avait dit que dans le salon des Boissel tous les meubles étaient sous des housses. On n'y entrait jamais (jamais plus, c'était sacré).

« L'hiver, Monsieur Oquier désertait la terrasse; je le faisais entrer par la petite porte de derrière. " Je sais où il est, me dit-il. – Qui? – Le 'bon ami'. – Le bon ami de qui? – Le bon ami d'Olympe. "

« Monsieur Oquier m'expliqua beaucoup de choses. Quand le jeune (ton Vieux) avait fait les cent pas sur notre trottoir pour la foire des Rameaux, quand il avait donné des coups de poing et des coups de couteau à Casimir, quand la mère s'était cachée dans nos écuries, nous ne connaissions pas tout. Rien du tout même; nous étions nouveaux, Casimir et moi; nous ne pensions qu'à notre travail, à notre commerce, à nos échéances, mais Monsieur Oquier connaissait tout sur le bout du doigt. Le jeune (ton Vieux), me dit Monsieur Oquier, était continuellement battu comme plâtre par le père, par la mère et par les deux frères : l'aîné et le cadet. Cette charmante famille s'était fourré dans la tête de détruire d'abord le plus jeune (ton Vieux). Ce n'était pas le plus faible, remarque-le, Léonce (me dit Monsieur Oquier), il n'avait pas de muscles comme des cordes à puits, mais il était déluré, et la preuve c'est qu'il était toujours vivant, une belle preuve celle-là : sans quoi, il aurait déjà passé cent fois l'arme à gauche. Il avait essayé de coincer la mère le soir de la foire des Rameaux, mais jusque-là il n'avait fait que subir. Parfois ils (et elle) lui tombaient dessus, à quatre, et de toutes leurs forces; c'est tout juste s'il échappait, et encore. Quelque temps donc après la foire que je dis, peut-être quatre ou cinq mois après, il y eut une bagarre sanglante cette fois. Tout le monde poussa les hauts cris. On dit : “ Mais enfin, brigadier, vous n’allez pas rester les bras croisés ! ” Ah, cette fois-là ils avaient vraiment essayé de le tuer avec des barres de fer. Le jeune (ton Vieux) n’était peut-être pas cette fois sur ses gardes ; en tout cas il en prit pour son grade. On disait : “ Il n’en réchappera pas ; il est parti se cacher dans les collines, quelque part pour y mourir. On le retrouvera mort, cette fois. ”

« “ Non, me dit Monsieur Oquier, il est chez Monsieur Boissel (motus, bouche cousue, ne dites rien, taisez-vous surtout), ou, plus exactement, il est chez Mademoiselle Olympe ; il y est caché à l’insu de Monsieur Boissel ; de Madame Boissel, ce n’est pas sûr, mais de Monsieur Boissel, sûrement. Il ne sait rien, lui. Madame Boissel circule dans les couloirs, et Mademoiselle Olympe est aux cent coups. On a fait venir Monsieur Fulgence. Monsieur Fulgence est tenu par le secret professionnel, et vous, Madame Baptistine, vous êtes également tenue par le secret professionnel. ” Je lui dis : “ Mais je n’ai pas de profession, moi. – Si, si, dit-il, vous êtes une femme de poids, vous avez pignon sur rue, voilà votre profession et, par conséquent, vous êtes tenue au secret professionnel, comme les médecins, les notaires, les gardes champêtres, etc. Comme moi : je suis un saoulard, et précisément à ce titre je suis tenu moi aussi au secret professionnel, comme les officiers ministériels. (Oui, oui, il me l’a dit.) D’ailleurs, si vous ébruitez les choses, je me tais et vous ne saurez rien. Or, ce serait dommage : rien n’est fini, tout commence à peine. ”

« Bien entendu, j’étais d’accord. Qu’est-ce que je risquais ? Et il m’expliqua.

« Le jeune donc (ton Vieux) avait reçu cette fois-là une tannée de toute beauté (la dernière d’une longue série). Toute la famille s’y était mise. Il s’était sorti de leurs mains par miracle. Pas tout à fait par miracle : ils voulaient le tuer, mais ils n’avaient pas envie d’aller en prison (pour si peu, se disaient-ils). Ils lui avaient laissé une lueur de vie; ils pensaient ainsi qu'il irait se traîner quelque part pour se cacher et y mourir. On le trouverait longtemps après, après les renards et le reste. Si on le trouve, on répondra : " Nous l'avons simplement corrigé, et c'est lui, lui-même, qui est allé loin, mourir, volontairement par le fait. " C'était pas mal combiné.

« Oui, mais le jeune (ton Vieux) n'était pas tombé de la dernière pluie, oh non! Il se vit perdu. Au lieu de se traîner vers les collines, pour aller se cacher dans les buissons, il se traîna vers la ville. Il était déjà moderne : il pensait au médecin. Il passa la nuit dans un vieux lavoir, caché sous des caisses, buvant et se mouillant la tête de temps en temps. Il n'était pas à son aise, le temps lui durait. Dès qu'il vit le jour, il se dit : " Je vais sonner chez Monsieur Fulgence. " Mais ça n'allait pas du tout, la tête lui tournait, ses jambes se refusaient. Il se dit : " Je suis foutu. Si je tombe dans la rue (c'était de très grand matin, il n'y avait personne), mes frères, mon père et ma mère me trouveront et m'achèveront. " Il entra pour se cacher dans un passage qui, justement, donnait dans la cour derrière chez les Boissel.

« Monsieur Oquier était toujours très matinal, mais en plus, ce jour-là, il cherchait sa petite chatte blanche qui lui manquait depuis la veille. Il regarda par la fenêtre. Il vit une ombre qui se glissait derrière le puits couvert dans la cour. Dès que le jour monta, il distingua un homme, un petit homme, ou un jeune homme, pelotonné dans un recoin. Il se demanda ce que c'était. De temps en temps il retournait à la fenêtre pour jeter un coup d'œil, mais, la petite chatte blanche étant revenue, il se désintéressa de la question. Ce n'est que vers les dix heures qu'il entendit un bruit, ou plus exactement une idée de bruit. En effet : il vit alors Mademoiselle Olympe, en robe de chambre et fichu, qui supportait dans ses bras un jeune homme à bout de forces, à moitié mort, très mal en point : il se tenait à peine debout.

« Je ne comprenais pas où voulait en venir Monsieur

Oquier. Il avait d'abord parlé d'un bon ami. " Madame Baptistine, dit-il alors, vous êtes bouchée? Mademoiselle Olympe faisait des pieds et des mains sur ce corps mort comme une fourmi qui traîne un grain de blé plus gros qu'elle. Elle tira finalement le jeune homme dans sa maison et elle ferma sa porte. "

« Pour les questions de bon ami et de fillettes, j'avoue que je ne suis pas très forte; j'étais bouchée comme il disait. Tandis que Monsieur Oquier était tout à fait à son aise dans ces histoires. Dans les jours qui suivirent, il vit des quantités de choses; il était constamment aux aguets. " Non, non, je ne me rince pas l'œil, disait-il, je m'en fiche; d'ailleurs, le pauvre bonhomme est entre les pattes de Monsieur Fulgence et il ne doit pas rigoler; je crois même qu'on lui a fait un plâtre et il a la tête entourée de bandes Velpeau. Ce que je regarde, c'est le feuilleton; vous avez bien lu *La Porteuse de pain*[1]? "

« Oui, bien sûr, j'avais lu *La Porteuse de pain* et même d'autres. " Eh bien, me dit-il, vous verrez. "

« Le jeune (ton Vieux) se guérit, oh, pas tout de suite, hélas, ou tant mieux; il était installé, je crois, dans le salon inoccupé des Boissel : Monsieur Oquier vit la lueur d'une veilleuse, la nuit. Monsieur Fulgence fit une dizaine de visites; il passait toujours par la cour et la porte de derrière. Ce fut l'affaire de plus d'un mois.

« Je ne voyais toujours pas pourquoi Monsieur Oquier parlait du bon ami d'Olympe. Il n'y avait rien d'extraordinaire : Mademoiselle Olympe (et Madame Boissel sans aucun doute) avait aidé le petit jeune homme (ton Vieux) dans un moment critique, voilà tout.

« " Si vous ne voyez pas plus loin que votre nez, évidemment, Madame Baptistine, c'est tout, dit-il, mais si je regarde un tout petit peu plus loin que mon nez, alors je vois de belles perspectives. Je vous ai bien dit qu'elle (Olympe) se consumait, que la lame usait le fourreau, il fallait comprendre! Vous n'avez pas vu ses yeux? Son avenir d'ombrelles? Et le regard qu'elle jetait sur la liberté? Voilà pourquoi elle n'a jamais considéré ses petits galantins, ni Bedos, ni Égisthe, ni Pancrace, et non plus le petit Richard. Qu'est-ce que vous voulez qu'elle en fasse? Aller se coucher dans la paille avec eux, distraire ses dimanches et fêtes? Elle a autre chose à faire; elle ne veut pas un ' coucheur ' elle veut un ' couchant '; un chien couchant. "

« Alors je lui dis : " Là, Monsieur Oquier, vous faites tort à votre jugement. Vous allez juste chercher un matamore, un fier-à-bras, un plaies et bosses, c'est le contraire d'un chien couchant. C'est un petit loup, il vient d'une famille de loups. "

« " Vous êtes peut-être (et même certainement) une bonne aubergiste, Madame Baptistine, me dit-il, peut-être même la meilleure aubergiste que je connaisse, mais pour le cœur humain vous pouvez vous fouiller. Savez-vous pourquoi c'est une famille de loups, et pourquoi ils se battent entre eux? Non? Je vais vous le dire : c'est parce qu'ils ont peur. Ils ont peur de quoi? Peur de perdre ce que, par un coup de chance inouïe, ils ont attrapé : un morceau de terre, la ferme sur laquelle ils se sont installés (après avoir été emportés comme feuilles mortes des grands bois au vent d'hiver). Voilà pourquoi ils se battent : ce sont des bêtes sauvages, ils ne savent pas encore se rassurer. "

« " Tandis qu'Olympe, rien que par son milieu, depuis des générations et des générations, elle sait se rassurer. Et, ce qui est encore bien plus important, elle sait rassurer. Le jeune (ton Vieux), même s'il n'avait pas été à moitié mort et perdu de coups, se serait rassuré avec Olympe, il aurait tout de suite trouvé ce qu'il lui fallait, mais maintenant qu'elle le soigne, qu'elle le sauve, c'est fini, il ne partira plus, il restera là, il se couchera à ses pieds, il a trouvé. "

« " Et elle a trouvé (me dit-il six mois après, ou plus, même un an après), vous avez vu, Madame Baptistine? "

« J'avoue que je ne voyais rien. Je le lui dis, honnêtement : " Non, Monsieur Oquier, je ne comprends pas. Vous me dites : Elle a trouvé. Elle a trouvé quoi? – Vous ne comprenez pas les tenants et les aboutissants? – Non. – Le frère aîné est mort. – Eh bien, oui, de maladie, et après? – Maladie mystérieuse! – Mystérieuse! On ne les connaît pas toujours : ma belle-sœur par exemple... – Il ne s'agit pas de votre belle-sœur, Madame Baptistine, il s'agit du frère aîné, de cette famille de loups, comme vous avez dit vous-même. Avant Olympe, on devait tuer le jeune (ton Vieux), et après Olympe, c'est l'aîné qui meurt. – Le hasard! – Peut-être, dit Monsieur Oquier, je vous l'accorde, je suis bon prince. L'aîné est mort, restent le cadet, le père, et la mère. Je ne suis pas prophète. Attendons. " »

Le père Léonce monta dans sa chambre. « Il faut quand même que je dorme un peu, se dit-il. Demain il va falloir que je me lève à cinq heures du matin. Le courrier pour Étoile n'attend pas. La Baptistine a toujours sa langue bien pendue. Elle m'en a raconté de toutes les couleurs. »

Avant de se coucher il essaya son costume neuf. Il se regarda. « Ça me change, se dit-il. Justement je voulais me changer. Je ne serais pas resté au Vallon pour tout l'or du monde, je n'aime pas beaucoup les manigances. En tout cas, à mon âge, je ne les aime plus. Le Vieux a sûrement payé pour que le piéton ne parle pas de cette " belle femme de là-haut ". Un jour ou l'autre, on le saura quand même. »

Il serra ses vieilles frusques dans la valise en fibre du *Bazar Universel* (oui, à l'épreuve du poing, c'est pas du cuir mais c'est pas mal). Il se fourra dans le lit. Il éteignit. Cinq minutes après, juste avant de s'endormir, il dit à haute voix avec un petit rire : « Et peut-être, qui sait?... Ça ne m'étonnerait pas finalement. »

L'hiver : l'azur blanc, la bise, les vols de corbeaux noircissaient.

Le Vieux renifla. Drôle d'odeur, on dirait le feu! Il sortit du couvert des hêtres et monta sur le talus. Oui : il y avait de la fumée du côté de la Balme. « C'est presque chez nous; je vais voir. »

A mesure qu'il avançait (non, finalement le feu était loin), il se rendait compte que l'incendie était dans les ubacs de Villedieu. « De toute façon, se dit-il, je vais aller donner un coup d'œil. » C'était bizarre : les bois ne brûlent pas l'hiver d'habitude.

Il montait à la crête du Bois-Raoul quand il rencontra l'équipe de la Blache, casque en tête et avec des haches.

« Nous allons faire un contre-feu aux Verrières, dirent-ils.

– Vous êtes de sacrés phénomènes, dit le Vieux, qu'est-ce que vous allez foutre aux Verrières? C'est chez moi qu'il faut faire le contre-feu, vous ne voyez pas que le vent va tourner? Si ça prend là-haut à Moulin-Clair, ça descendra tous les ravins, vous n'en serez jamais plus maîtres, et mes chênes sont ratiboisés.

– Il n'y a pas que tes chênes, tout le monde a des chênes, mais il y a trois maisons aux Verrières.

– Et fichez-leur la paix à ces trois maisons : le vent n'ira pas les trouver là-bas. Tu n'as qu'à regarder, le vent tourne avec le soleil, dans deux heures il nous poussera le feu en plein dans le nez.

– C'est pas une question de nez, et c'est pas non plus une question de tournure. Regarde ce qu'on a trouvé : une boîte d'allumettes-tisons. Non, mais regarde comme ça s'emmanche : une petite branche, tu vois, de genévrier ou de buis, des petites branches un peu raides. Tu attaches une allumette avec du fil, en face tu attaches le frottoir, et voilà le travail : ça fonctionne tout seul. Un coup de vent, en avant la musique, tout s'enflamme.

« Tiens, pendant qu'on parlait, tenez, regardez maintenant, là-haut, ça vient de prendre du côté de la Grès!

– Alors là je comprends, se dit le Vieux, sinon comment veux-tu que les bois prennent feu en plein hiver? Avec ce truc, évidemment, c'est facile. Moi, j'ai un paquet d'hectares de ces chênes-blancs de vingt et vingt-cinq ans. Si on s'y amuse, ça peut foutre le camp en cinq sec; avec des allumettes-tisons ça sera vite rôti. »

En rentrant au Vallon (la sirène sonnait à Séderon), Olympe dit au Vieux :

« Il y a un type qui t'attend dans la cour. – Qui? – Sais pas, un blond. Je ne l'ai jamais vu! – Qu'est-ce qu'il veut? – Il a demandé le propriétaire. – Le propriétaire? Qu'est-ce que c'est que cette histoire? »

« Salut, dit-il à l'homme (en effet, un blond; il n'avait pas l'air commode). Qu'est-ce que vous voulez?

– Ça dépend, dit l'homme. Si vous êtes le propriétaire, oui je veux quelque chose.

– Il n'y a pas de propriétaire.

– Ça m'étonne.

– Étonné ou pas, c'est comme ça.

– Vous avez bien une maison là-haut, sur la hauteur, une maison qui était fermée?

– Oui.

– C'est bien ce que je dis. Vous êtes le propriétaire; ma femme m'a dit que vous étiez le propriétaire.

– Comment, votre femme?

– Oui. Je ne venais que tous les samedis. Je travaillais juste en bas dessous à la tuilerie. Elle m'a dit : " Le propriétaire est venu. " Souvent, paraît-il.

– Je ne savais pas...

– Vous ne saviez pas quoi? Enfin, maintenant vous savez. Nous commençons à nous entendre.

– Nous ne commençons rien du tout, dit le Vieux.

– Je crois que si. (L'homme avait un menton carré.)

– Ce n'est pas une question de croire, c'est une question de moi.

– Moi aussi. Nous serons vite d'accord, vous allez voir. Nous sommes entrés chez vous et nous avons tout cassé. Vous ne nous avez pas flanqués à la porte, pourquoi? Au premier abord, vous êtes venu pour ça. Eh bien non : vous êtes revenu, et souvent, et pendant plus de six mois. Ma femme m'a dit : " Il vient ici tous les jours (avant-hier encore); il reste avec moi tout l'après-midi, quelquefois à partir du matin. " Vous lui avez donné des babioles, des mouchoirs. J'en ai un, tenez. (L'homme tira un mouchoir de sa poche.)

– Tu te fous de moi?

– Certainement pas. Je ne peux pas m'en payer le luxe. Quand ça vaut la peine, je m'arrange.

– Tu arranges quoi?

– Doucement les basses, pas si vite. Je veux d'abord parler un peu.

– Je n'ai pas le temps.

– Vous le prendrez. Vous avez une grande maison. J'ai fait le tour en vous attendant, c'est très conséquent. J'ai vu votre femme, elle n'attache pas les chiens avec des saucisses. Les bergeries : vous avez à peu près quinze cents à deux mille brebis : je n'ai pas dû tomber loin. Et des quantités de choses que je n'ai pas encore eu le temps de regarder, des colombiers, des ruches. Ça va chercher sûrement très loin.

– Encore plus loin que ce que tu crois.

– Eh bien, c'est parfait. Tant mieux. Nous ne sommes pas du même côté (je ne suis pas orgueilleux, et pourtant je pourrais). Mais, comme vous le dites, votre affaire va encore chercher plus loin que ce que je crois. Nous sommes donc d'accord, c'est l'essentiel.

– D'accord en quoi? Je ne suis d'accord en rien. Je t'écoute, un point c'est tout.

– Vous écoutez, c'est magnifique. Pour le moment, c'est tout ce que je demande. Mais, mettons bien les points sur les i. J'ai l'impression que vous me craignez. Non, je sais très bien que vous n'avez pas peur, je vous connais. Non, on dirait que vous m'avez pris ma soupe. Alors là, tranquillisez-vous, c'est le contraire. Je ne vous veux pas de mal. J'ai parlé un peu sèchement, mais c'est de votre faute, c'est vrai : au début vous aviez l'air de dire que vous n'étiez pas un habitué de la maison, ça me fâchait, mais maintenant ça va tout seul.

« Vous avez même failli me faire faire un impair. Je me suis dit : “ Mais alors, ta femme a menti, il n'est peut-être jamais venu. ” C'était grave! “ Ou alors, il est venu et il n'a pas aimé la maison. ” C'était encore plus grave : dans ce cas nous partions subito presto. Et vous voyez ce qui serait arrivé? Vous aviez pris vos habitudes, et bernique, plus de femme, vous auriez été bien attrapé, et qu'est-ce que vous feriez tout seul?

– Je ne suis pas seul. »

L'homme ne répondit pas tout de suite. La nuit tombait. L'incendie s'élargissait.

« A quoi bon? dit l'homme. (D'un geste, il abolissait l'énorme maison, les fenêtres où les lampes s'allumaient, éclairant dans l'intérieur les voûtes, le va-et-vient des ombres, des gens, des valets.)

« Elle s'appelle Léonie. Vous ne le saviez pas? Ça m'étonne. Elle a dû vous le dire. Ou alors, vous le faites exprès, comme tout à l'heure. Non, elle est gentille et elle vous l'a dit sûrement. Avouez : je ne vous ai pas gênés. Je partais à six heures du matin, je rentrais à huit heures. On a le temps, on peut se mettre à son aise. Maintenant, les jours sont courts, je pars et je rentre en pleine nuit. Le chemin n'est pas commode. Il fait froid. Il peut faire mauvais. Je ne pourrai pas descendre à la tuilerie. En réalité, j'ai même quitté mon travail. Quoi faire? Je suis bien obligé de rester à la maison. Ça ne m'enchante pas. Comment ferez-vous pour venir voir Léonie? Ce n'est pas que je sois embêtant, mais je serai toujours dans vos jambes. A elle ou à vous. Il faudrait trouver un truc. J'aimerais avoir une occupation. Oh, je n'ai pas qu'une corde à mon arc. J'ai déjà eu une petite ferme. Très petite; pas du tout une organisation comme la vôtre, non : un peu de volaille, quelques brebis. Tenez, par exemple, les brebis, voilà un travail qui me conviendrait. Il ne s'agirait pas de mille et de cent comme vous; non, dix ou douze, disons vingt pour faire un compte rond. Je me vois avec mes vingt brebis. Eh bien, voilà un truc; en voilà un en tout cas. Avec mon petit troupeau, je m'en vais garder mes bêtes. C'est toujours quelques heures de libre. Je ne suis pas à la maison pendant ce temps-là. A la belle saison je peux même rester tout le jour dans les collines. C'est presque mieux que la tuilerie. Il y a déjà une petite bergerie là-haut (on a tout prévu), ce serait parfait. Ce ne sont que des habitudes à prendre. Vous en aviez déjà pris, on garderait les mêmes, à peu de chose près. Ça ne dépend que de vous. Je ne cherche qu'à garder la chèvre et le chou; si on ne se tire pas dans les pattes. Il faut un minimum de convenances. Qu'est-ce que c'est pour vous vingt brebis? Ça ne se verrait même pas. A moins que vous préfériez que j'en achète, avec vos fonds bien entendu. Oui, je vous comprends : l'argent, c'est tout de suite autre chose. Commençons avec vingt brebis, après nous verrons. Paris ne s'est pas fait en un jour [1]. Je ne suis pas très gourmand. Je peux venir là-haut, par exemple vers minuit, vous m'en donnez trois ou quatre : à la fin de la semaine, c'est fini. Ni vu ni connu. Et vous voilà tranquille. On n'a jamais que le plaisir qu'on se donne. Moi : bouche cousue. Je n'ai pas intérêt. J'ai tout dit. Je vous laisse. Aujourd'hui, c'est mercredi. Réfléchissez (à votre place je ne réfléchirais pas). Disons, si vous voulez, vendredi minuit, je serai pile derrière la petite porte de la bergerie. Je connais vos chiens, ne vous inquiétez pas. »

L'incendie avait pris une grande extension. Un liséré de feu mordait le noir des crêtes, la fumée rouge courait aux quatre vents.

L'hiver était de marbre.

Le poulain disparut; la porte de l'écurie était restée ouverte, paraît-il, et les horizons sollicitaient (paraît-il, d'après le Vieux). C'était un petit cheval joli comme un cœur, il fourrait son museau dans le gilet de tout le monde.

« J'ai trop de bon sens, se dit Olympe, pour croire qu'on laisse la porte de l'écurie grande ouverte par inattention en plein hiver. Pour qui me prend-on? Les chevaux n'ont pas bronché, le mulet non plus, et pourtant Dieu sait!... ni les ânes du rucher, et la plupart du temps ils ne sont même pas attachés; il n'y a que le poulain : celui-là, le plus beau, est parti. Je n'y crois pas. Ce petit cheval n'était pas plus bête que les autres, au contraire; il gelait à pierre fendre, qu'est-ce qu'il serait allé faire dans ce froid noir? On prétend (le Vieux) que les horizons attirent. En réalité, ils n'attirent que les vieux de la vieille, oui (moi, par exemple, et le Vieux), mais pas les jeunes, quoi qu'on dise, pas les poulains, ils ont trop de vif-argent, ils dansent sur place, ils restent avec la mère, il leur faut cent ans de dimanches avant de quitter la mère (sauf les femmes, sauf moi; les femmes se débarrassent très vite de leur mère, elles en sortent, elles font peau neuve tout de suite; les hommes jamais). Non, le petit cheval, c'est un homme, il ne serait pas parti de son gré, il serait resté bien tranquillement dans l'écurie, dans sa paille, dans le fumier qui fermente, qui tient chaud quand il gèle dehors. Non : on l'a tiré par la bride, et probablement pour le donner à quelqu'un. Ce n'est pas une question de sous. On ne vend pas le poulain en hiver; qui l'achèterait d'ailleurs? Donc, si on ne vend pas un poulain, qu'est-ce qu'on en fait (puisqu'il est beau)? On le donne, on l'offre, on en fait cadeau.

« Que de belles occasions j'ai manquées, reprit Olympe. Si j'avais cherché ma propre fortune toute seule, au lieu de m'accoupler, comme je l'ai fait, avec le Vieux, je serais milliardaire; pas en milliards de francs, mais en milliards de choses : notamment l'impossibilité de me conter des craques, comme cette porte de l'écurie grande ouverte, par inattention; mon œil! J'ai toujours été friande des choses combinées, mais je n'aime pas les faux-semblants; qu'est-ce que vous voulez que j'en fasse? Gros-Jean qui remontre à son curé. »

« Qu'est-ce que tu marmonnes, dit Kruger, ça ne fera pas revenir le poulain. J'y vais, moi, je veux en avoir le cœur net.

– Le cœur net? dit Olympe. On peut tout nettoyer sauf le cœur. Le cœur, tu peux courir!

– Par acquit de conscience, alors, si tu préfères, dit Kruger. »

Il prit son fusil et il siffla les chiens.

« Acquit de conscience, se dit Olympe, qu'est-ce que tu veux qu'elle acquitte, la conscience? Elle est juge et partie. A l'époque, le Vieux ne s'appelait pas le Vieux; on ne l'appelait rien, on ne l'appelait pas : zéro en chiffre. Je l'ai ramassé dans le ruisseau, c'est le cas de le dire, je l'ai ramassé derrière le vieux puits de la cour, avec les ordures qu'on balayait dans l'encoignure. Il n'avait que la peau et les os, à moitié mort, malade, roué de coups. Il n'avait plus qu'une idée : s'enfoncer dans un trou de rat. " Non, non ", disait-il faiblement quand j'essayais de l'extirper de sa cachette. Il n'avait plus qu'à bâiller-mourir[1], il n'avait qu'une envie : qu'on ne le batte plus. Il ne pouvait résister à personne. J'avais beau être une demoiselle, et une demoiselle du Sacré-Cœur, ce qui ne prédispose pas aux travaux de force, je l'ai tiré de ses trognons de choux (pourris d'ailleurs), j'ai dénoué ses bras comme des ficelles, il ne pesait pas plus qu'une plume, j'étais bien capable de le monter jusqu'à la chambre des combles (qui fut toujours la chambre des malades par destination). Ma mère était venue pour m'aider à le relever, mais soi-disant; en réalité, pour nourrir sa jalousie. Elle a toujours été jalouse de moi, et là à plus forte raison : il s'agissait d'un homme.

« Ah oui, un bel homme, tiens, quand je l'ai déroulé où il était pelotonné, derrière le vieux puits. Je me suis dit : un chat maigre; et sur le lit il ne creusait même pas la paillasse: en liège, en rien, en courant d'air. Les cuisses, mes bras; ses bras, mes doigts; sa tête, un pois; son ventre creux, mais bleu de coups. Je me demandais même si ses cuisses étaient encore attachées à son ventre; si son ventre n'était pas faisandé (comme pour les lapins des champs). Et il avait fait dans sa culotte. Ah, c'était joli! On ne lui aurait pas donné vingt-quatre heures à vivre.

« Et la cervelle? Est-ce qu'elle marchait? Elle ne fonctionnait que dans la peur. Il avait beau fermer les yeux, si je faisais un geste un peu brusque, il voyait (à travers ses paupières) passer l'ombre, il sautait comme une carpe, il se mettait à trembler comme un tremble, sa chair se hérissait (un papier de verre); en passant mes mains sur ses bras, sur ses cuisses, c'était bien agréable. Je l'ai essayé deux ou trois fois, et chaque fois j'avais le même plaisir, sa peur était agréable... " Non, non, disait-il (un souffle), pardon! " Pardon, tu dis! Ah, ah, j'avais trouvé une sacrée satisfaction. Je pouvais aussi bien tourner d'un côté que de l'autre. Et finalement je me suis dit : " Non, au contraire, je vais le faire vivre! " (Pourquoi pas, tout compte fait?)

« Le faire vivre, ça a été un drôle de boulot, je t'assure. Il n'avait pas un liard de vie. Je me disais : " Eh bien, mon vieux, au Sacré-Cœur, on savait fichtrement bien! " Tu parles : on avait tout le temps. Rétif, avec son couteau, montrer les dents, voilà tout ce qu'il savait faire.

« " Et voilà à quoi les choses vous mènent, vos dents et votre couteau, je lui dis (je lui disais vous, au début), vous avez vu? Aux ordures. " Après, bien sûr, je l'ai tutoyé. Oh, même pire. Attention, ne confondons pas : quand je dis pire, il ne s'agit pas d'un " fait accompli ". Quand on est jeune, je sais, on est vite les quatre fers en l'air, et le " fait " s'accomplit. Je m'en moquais bien. J'avais autre chose à faire. Je ne crache pas sur le plaisir, au contraire : j'en veux plus.

« Par exemple : quand il était encore inconscient et que je lui faisais peur (un geste brusque devant les yeux, même fermés), qu'il gémissait : " Pardon, pardon ", et quand je caressais ses cuisses, ses bras, sa poitrine (sans poils), sa peau hérissée comme du papier de verre, ça c'était un plaisir! C'était beaucoup plus " accompli " qu'un " fait accompli ", et beaucoup plus " personnel ". Au surplus sans danger. Sans danger! Oui et non. Je ne risquais pas d'attraper le mal de neuf mois, évidemment, mais le catéchisme? Et le catéchisme en prenait un bon coup! Et Dieu sait si on me l'a seriné et seriné le catéchisme, et les lectures édifiantes chez les bonnes sœurs, et notamment une, avec une image qui m'avait tapé dans l'œil : c'était l'histoire de Benjamin Franklin. Oh là là, Benjamin Franklin, tu parles! Oh, j'avais cinq ou six ans, je ne l'ai jamais plus oublié. Il s'agissait... oh, même mon pot de chambre je l'appelais Benjamin Franklin [1], et plus tard – je devais avoir quatorze ou quinze ans (même presque seize) –, j'appelais Benjamin Franklin toutes mes choses secrètes, mes petites choses, mes grandes choses, mes sangs, mes cœurs, mon linge sale.

« Il s'agissait donc dans cette histoire du jeune Benjamin Franklin à qui on avait donné en cadeau une petite hache toute neuve; et tout de suite il s'en était servi pour ébranler un arbuste magnifique du jardin, je ne sais pas, un mimosa peut-être, ou même mieux encore, un magnolia; et mon Benjamin Franklin, il avait mis le mimosa (ou le magnolia) en capilotade. La suite est sans intérêt : il devient finalement un " bon citoyen [2] ". Et je me suis dit : " Quand tu seras grande, tu mettras le mimosa en capilotade, si un jour tu as une petite hache toute neuve. "

« La " petite hache ", et " toute neuve ", je l'ai eue. Je l'avais en main quand j'ai ramassé le Vieux (zéro en chiffre) dans les ordures derrière le puits. La petite hache toute neuve, c'était mon père, avec ses alpagas noirs, ou plus exactement son alpaga noir, car, toute jeune, je croyais qu'il avait des costumes, des habits, des vestes, des pantalons. Eh non : il n'avait qu'un costume, un seul (quand j'ai grandi, je l'ai vu); il s'était fait faire une fois, peut-être même avant que je naisse, un costume veste-gilet-pantalon en alpaga noir, et il fut habillé pour toute sa vie. Sa mère qui mourait à longueur d'année, là-haut dans la chambre des combles, en gémissant, et même en poussant des cris, paraît-il effroyables (je dis " paraît-il " parce que je ne les trouvais pas effroyables) : voilà déjà un beau petit morceau de la " hache toute neuve ", en y ajoutant le " deuil des primevères ", comme disait la directrice de l'Institution Saint-Charles [3] (elle n'avait pas les yeux dans sa poche, celle-là). “ Le deuil des primevères, disait-elle, c'est quand vous commencez à voir clair, mes petites [1]. ” Et le reste de la hache (le fer aiguisé), c'est ma mère qui me l'a donné : avec ses façons, son corsage rengorgé, sa voix de tête, ses plâtres roses, ses crins, ses armatures, ses joues qui se mettaient à trembler, on ne sait pas pourquoi, et elle ne pouvait pas arrêter ses joues de trembler, ses tics : un clin d'œil par exemple, comme si à chaque instant elle disait “ Suivez-moi jeune homme ” (oh, c'était bête! je n'arrivais pas à en rire) et enfin cette ruine. Quand je vous dis que j'avais “ ma petite hache toute neuve de Benjamin Franklin ”! Alors, tu parles si j'allais m'en donner.

« Donc, ses bras, ses jambes, ses cuisses, son ventre révulsés, à mesure que je feignais les gestes de le frapper (et qu'il gémissait : “ Pardon, pardon! ”), sa peau qui se hérissait et devenait comme du papier de verre sous ma main, c'était bon! Je me dis : “ Ce sera encore meilleur. ” Je le guéris, je mis tous mes soins. Petit à petit il se rassura – j'arrêtais tous mes jeux d'ailleurs; j'attendais mieux. Il ouvrit les yeux, il s'imagina sauvé. Je lui dis : “ C'est moi, regarde! ”

« Oui, c'était moi. En chair et en os. Voilà l'amour, mon bonhomme, allons-y. Je n'étais pas mal de ma personne, comme on dit. Il s'habitua facilement à moi; si bien même qu'une fois un peu requinquillé [2] il essaya de prendre du poil de la bête, mais, à bas les pattes! Il tomba de son haut. Je lui dis : “ Tu veux rester chien? Si on doit tout le temps t'assommer à coups de gourdin comme un chien, ne cherche pas l'amour des gens. ” Oh, il comprit très bien, mais il n'était pas de taille à faire l'homme. Ces gens qui ont toujours le couteau à la main ne sont généralement pas capables de fonctionner autrement. Je le lui dis. Il essaya sa rage sur moi. Oh, alors, pas de ça Lisette! Je n'avais pas besoin de ma force, j'en avais si peu! Je lui frottai seulement son nez dans sa fiente avec quelques mots à grand format (il n'avait jamais été aux prises avec les mots; les mots lui faisaient plus de mal que les coups). Certes, une fois ou deux, j'ai été sur le point d'y passer, mais d'abord j'en étais ivre, rien qu'à sentir que j'étais sur le point d'y passer, et enfin, on n'a rien sans peine. J'étais à un millimètre, mais... à la seconde, mais... il s'effondrait. Je retrouvais son regard affolé; je n'avais pas besoin (j'étais maintenant loin de ces jeux) de toucher sa peau hérissée comme un papier de verre, je savais. Je vous assure que ce n'était pas mal pour une jeune fille. Les autres allaient se vautrer dans la paille, les pauvres.

« Il me parla de son père, de sa mère, de ses frères. Il se les faisait, et il me les faisait, énormes. Il était capot. Je voyais bien qu'il ne serait jamais capable d'autre chose que peut-être d'un coup de couteau, et encore, à la va-vite, au hasard de la fourchette [1]. Et après? Eh bien, après, il serait rétamé, à plate couture, à fumer des mauves [2] cette fois. Je commençais à entrevoir des choses.

« Entrevoir, c'est cocagne, mais entreprendre! Et seule. Je n'étais qu'un bout de femme à l'époque, et sans la chair. Je savais bien d'instinct qu'il fallait compromettre les hommes à deux de jeu, à jeu de prince, mais mon acolyte était un peu juste. Il n'y avait qu'à le regarder : l'œil affolé pour un rien, le souffle court, une pelote de nerfs, et ses résolutions extrêmes, alors que nous avions besoin de beaucoup " d'eau bénite de cour ", comme disait la directrice à Saint-Charles. S'il flanchait, ou s'il se laissait emporter par la passion, comme tous les froussards, nous étions flambés. C'était le fil du rasoir.

« Mais j'étais capable. Je connaissais des gens – et ils n'avaient pas la moitié de mes moyens – qui avaient fait monts et merveilles pour trouver ou garder leurs petites sucreries. Ce qui me rendait forte, précisément, c'est que je ne m'intéressais pas à l'époque à des bicoques, à des propriétés " en dur " comme on dit ou à des " biens au soleil ". Non, non, j'étais gaillarde, je n'avais envie que d'entrer dans le petit verger, avec ma hachette, comme Benjamin Franklin, de me frotter avec du " papier de verre ", et faire reluire ma couenne. Je lui disais : " Si nous héritons de quelque chose, nous bazarderons tout. Je ne veux rien, je ne veux que toi. "

Dans un sens, c'était vrai. Oui, oui, c'était même très vrai. Les biens ne sont rien, le plaisir est tout. J'avais vingt ans.

« Je connus donc cette intéressante famille. De loin. Il y avait le père : un fou; la mère : une salope; le frère aîné : un bœuf. Mon bien-aimé était le dernier. Il fallait le mettre le premier, voilà tout. Je lui dis : "Tu vas m'aider." Il était plein de bonne volonté, semblait-il. " Tu t'engages, lui dis-je, mais tu ne seras pas à la noce. Moi, oui, et ça ira tout seul, mais toi, non, je te connais. Alors écoute-moi bien, et fais très exactement ce que je te dis de faire : tu vas rentrer dans ta famille, ce n'est pas drôle, je le comprends, mais de toute façon tu te rends bien compte que tu ne pouvais pas rester toute ta vie dans la chambre sous les combles. Donc, tu rentres au bercail, et là, tout ce que je te demande, c'est que tu ne te fasses pas assommer, un point c'est tout. C'est tout ce que je te demande. Attention à droite, attention à gauche, attention devant, attention derrière. Ne fais pas ta forte tête, c'est moi qui m'en occupe. Passe la main, tout doucement, gentil; ou plus exactement, car avec tes zèbres ils ne comprendraient pas, fais celui qui a peur. D'ailleurs, tu as peur, alors fais-le. Ne t'inquiète pas de l'orgueil, mets-le sous les semelles de tes souliers. Moi, je m'en occupe : voilà le premier point. Le second, alors, ouvre bien tes oreilles et enfonce-toi bien cette idée dans la tête, c'est encore beaucoup plus important; si tu ne fais pas suffisamment attention à ce que je vais te dire, si tu te trompes, même pas une minute, mais une seconde, nous sommes fichus tous les deux, moi d'abord, toi ensuite; car je te jure que je t'entraîne avec moi, je ne vais pas me décarcasser pour toi sans partager les risques.

« " Alors voilà : à partir du moment où tu es rentré chez toi, oublie-moi. Complètement. Si on t'interroge (ta famille, évidemment, mais ils s'en foutront, alors les autres, aussi, les autres surtout, fais attention, méfie-toi), réponds que nous t'avons soigné, comme nous aurions soigné un chien, oui, oui, comme un chien. Exactement ce que je te dis, n'invente pas, contente-toi de répéter ce que je dis. Donc : un chien, et que, après, nous t'avons mis à la porte. Oui, oui, à la porte. Je te répète : un chien, et à la porte. Je me fiche de ton orgueil, c'est à prendre ou à laisser. Bon. Tu le diras? Bon. Je te l'avais dit que tu ne serais pas à la noce. Et encore tu n'as qu'à m'aider, c'est moi qui fais tout. Je ne te demande qu'un peu de bonne volonté. Et naturellement tu me laisses tomber complètement, pas un mot, pas un regard, comme si je n'existais pas, comme la dernière des dernières. Et là, c'est ce que je te recommande : pas un regard, pas un mot, même pas simplement ouvrir la bouche, ou cligner de l'œil, pas une seconde, rien, absolument rien. Tu passes à côté de moi, tu ne me vois pas. Je ne suis rien. Tu ne m'as jamais vue. Pire : tu m'as vue, puisque tu as été soigné chez moi (tout le monde le sait), mais tu m'as oubliée, je ne te suis rien, je suis une indifférente. Voilà ce qu'il faut qu'on sache. Tant que tout n'est pas réglé, nous sommes des indifférents. Ne t'avise pas de chercher à me voir en cachette; si tu le faisais nous serions perdus. Il n'y a pas de cachette possible, sauf notre prudence. As-tu bien compris? Oui? Tout? Bon, alors adieu. "

« Enfin il s'en alla. Ouf! Il avait la comprenette sacrément dure, mon bien-aimé! Intelligent, bien sûr, intelligentissime (je ne me serais pas acoquinée avec un imbécile), mais il était vaniteux comme une poule. Nos mamours n'étaient jamais sortis de la chambre sous les combles, et il mourait d'envie de m'afficher, de se pavaner au vu et au su de tout le monde, au bras d'une demoiselle. Car j'étais évidemment une " demoiselle ". Mais présentement la " demoiselle " avait à faire désormais dans les ténèbres les plus opaques.

« Il ne fallait pas s'embarquer sans biscuit, et donner tête baissée dans mon boulot. D'abord s'assurer de l'indifférence apparente de mon bien-aimé; il était bien capable de manger la consigne si j'apparaissais ex abrupto à côté de lui dans la rue. Je risquais gros; je n'avais pas envie d'y passer. Je fis donc un essai à brûle-pourpoint. Je me disais : " Il va faire sûrement un impair. " Et pas du tout : un marbre! Oh, un marbre! C'était même plus que parfait. Tellement que ce plus que parfait m'inquiéta. On ne change pas de caractère en cinq sec : un faible qui devient fort d'un seul coup, holà, holà! Il y avait une combine dans cette histoire : ou bien il m'avait joué la pièce, et il était alors plus fort que ce que je croyais, ou bien c'était un coup de hasard. Il fallait voir, et de près. J'attendis quelques jours et je repiquai au truc. Je vins carrément à sa rencontre comme pour l'aborder. Il m'évita, et avec une habileté diabolique. Je n'en revenais pas!

« Je me dis : " Ma fille, tu as été filoutée, c'est Grosjean qui en remontre à son curé [1], tu as cru avoir affaire à un bon petit bonhomme, et il en sait plus que toi. Tu faisais la capitaine, et tu ne tirais que les marrons du feu [2]. " Je croyais me servir de lui avec son " papier de verre " et en réalité, c'est lui qui se servait de moi; je me grattais contre sa peur, je me saoulais de plaisir, et c'était le contraire, il prenait du poil de la bête à son aise. Ah! que j'avais marché! Il devait se dire : " Pauvre idiote, je vais lui flanquer toutes mes sales corvées dans les pattes. " Je croyais inventer, je ne faisais qu'abonder dans son sens.

« Puisqu'il était découvert, il n'y avait qu'à le jeter aux chiens. Il ne manquait pas de jolis cœurs prêts à se fourrer dans mes cotillons : Jean, Pierre, Paul, cinquante, n'importe qui, j'étais dorée sur tranche, je n'avais qu'à choisir.

« Eh non : voilà maintenant l'amour, ou tout au moins quelque chose d'approchant. Je suis plutôt portée à calculer exactement que deux et deux font quatre. Quand je sentis que mon bien-aimé était mon maître, je fis bon visage à ces nécessités.

« On part pour faire quelque chose, et on fait l'autre. J'avais tout préparé dans ma tête; je m'étais dit : Ce sera facile, goberge-toi, ma fille, tu as le pain et le couteau, c'était le cas de le dire. Au lieu de ces entreprises " innocentes ", je me passionnai.

« Cette passion me sauva; sans elle j'aurais négligé pas mal de petites choses : à la fin on m'aurait certainement prise pour des détails. Tandis qu'en me passionnant, je fis un travail irréprochable; j'allai chercher des combinaisons au tonnerre de Dieu, que personne ne pouvait soupçonner, ce qui était excellent. Par exemple, sans passion (qui me poussait désormais) je ne me serais pas souvenue qu'un soir (oh, il y a longtemps, des années, avant même de connaître mon bien-aimé) j'avais vu, du haut de la chambre des combles (je devais avoir une angine, j'y étais sujette), un petit garçon vautré sur le trottoir, qui buvait dans le ruisseau de la rue avec une paille. C'était un ruisseau abominable : des issues de fosses d'aisance, des tinettes, des quantités de choses semblables, etc. C'était notre tout-à-l'égout à l'époque. Quelque temps après (pas longtemps après), c'était encore un soir, un très beau soir de la fin de l'été, avec un ciel de soie étincelante (je me souviens), je vis dans la chambre des combles de la maison en face de chez nous (ils devaient faire comme nous et fourrer dans leur chambre des combles leurs malades ou leurs morts) des lueurs de cierges et, en mieux regardant, j'aperçus le petit garçon, bien tranquille, blanc comme un linge, bien raide sur son lit, les mains jointes sur un brin de buis bénit : c'était le petit voisin, le buveur avec une paille, une mauvaise typhoïde l'avait ratiboisé en cinq sec; galopante, ajoutait-on[1].

« Un trait de lumière! Vous voyez, il en faut peu quand on a l'idée. On irait chercher loin et on a souvent tout sous la main. Et facile, galopante.

« La mort du frère passa comme une lettre à la poste. De loin, on a le feu sacré, de près, on n'en mène pas large. Je me faisais petite. Mon bien-aimé (qui ne risquait rien évidemment et se fichait de moi comme de l'an quarante) fit le diable à quatre. Il aurait été facile d'enterrer... les choses, c'était tout naturel, mais pas du tout. Il gueula comme un veau. Il ne connaissait même pas le mot (moi, je le connaissais, tu parles) autopsie; on le dit pour lui. Autopsie! Vous vous rendez compte! C'est un truc pour les villes, cette histoire; on n'avait jamais fait ça par ici. On le fit. On envoya un médecin du chef-lieu de canton. Grosjean comme devant, bien sûr : typhoïde sur toute la ligne.

« Il fallait bien s'y attendre. Je m'y attendais, moi. Le bien-aimé ne voulait rien entendre; il était déchaîné. Le père et la mère en étaient abasourdis : leur progéniture cassait les oreilles de toute la chrétienté. D'abord, je me disais : " Vas-y, va, tu peux y aller, c'est du cousu main. " A la fin, je ne savais plus si c'était du lard ou du cochon; je pensais : il est fou! Il va finir par éventer la mèche.

« Et pas du tout. Il avait raison. Il était plus fort que moi. Il voyait loin. Après cette " autopsie " (qui était dégoûtante pour tout le monde) nous avons eu les mains libres pour " la suite ". Oh là là, on s'était dit (on? les autorités de notre petit coin perdu) : " Autopsie! Non, non, éloignez de nous ce calice [1]. Jamais plus, qu'ils se débrouillent. "

« Il est très fort. Il connaît le fonds des gens d'un clin d'œil. Vous pouvez cacher ce que vous voulez, il le trouve. Il trouve tout; il trouve même ce que vous vous cachez à vous-même. Ce que vous n'osez pas connaître au fond de vous, il le connaît. Il vous l'étale sous votre nez, si ça fait son affaire. Vous êtes horrifié, vous mettez les pouces, c'est sans rémission. Il vous a.

« Vous avez beau avoir des galons, des grades, des képis dorés, des yeux en billes de loto, des gueules de raies, du foin dans les bottes, des dents, des ventres, des giletières et des sacs, il vous dépiaute, il vous met nu et cru [2], il vous arrache tous vos ustensiles et vous n'êtes plus qu'un marmot. Il vous dit qui vous êtes (et ça n'est pas beau, bien entendu), et vous en passez par où il veut, car si vous ne mettez pas les pouces, il va dire vos quatre vérités à tout le monde.

« Une fois, il a eu un préfet, pour des questions de remembrement, je crois, je ne suis pas très sûre, il ne me met pas au courant de ses affaires (qui sont cependant les miennes aussi). Eh bien, j'ai vu le préfet lui manger dans la main. Il a l'œil. Vous (enfin je veux dire n'importe qui : Jean, Pierre, Paul, et même moi; ah, moi! il faudrait bien que je dise un jour ce qu'il a pris dans mon secret, ce que je croyais cacher si bien, que je n'ose même pas connaître; il ose; il ose, ne vous inquiétez pas – ou au contraire, inquiétez-vous), vous n'avez qu'un regard; lui, il a l'œil.

« Perçant? Oh, non, pas du tout, il ne va pas dévoiler ses batteries. L'œil perçant? Non, l'œil tendre, au contraire, très tendre. L'amour! (Comme avec moi.) Il ne perce pas les gens pour entrer dans leurs fonds, comme le soleil perce les nuages. Il entre dans les gens tout naturellement, ils se laissent faire, ils sont bien obligés de se laisser faire, comme moi. Il vous aime. Il vous boit comme l'eau dans le sable. Il vous boit de l'œil, vous êtes perdu.

« Vous êtes perdu, car il vous aime comme on aime les côtelettes. Il connaît vos jus. Il se délecte. Il en vit. Ce n'est pas seulement l'intérêt. Évidemment, l'intérêt compte, et il ne va pas négliger les picaillons, les hectares, les immeubles, et même la veuve et l'orphelin, bien sûr, et en premier lieu; mais il n'est pas seulement acquéreur de biens au soleil, il est aussi (et surtout maintenant qu'il est riche comme Crésus) acquéreur des choses de l'ombre. Des choses que les gens n'ont pas envie de donner, qu'ils veulent garder : des choses combinées, cachées, secrètes, le péché en somme. C'est un acquéreur de péchés. Il en fait commerce, il achète et il vend. Il achète pour des prunes et il revend au prix de l'or. C'est un gagneur de pain.

« Il m'a joué des tours pendables. Et à moi, ce n'est rien. Oh, quand j'y pense! Perdus corps et âmes : le Félix Brune, l'Oratier (qui s'appelait de son vrai nom Eutimène, et qui en est mort, radicalement), le Teston (Charles, qui a été emmené entre deux gendarmes), le Zamore (Jules, qui, il n'y a pas trois ans, a marié sa fille à un greffier; et s'il avait encore sa terre du Moulin-Neuf, il n'aurait pas marié sa fille à un greffier, vous pouvez le croire. Ce sont des gens, là, les Zamore, qui se seraient fait couper plutôt la tête que de perdre le Moulin-Neuf. Et ils l'ont perdu; et ils ne se sont pas coupé la tête, et ils ont donné la fille à un greffier. Nettoyé... C'est nous qui avons le Moulin-Neuf maintenant. C'est un coup du

Vieux, le Moulin-Neuf; un coup de mon bien-aimé. Il est loin, mon bien-aimé !). Et cinquante. Qu'est-ce que je dis, cinquante !

« Et Bouscarle (Raoul), et Montagar (Jean), et Madame Clorinde (une veuve), et le Hode, j'allais oublier le Hode, dont la femme avait des moustaches, son fils est mort à la guerre. Et le Bourrache (Esmieu de son nom de famille), Ozil, Pontet, Rome, et en avant la musique. Perdus corps et biens, il faut dire, et non pas corps et âmes, car, pour les " âmes ", il s'en foutait comme de sa première chaussette.

« Et pourtant, les âmes ! Sans aller jusqu'à dire qu'il y en avait plusieurs, j'en connais au moins une. Celle de Damase, Damase Auber. Et qu'est-ce qu'il est, Damase ? Foutu. Et qu'est-ce qu'il était ? Tout. A mon idée, il était tout. Il avait des bois, il avait un petit étang. Il chassait, il pêchait. Libre comme l'air. Il avait sa petite maison dans un replat, cachée de tout. Tu voulais chasser ? chasse. Tu voulais pêcher ? pêche. Tu voulais regarder ? regarde. Et Dieu sait s'il y avait de quoi regarder ! Tu voulais être un bel homme ? tu l'étais : un mâle superbe, le sang lui pétait aux joues. J'ai vu, chez lui, au-dessus de sa cheminée, un bouquet de plumes de paon dans une douille d'obus de 14. Il avait des bottes, oh !... il avait quitté ses bottes. Ce n'était pas pour aller au lit (hélas !). Il était à la chasse au blaireau, avec le Vieux. C'était le temps où le Vieux préparait son coup, alors il allait à la chasse au blaireau (lui qui n'y connaît rien) avec Damase. Il faut des espadrilles pour surprendre le blaireau. Moi, qu'est-ce que je faisais ? Rien. Pas à la chasse au blaireau, non. J'attendais. Et en attendant, je regardais cette maison des bois, ce ménage de célibataire seul au fond du monde. Et quel monde : le paradis. J'ai touché ces bottes. Une seule d'ailleurs : une seule me suffisait. Elle pesait vingt kilos, cent kilos, tous les kilos de la terre. Et avec elle (les deux) il marchait, il dansait même. Ah, c'est un homme comme ça que j'aurais voulu ! (Va te fouiller, ma fille !) Ses yeux brillaient comme la fournaise sous un chaudron.

« Ratiboisé. Les bois de Phéline, le petit étang sont à nous. Moi, par la force des choses, j'aimerais mieux que Damase soit encore en train de pousser ses cris cocasses dans ses échos (pour s'amuser), qu'il jette encore son épervier dans l'étang. Sa barque à fond plat est engravée; elle se pourrit, elle doit être complètement pourrie. (Je ne suis jamais plus allée là-bas, jamais plus.) J'ai dans mon grenier les filets et les fusils de Damase, et son accordéon (on avait tout ratiboisé). " Pourquoi l'appelles-tu Damase? me disait le Vieux. Son nom est Auber. Ne l'oublie pas. " Je ne l'oublie pas. Je n'oublie rien.

« Je ne m'oublie pas non plus, moi. Après ce que j'avais fait! J'ai quand même toujours mon âme, en quelque sorte. Pourquoi détruire Damase de fond en comble? Tu aurais pu lui laisser quelques petites choses pour qu'il puisse subsister. Mais tu t'es acharné sur lui, plus sur lui que sur les autres. Je n'ai jamais voulu toucher son accordéon; c'est toi qui l'as apporté à la maison, toi-même. C'est toi qui l'as tripoté, toi-même. C'est toi, finalement, qui l'as jeté, oui, jeté, dans un coin du grenier, derrière le vieux pétrin et la malle en poil de bichard[1] de mon grand-père, toi-même. Et moi, pendant plusieurs années, même encore aujourd'hui, je ne m'approchais pas de lui à plus de cinq mètres à la ronde; et j'ai poussé le vieux pétrin, la malle en poil de bichard, et des paniers, et des ballots de linge (des robes de ma mère), et des boîtes, pour me faire un rempart, pour que je ne voie plus cet accordéon, et surtout, surtout! pour ne pas être tentée, peut-être, de le toucher. Ah, si jamais il se mettait à gémir!

« Et pourtant je n'ai rien fait. J'ai même caché mes sentiments. Oh, je sais bien que même cachés, tu m'as percée à jour, comme tu perces tout et tout le monde à jour, mais j'ai pensé que tu me laisserais peut-être tranquille. Pourquoi as-tu détruit Damase? Et ce que tu m'as fait faire? Il était plus fort que toi. Et tu m'as jetée dans la balance, et c'est par moi qu'il a touché les deux épaules. Et c'est moi qu'il a détesté (avant de partir; il l'a dit; j'entends encore sa voix à laquelle je ne pouvais pas répondre). Moi, et pas toi.

« Moi qui n'ai fait que... le regarder avec plaisir, et ce n'est pas énorme de le regarder simplement avec plaisir, tandis que toi tu le tuais à petit feu, mais tu t'es arrangé comme toujours pour qu'il me déteste, moi. Moi qui n'aurais pas touché un cheveu de sa tête, Dieu garde ! Ah, tu as démoli des quantités de choses en moi, et je m'en fiche, mais Damase, je ne te le pardonne pas. Ce n'est même pas une question de pardon, c'est autre chose. Je ne te voyais pas, et maintenant je te vois. Et comment veux-tu que je te pardonne, maintenant que je te vois ? Le pardon n'existe pas en ce cas-là. Quand une bête est morte, elle n'a plus de souffrance, mais la femme, après une certaine mort, peut encore pleurer et gémir.

« Les renards sont malins, mais pourtant on en prend.

« Kruger est allé chercher le poulain. Il ne le trouvera pas : c'est le Vieux qui l'a emporté. Ce n'est pas la première fois qu'il emporte des ustensiles, je n'ai pas les yeux dans ma poche. On nous a subtilisé déjà des brebis, plus de six, peu à peu ; des ânes (peut-être trois) ; aujourd'hui, le poulain. »

Kruger avait pris le fusil pour se donner une contenance. Il marcha vite. Il faisait froid. Il se disait : « J'ai surtout envie de sortir d'ici. » Il regardait néanmoins attentivement. On ne perd pas un poulain de gaieté de cœur, surtout un beau poulain, mais quoi voir ? La pierraille ne laissait aucune trace, le gel encore moins. L'air sec devait porter des quantités de bruits. Il écouta. Non. Rien. Le silence : peut-être très loin, un chien, mais très loin.

Kruger se disait : « Dès qu'on fout le camp de cette maison de merde, on a un peu la paix. » Il regarda en arrière. La pureté de l'air rapprochait les horizons comme une loupe. Il n'y avait plus de lointains. On avait beau marcher, on ne s'éloignait pas. Il avait déjà fait au moins deux kilomètres sur la pierraille, et il était toujours au même point. Il avait beau presser le pas. « Cette maison de merde » ne voulait pas disparaître. Elle était construite en dur, comme on dit, en sacré dur : avec des pierres de galets, du granit, des murs épais de deux mètres, des voûtes, des caves; elle grondait, des ombres. Installée sur quoi? Sur rien, rien qui puisse ressembler à quelque chose. « Des gens normaux ne seraient pas venus construire une maison (énorme) sur rien : des pierrailles, du rocher, de la poussière que le vent emporte. Nous, nous ne sommes pas normaux, nous avons construit là, énorme, en dur, pour des siècles, et rien que pour nous.

« Quand j'étais petit, moi, j'avais quoi? six ans à peine, j'ai eu peur pendant des années. Je beuglais comme un veau si on me traînait jusqu'à la barrière. Je fermais les yeux, je ne voulais pas regarder le désert. Non pas le désert, le vide. Ce n'est pas le désert : il y a des champs d'esparcette pour les abeilles, et même du maïs (mais quand j'étais petit, nous n'avions pas encore fait du maïs); ce n'est donc pas le désert, c'est le vide. Voilà pourquoi je beuglais comme un veau, je griffais, je me dépêtrais des bras, des mains de mon père, de ma mère, de mon frère, n'importe qui, et je courais m'engouffrer dans la maison, de la maison dans le couloir, du couloir à la resserre la plus loin, de la resserre dans un sac (c'était toujours, je me souviens, un sac de pois chiches), je fourrais ma tête dans le sac et je restais coi. »

Kruger dépassa la crête; il commença à descendre de l'autre côté, dans le vallon, au flanc de l'ubac de Bury, à travers des genévriers et du houx. Il regarda en arrière. Ah, enfin un nouveau monde! La maison était cachée. Il entra plus profondément au noir de l'ubac. Il traversa les taillis de peupliers nains, des aulnes, des saules. Il remonta sur la Colle et il se trouva sur le Plan de Bury.

On ne vient pas souvent sur le Plan de Bury, même jamais. En allant à sa transhumance du miel avec ses ânes, il passait bien plus à gauche, même très loin. C'est ailleurs, ici : il y a quelques arbres, des chênes-blancs, des grands fayards, un pin (peut-être un pin, oui, très vert, là-bas au loin).

« Le poulain n'est sûrement pas venu ici. Qu'est-ce qu'il foutrait? Il n'est même pas venu de ce côté; ou bien alors, il a suivi le ravin. Tant pis pour lui. En continuant tout droit, on doit tomber du côté des Vinatier, ou même des Fabre. Il y a même un type que je connais, enfin je l'ai vu quelquefois à la foire, à l'auberge, je lui ai même parlé, et qui doit habiter par là-dedans. Un boiteux, un pied-tourné, une ferme dans un creux. Il m'a dit la ferme de Silance[1]. C'était à un nommé Verbois; vendue en 16 à un nommé Augustin, gazé de guerre, mort en 37; c'est sa veuve qui s'est mise avec le pied-tourné, celui que je connais. C'est celui-là. Mais va chercher maintenant dans tout ça : c'est grand, le Plan de Bury. On ne voit rien en réalité, sauf des arbres, et en effet, ils sont beaux; à moins que ce soit là-bas dans ces bosquets.

« Tout compte fait, ce poulain, c'est une aiguille dans une botte de foin; et il vaut mieux y faire la croix. A moins qu'il rentre seul, mais je ne crois pas. A moins encore qu'il soit finalement sur le Plan de Bury : on a vu des choses bien plus extraordinaires que ça. »

Kruger marchait à grands pas. Ce mouvement délibéré l'enivrait, et tout ce qui était nouveau : les arbres, les haies, les buissons, le sol élastique. Malgré le gel, la terre était entièrement tapissée d'une herbe épaisse, feutrée, et qui craquait gentiment sous le pied. Au fur et à mesure qu'il s'enfonçait dans le Plan de Bury, en direction de hauteurs bleues, mais proches et marquées par des files d'arbres ébranchés qui haussaient des sortes de moignons ou de poings, il allait de surprise en surprise. Il n'était pas cependant tombé de la dernière pluie. Il se disait même : « Oui, oui, maintenant, je suis déjà venu par ici; et même précisément juste à cet endroit-là, dans le droit fil de ce chemin. Je suis venu il y a peut-être trois ans, je crois; ça devait être chez l'Alphonse Richard. Oui, oui, je suis venu avec la jeep. C'était pour le machin des apiculteurs, le syndicat. Oui, oui, c'est là, c'est bien là; mais en jeep on ne se rend compte de rien. Je n'étais pas passé par l'Hubac de la Colle. Je suis venu par les Rouvières, l'Américaine, le Grand-Blé. Ça change tout. Je me reconnais maintenant, l'Alphonse, c'est là-bas, le vice-président, un emmerdeur patenté. Oui, c'est là-bas, quand on vient par les Rouvières, l'Américaine, le Grand-Blé, ça ne fait pas du tout le même effet. Ah, et puis la jeep. »

Il était content de marcher. Le froid était immobile, il ne piquait qu'aux jointures et aux narines. C'était agréable. La lumière était nouvelle, les arbres nouveaux (nus, noirs, en fil de fer), le pays entièrement nouveau : largement ouvert du côté des hauteurs, des perspectives, des avenues, un ciel clair; sur l'horizon en dents de scie, une forêt. Laquelle? La Blaque, ou Roquette, au tonnerre de Dieu. C'était épatant! Il ne pensait plus du tout au poulain. Peut-être encore un peu, mais surtout au plaisir de vagabonder.

En approchant des hauteurs il traversa un bois de rouvres et il tomba sur un chemin de terre où le gel avait pétrifié les empreintes de pneus quadrillés et ceux d'une pétrolette, sans doute celle du facteur. Il suivit la piste, et, en dépassant un petit rebord fourré de ronces, il vit le creux de Silance (d'après ce que lui avait dit le pied-tourné). D'ailleurs, le pied-tourné était là-bas à deux cents mètres, dans le pré. Il boitait bas, il était en train de tourner l'angle de la bergerie. Quand il vit que quelqu'un venait vers sa maison, il attendit, et il se renfonça la casquette sur les yeux pour regarder à contre-jour.

« C'est bien placé », se dit Kruger. C'était une longue bâtisse basse couchée au flanc d'un tertre en plein soleil. Les chiens donnèrent de la voix et se déployèrent pour prendre l'intrus à revers; le pied-tourné les rappela.

« Salut, dit Kruger.

– Ah tiens, dit le pied-tourné, et où allez-vous comme ça? »

Il raconta qu'il cherchait un poulain échappé. Il fit semblant de croire que la bête était peut-être entrée dans le Plan de Bury.

« Je n'ai rien vu, dit le pied-tourné, j'ai vadrouillé tout le matin sur mes pièges à grives, s'il était par là, je l'aurais vu. »

Finalement il tutoya Kruger et il dit : « Du moment que tu es ici, viens donc; nous étions en train de faire des crêpes. J'allais justement chercher du petit bois. »

Ils allèrent tous les deux jusqu'au bûcher; les chiens n'aboyaient plus; ils reniflèrent les talons de Kruger, puis ils s'en allèrent tranquillement en agitant leurs grelots.

« C'est une maison comme ça que je voudrais, se dit Kruger. Et il n'est pas trop tard, c'est exactement ce que je veux. Pas trop grand, même plutôt petit (à peine s'il a dix hectares; peut-être quelques pièces de terre de l'autre côté du bois, c'est le bout du monde, quinze hectares bon poids), voilà ce qu'il me faudrait. Je ne vais pas rester cent sept ans sur l'héritage. Nous sommes quatre : mes deux frères, ma sœur, moi. Dès que j'ai mes sous, je fous le camp, je vais dans les écarts. Je n'ai pas besoin de tant. Il suffit que je fasse tourner mon petit ménage. Je n'ai pas d'ambition. »

« Viens donc, dit le pied-tourné, on a assez de bois, laisse. C'est de la souche de genévrier, ça tient le coup, tu verras. J'ai dessouché tout le dessus, là-haut, l'hiver dernier. On a du bois, on sait pas quoi en faire. Allez, amène-toi. »

« Pourquoi font-ils des crêpes aujourd'hui? se dit Kruger. Il n'y a aucune raison. C'est épatant. Et pourquoi pas? »

Il frappa ses souliers sur le seuil, comme pour faire tomber la boue (pure politesse, il n'avait marché que sur des prés gelés, propres comme un sou). Il dit bonjour : il y avait juste deux femmes, une vieille et une jeune (dans les quarante ans, se dit-il d'un coup d'œil, mais fraîche, même bien). La jeune femme avait les mains blanches de farine, elle les essuya sur son tablier. Kruger mit son fusil dans le coin de la porte.

« Oh non, n'ayez pas peur, dit-il, il n'est pas chargé, je n'ai même pas de cartouches. Je n'y ai même pas pensé. »

C'était exactement pareil pour le pied-tourné. Lui aussi, dit-il, s'en servait comme contenance. Il avait le fusil, souvent il n'avait pas de cartouches, mais il l'emportait. Sans fusil, il ne savait pas quoi faire de ses mains. Il se croyait nu. (En réalité, il parlait pour meubler la conversation, car les femmes ne disaient pas un mot, comme de juste, et il fallait parler pour parler, jusqu'à ce qu'on soit habitué. Il ne vous tombe pas toujours quelqu'un ex abrupto au moment où on fait des crêpes.)

« Rigolez! Mais je n'ai jamais fait de crêpes.

– Ce n'est pas l'affaire des hommes. A moins que ce soit le Mardi-Gras.

– Pas seulement moi : ni ma mère, ni ma sœur, jamais. On n'en a jamais fait.

– Pourquoi?

– Je ne sais pas. On n'a pas l'habitude.

– Ce n'est pas une question d'habitude. C'est la vie : c'est l'hiver, il pleut, il neige, il fait froid, on reste à se regarder le blanc de l'œil ou on dort sur la chaise près du poêle. Qu'est-ce qu'on fait? On fait des crêpes. »

« Chez nous, se dit Kruger, on sait toujours quoi faire : père combine, mère ramasse les bouts de ficelle, Danton rumine, Prétoria cherche. On n'a pas le temps de faire des crêpes. Ici, il y a un butagaz, l'électricité, une télévision, comme chez nous (la même marque). Avec cette différence qu'ici (Silance, puisque c'est le nom) il n'y a pas besoin de cinquante mille voûtes; il n'y en a même pas : un plafond plat et en plâtre. L'orgueil nous tue (sauf moi, peut-être).

« Les petits yeux de mon père, je les ai vus pétiller pendant des années (encore maintenant, certains jours). Il a cherché quoi, d'abord? Une table rase, le désert, la pierraille, le roc. Vous n'oserez pas, il a dit; moi j'ose, c'est là que je m'installe, je suis le plus fort; et je vais faire monter des voûtes et des voûtes, et des murs épais de deux mètres en galets de rivière; et ma mère s'est mise à circuler dans l'ombre en traînant toujours quelque chose qu'elle va enfourner dans des " cafougnes [1] ". Les autres n'ont pas cherché midi à quatorze heures, ils ont trouvé des murs de rien, à la papa, sur le Plan de Bury qui est bien fourré d'herbes, d'arbres et de gentillesses. »

« ... cinquante francs, dit le pied-tourné.

– Cinquante francs? C'est donné!

– Nouveaux, attention!

– Même nouveaux. Un chien d'arrêt, c'est au moins trois fois plus. Il vend des chiens? Je ne savais pas.

– Il vend tout; il vend n'importe quoi. Il a vendu son chien (c'était son chien), il vendrait sa femme. Oui, c'est un griffon d'arrêt à poil dur. Tu peux le toucher, il ne bouge pas. Il a un nez terrible. Il sait que tu es avec moi et il te sent : il ne te touchera pas. J'en avais un, moi, je ne sais pas de quelle race il était, celui-là, il était bon, il était même très bon, mais cabochard, tu ne peux pas t'imaginer. Tu serais arrivé comme tu es arrivé tout à l'heure, je t'aurais touché la main; il l'aurait senti, mais il n'y avait rien à faire, il fallait qu'il t'attrape. Il te prenait en traître par-derrière et tu y étais, tu étais bon! J'ai eu des histoires du diable. Il était venu un type de la mairie. Non : avec les Rouvières, la Mourotte et le Grand-Blé nous faisons commune depuis cinq ans au moins. Il est donc venu un greffier, une sorte de secrétaire : c'est l'instituteur des Bernes, il fait secrétaire de quatre ou cinq communes, un gros rouge; il avait interpellé à la réunion pour le député; non, mais tu n'es pas de notre circonscription; enfin, de toute façon, il arriva ici pour une question de chemin communal qui me longe en bordure du bois. Mon greffier avait un pantalon tendu, mon vieux, à craquer, tu vas voir... »

« Je me demande, se dit Kruger, celle-là, c'est la fille ou quoi? C'est celle d'Augustin ou celle du pied-tourné? C'est peut-être même celle de personne : une voisine, une cousine, une orpheline; il y a des gens qui prennent des orphelines. Elle est plus vieille que moi; pas trop, mais si quand même; et elle est très bien. Les jeunes font toujours des manières, elle non. Elle fait aller sa poêle, et hop, au poil, elle fait des crêpes. Elle est dans le feu; elle ne sue même pas, juste un peu au front, à peine. Et comment on l'appelle, son petit nom? La vieille a dit " Loulou ". Peut-être Louise. Oui. Elle est brune, j'aime bien ces nez. Pas très gros, pas crochus, très bien, pas longs, non, non, au contraire. Plaisante, solide, une bonne femme, sans chichis. Les jeunes ont toujours la colique : une fois, c'est parce qu'elles réclament n'importe quoi, tout; une autre fois, c'est parce qu'elles font les fières; ou alors, il faut tout le temps donner. Donner, je veux bien, mais alors à celle-là. J'aimerais, non, sans blague. Oh, elle rit, c'est joli! Elle se redresse dans l'ombre, on ne la voit plus. Ah, si, encore mieux. Les yeux. »

« Ne parle pas tout le temps, papa, dit la mère. Va chercher ton vin blanc. Et commencez à manger maintenant qu'elles sont chaudes. N'attendez pas. Il n'est pas loin son vin, allez. Il l'avait préparé.

– Et alors, bien sûr. Tu as encore de bons yeux, toi, hein, ma vieille.

– Meilleurs que toi, papa. Quand tu fais des coups en douce, je te vois, tu sais! Je te vois très bien, va. Je savais que tu avais mis des bouteilles à côté de la porte de derrière, rien qu'à voir ton air quand tu es entré. Tu peux courir!

– Oh, j'ai pas couru, j'ai pas couru du tout. Je l'ai mis au nord, au frais, pas plus, simplement, un point c'est tout.

– Beau masque, comme si tu crachais dessus! Oh, oui, pour vous, bien sûr, il fait le bon apôtre, mais moi je le connais.

– Ce serait dommage si tu ne me connaissais pas, maman, depuis le temps.

– Oh, ce n'est pas une question de temps, papa. Je le connais ton nord, et le sud, il ne m'a pas fallu longtemps, va.

– Alors là, maman, tu te trompes, parole, la main sur le cœur. Regarde : tu vois, c'est le vin bouché de trois ans, bouché et cacheté, regarde. Je n'ai pas pu licher même une goutte. Regarde, regarde, le vin de trois ans, bouché, cacheté, recta. Personne ne l'a encore goûté, même pas moi. J'attendais d'avoir du monde, pour voir. Il n'est peut-être pas bon d'ailleurs.

– Si, il est très bon. Si, si, il est même très bon.

– Oui, il n'est pas mauvais. Tu fais des compliments, mais...
– Eh non. Vous le savez mieux que moi.
– Justement non, je ne sais pas, c'est un essai. J'ai des gros verts en haut, derrière les chênes; c'est à l'ubac. Je n'ai jamais réussi, j'ai tout donné à la Coopé, ça filera avec le reste. Une année, il y a trois ans, j'ai eu l'impression qu'il y a eu un peu plus de soleil, un peu plus longtemps, je me suis dit : Essaye. J'ai essayé; je vais te dire, voilà comment j'ai fait, oh, les raisins de l'ubac, surtout ici, il ne faut pas s'amuser à les considérer comme n'importe quoi, tu vas voir... »

« Ma mère ne m'a jamais caressé, se dit Kruger. Elle m'aimait peut-être, mais caressé, non, jamais. Une fois. Et, est-ce que c'était une caresse? Je n'en suis pas sûr. J'avais sept ans. Je me souviens. Elle se disputait avec mon père. J'étais là à côté d'elle, elle mit sa main sur ma tête, comme on ramasse une pierre pour se défendre (ici contre mon père). J'aurais aimé être dans ses jupes, je la suivais partout. Un beau jour je me suis dit : C'est pas la peine. Je n'y ai plus pensé. J'y pense maintenant. Loulou (Louise) m'a regardé. Pas spécialement, elle a regardé les assiettes de crêpes pour savoir si nous mangions; elle a regardé les verres, pour savoir si nous buvions, et elle m'a regardé en passant, pour savoir si... Il suffit de peu de chose. Il n'est pas nécessaire de se décarcasser pour caresser quelqu'un. On le fait tout naturellement, ou alors c'est zéro. Elle (Louise) m'a caressé en passant. J'ai vu ses yeux, larges, ça n'a pas duré longtemps, et c'était tout, ça suffisait : tout allait bien, les joues, la bouche, tout d'un seul coup. Des yeux, je ne sais pas, peut-être verts, ou marron, ou les deux, oui, je crois. Oh, c'était très peu! Je ne suis rien, moi, je suis arrivé comme ça, pour la première fois, ex abrupto. Je ne vais pas m'imaginer que... Non, elle l'a fait pour moi gentiment, et pour d'autres aussi sans doute. Derrière des murs épais de deux mètres en galets de rivière on ne caresse personne, jamais, ni gentiment, ni pas gentiment. On ne sait pas faire (sauf moi). Je serais caressant, moi, ah oui. Ça me serait très naturel. Et peut-être même elle

(Louise) ne m'a pas vraiment caressé. J'ai vu ses yeux, et c'est peut-être moi qui ai inventé la caresse, tellement j'en avais envie depuis plus de vingt ans, qu'est-ce que je dis! Trente (j'en ai trente et un). Inventées ou non, les caresses ne se font pas toutes seules, il faut être deux. J'avais beau en inventer sous la main de ma mère, j'étais seul. »

« ... Ce n'est sûrement pas un ministre. Il en a l'air, je le reconnais, mais à mon avis nous sommes loin de compte. Maman disait que c'était un ministre. Je ne crois pas. Qu'est-ce que c'était, Loulou?

– Un jeune.

– Oui, plutôt, mais il disait quoi?

– Il parlait.

– Voilà. Tu comprends, moi j'ai tourné le bouton. Il parlait. Il avait un col, une petite cravate, son gosier montait et descendait, il disait tout le temps : remembrement, le remembrement, le remembrement, non, j'ai tourné. J'ai éteint. Oh là là, il m'avait fait une tête comme un melon. Deux jours après, j'ai vu Charles, aux Bernes. Je lui ai dit : " Alors, tu as compris quelque chose, toi? – Oh, il m'a dit, non, j'ai éteint. " Je me suis dit : " C'est très joli, mais il faut quand même un peu voir, ils sont certainement en train de manigancer quelque chose quand ils parlent comme ça dans la télévision; un beau jour, ça va nous dégringoler sur le coin de la gueule. " Je suis allé voir Mademoiselle Marthe, celle-là elle est calée, non, non, c'est la secrétaire du conseiller général. Je lui ai dit : " Alors, le remembrement, qu'est-ce que c'est? " Elle m'a expliqué. Eh bien, mon vieux! Enfin écoute : là-haut sur le Plan il y a un bois. En réalité, il y a trois bois, celui de Charles précisément, un autre, celui de Jean-Laine, Jean-Laine des Rouvières, et il y en a un troisième qui appartient à un nommé Fidélin, qui est de Sainte-Réparade, qui ne vient jamais, qui a eu ce bois par héritage, il ne l'a même jamais vu; et puis il y a moi, au milieu du bois (au milieu des trois), pas tout à fait au milieu, mais presque. J'y viens par un coin du côté de ma lande. Oui, mais moi, ma terre n'est pas un bois, ni une lande. J'ai nettoyé et c'est un beau petit lot. Ce n'est pas le Marché Commun, mais j'y fais mes pois chiches. Alors, maintenant, ils veulent remembrer, remembrer quoi? Ça n'a jamais été démembré. D'après ce que dit le jeune de la télévision (et il n'y entend rien : il ne connaît même pas la différence entre les ubacs et les adrets, les nord et les sud, les ombres et les soleils, les argiles, les sables, les lourdes et les légères, ainsi de suite) il faut que nous y passions. Un type qui ne sait même pas ce qu'il dit! Écoute-moi bien... (Vide ton verre d'abord. Je te donne maintenant du rouge, et tu vas voir celui-là, mon petit lapin...) »

« Il a raison, se dit Kruger. C'est exactement ce qui nous arrive à nous. Nous avons aussi deux ou trois petits lots barque à travers [1], notamment un carré qui n'est pas mal dans la mauvaise vigne de Paulin Terrasson. Celui-là ne démordra pas, surtout s'il a la loi pour lui. Et c'est toujours la même chose : qu'est-ce qu'on nous donnera en échange?

« Seul.

« Oui, à l'âge de six ou sept ans, j'étais seul comme un ladre. J'avais peur, tout le temps. Rien ne me garantissait. Les caresses m'auraient garanti, mais je n'en recevais pas. J'aurais voulu être escargot. Oui, à l'époque, à six ou sept ans, je regardais les escargots et je me disais : " Ah, si j'avais une coquille! " Maintenant encore. Ce n'est pas une question de murs épais de deux mètres en galets de rivière, c'est le contraire. Quand on vous aime, on est paré; mais quand on ne vous aime pas, ou simplement quand l'amour n'existe pas, comme c'est le cas chez nous, alors on a beau se fourrer sous des tas de galets de rivière (nos voûtes, nos corridors, nos caves), on est seul et livré aux intempéries.

« Ce vin est sacrément bon!

« Alors quoi faire, à mon âge? (Trente ans, même trente et un.) Je ne peux pas rester confit, comme un curé. Je vais à Séderon, derrière les aires. Ce n'est pas tout à fait une " maison ", mais il y a trois femmes. Je m'arrange pour prendre la grosse : Léa. C'est pas pour le truc (si, quand même : c'est bien obligé). Oh, non, c'est pas pour la rigolade, pas spécialement. C'est pour avant. Il y a là un quart d'heure (une demi-heure parfois si je suis gentil, et je suis toujours gentil) où je me rassure; j'ai la paix. Elle passe un bras sur mon épaule; elle penche sa tête; elle frotte ses cheveux contre ma joue, lentement, longtemps. Enfin, pas très longtemps, mais suffisamment pour que je me contente, un peu. Oh, je dormirais! Souvent elle me dit : " Eh là, collègue, ne t'endors pas! " Évidemment, elle a raison, c'est son travail. Et pourtant, c'est ça qui me fait du bien. Après c'est fini.

« J'ai eu Claire, il y a trois ans. C'était autre chose : je ne payais pas. J'aurais mieux aimé. Au début, j'ai cru que c'était le paradis. Elle avait une chambre sous les combles : entortillée dans de petits murs, de petits toits, vraiment l'escargot. Je me couchais dans ma coquille. Mais Claire ne me caressait pas. Très vite, très peu, un cri et du bois.

« Finalement, j'aurais préféré Léa, elle était moins pressée. Ce n'est pas une question d'argent.

« Ma mère n'a jamais touché ma joue, même pas d'une gifle.

« Ce vin me chauffe les oreilles.

« Il a au moins douze degrés. C'est bien ce que je pensais : celui que vous avez donné en premier était bon, mais loin de valoir le rouge; de très loin. Le blanc avait bon goût, un peu dur, le blanc. Tandis que le rouge, alors attention! Il ne faudrait pas s'y amuser.

« Et vous avez la main lourde : c'est la troisième fois que vous remplissez mon verre. Je vous vois. Je vous surveille. Je me méfie, je bois quand même, tant pis pour vous. Ce sera de votre faute. Non, vous le portez mieux que moi. Et vous avez moins bu que moi. C'est une question de propriété. Tu bois chez quelqu'un, tu es paf, et le vin que tu fais toi-même ne saoule jamais. Ça m'est arrivé. Nous n'avons pas de vigne; juste un petit bout à la côte Saint-Parfait, des vieilles souches de jaquet [1]. Et un jour (je n'avais pas encore mes ruches) je me suis dit : Tu vas vendanger cette vigne. Une idée. Mon père, ma mère, mon frère, ma sœur, tous m'ont dit : " Laisse donc ça tranquille. Ça ne vaut pas tripette; c'est du temps perdu : les grains sont gros comme des pois, tu auras plus de grappe que de jus. Tu feras du vinaigre. Laisse donc tes petits raisins pour les grives. " »

« Attends, dit le pied-tourné (il avait les yeux embués de larmes, et sur ses lèvres jouait un joli sourire idiot). Ferme les yeux. Tu vas voir. »

« Qu'est-ce que je vais voir en fermant les yeux? » se dit Kruger. Mais si, en effet, une fois les yeux fermés, qu'est-ce qu'il entendait? Il entendait le sifflement d'une grive dans le premier matin, une grive que le vent des hauteurs avait rabattue dans le bas pays, vers les vignes ou les collines à genièvre. Oh, c'était une grive magnifique!

« Attends, attends, n'ouvre pas les yeux. C'est pas fini. »

Il ne risquait pas d'ouvrir les yeux. Il avait brusquement une sensation de gentillesse parfaite : une caresse de grive, il était enfermé dans une petite coquille de sifflotis. Il avait souvent entendu les grives dans les collines. Il en avait piégé tant et plus. Il en avait tenu dans les mains plus de mille (abandonnées, molles, mortes). Maintenant une grive le tenait dans ses ailes, dans ses plumes, abandonné, dans le vin, mou, peut-être mort, mais très agréable.

« Ne t'endors pas, collègue, dit le pied-tourné (exactement ce que me disait Léa).

– Non, non, je ne m'endors pas. Mais qu'est-ce que tu as fait, qu'est-ce que vous avez fait? (Ce " vous " est difficile à dire maintenant.)

– La grive? Ah, il n'y a pas que la grive, il y a des quantités de choses. Ferme encore les yeux. Et ne t'endors pas.

– Risque pas! Attends, je bois un coup et je suis à toi. Voilà. Vas-y. »

Kruger ferma les yeux. D'abord un silence semblable aux rumeurs de la mer au fond des coquilles. Puis arriva, oh!

c'était le rossignol. De mai. La nuit de mai. Kruger sentait même l'odeur des tilleuls fleuris, à minuit, quand un souffle d'air apporte un peu de fraîcheur. Le chant de l'oiseau lui donnait des élancements dorés sous les paupières fermées. Cette fois, la caresse allait loin. Il en perdait la respiration (un peu le vin aussi; il venait juste de s'envoyer deux verres de vin coup sur coup, et solides; et le rouge du pied-tourné était terrible, magnifique, un Jésus!), on aurait dit que ce rossignol était tombé juste à point. « Depuis un moment, entre Loulou, Léa, le vin, je suis à vif; il me suffit d'un rien, une goutte, un souffle, un clin d'œil, une étincelle, la pointe des flammes (qui tremble rouge sur mes paupières fermées), la moindre des choses me touche comme de l'électricité, et alors encore plus ce rossignol noir, de velours! Si je me dressais, si j'essayais de faire un pas, je tomberais raide mort. Je ne suis pas saoul, pas du tout. Au contraire je me force, je ne cherche pas à être d'aplomb : je le suis, je suis à jeun, je suis plus qu'à jeun, je suis vide. C'est un vertige. » Il tombait dans un trou.

Il ouvrit les yeux.

Le pied-tourné se tapait vigoureusement les cuisses, il gueulait comme un bœuf : « C'est pas de jeu. Il ne fallait pas ouvrir les yeux. »

Ce n'était donc pas lui qui sifflait la grive et le rossignol? « Oh, non, tu parles, je ne risquais pas de siffler, je n'ai même plus une seule dent dans la bouche. – Alors qui? – Loulou! » Kruger n'y croyait pas :

« C'était vous!

– Oui, dit-elle, c'est moi. » Sans rire, pas triste non plus. Elle disait bien ce qu'elle voulait dire : c'est moi, je suis moi, regardez-moi. (Jusque-là il ne l'avait vue que de côté, penchée sur le feu.) Son visage était large et rond : une lune éclairée par sa propre lumière. Oh, les beaux yeux!

Elle avait d'abord fait de petits sifflets avec des branches de sureau. Il faut alors les tailler en biais, et il faut en gâter cent pour en trouver un qui sonne juste : c'est comme de tout.

Les grives ne s'y laissent pas prendre, tandis qu'avec la bouche...

« Elle expliquait très bien. Le pied-tourné, la vieille femme étaient tous les deux peut-être un peu pompette. Ils mangeaient des crêpes; nous aussi (elle et moi); ils buvaient de grands coups de vin; nous aussi (elle et moi). Ils s'exclamaient, ils mettaient leur grain de sel, ils riaient et ils s'étaient mis à tousser, disant que le sucre en poudre leur avait tapé à la luette, mais c'était sans doute le vin, qui était bon (magnifique, un Jésus!) et qui se laissait boire, qui forçait même à le boire. Nous buvions sec (elle et moi) comme les autres. Nous ne sommes pas de petites natures, le vin ne nous fait pas peur. Et rien ne nous empêchait de répondre du tac au tac (ils avaient l'air de se moquer de nous), de nous mêler à la conversation avec de grands éclats de voix, nous aussi (elle et moi), et de mettre notre grain de sel, mais en réalité, nous nous en fichions totalement : nous parlions de nous (elle et moi), rien que de nous.

« " J'étais cachée dans la bruyère (me disait-elle, ou peut-être l'avait-elle dit simplement du regard). Je me faisais petite; je m'aplatissais dans la terre et je sifflais les grives. Elles venaient du nord; parties pour aller très loin. Touchées par mon sifflet, elles cessaient leur vol et s'abattaient presque sur moi. Je les voyais sautiller dans les herbes. Elles tendaient le cou, elles sifflaient à leur tour pour m'appeler, moi, qu'elles prenaient pour une autre grive. C'est encore beaucoup plus joli (je ne les appelais pas pour les tuer, j'étais seule, je ne chassais pas; j'essayais de voir ce qui allait se passer). Mon visage était à ras de terre. A travers les herbes je voyais venir une grive qui s'approchait par petits bonds jusqu'à moi. Elle me vit. Elle était à vingt centimètres de mon visage. Elle donnait déjà un coup d'aile pour s'envoler. Je sifflai doucement. Elle retomba sur place. Elle m'écouta. Elle penchait la tête d'un côté, de l'autre. Elle entrouvrit le bec, sa petite gorge se mit à palpiter et elle me répondit.

« “ Mais ce n’est bon que par les grands ciels d’hiver, quand ils sont blancs et vides. Le vent ne nous jetait que des poignées d’oiseaux semblables à du gravier. Il fallait bien nous contenter de grives. Quand le mois de mai chauffe à longueur de journée le plan de Bury, les oiseaux sont veloutés, les tilleuls fleurissent. L’odeur se répand dans les nuits tièdes. Il fait trop beau, trop bon pour dormir, ce serait péché ! J’écoutais le rossignol, je l’imitais dans mon lit. La grive, c’est simple : elle appelle des baies de genièvre. Elle siffle pour charmer sa nourriture. C’est un oiseau rude. Il a faim. Il siffle, il exige. Le rossignol n’exige rien. Il a faim d’autre chose. Il ne siffle pas, il parle, il prononce des mots. Il n’est pas impérieux, il donne des raisons. Pour qu’il se satisfasse, il faut qu’on réponde à ses raisons, ou qu’on les contrarie, qu’une conversation s’engage. J’ai dit, la grive est simple, elle est seule ; le rossignol est double. Il y en a toujours deux : ce sont deux ‘ répondants[1] ’.

« – Nous aussi, nous sommes deux ‘ répondants ’, mais à la fenêtre, quand vous faisiez le rossignol, aviez-vous une camisole ?

« – Une camisole ? Pourquoi ?

« – Ma sœur Prétoria a une camisole.

« – Moi non. J’ai une chemise de nuit.

« – Vous n’avez pas froid ?

« – Je n’ai jamais froid. S’il fait froid, je ne le sens pas. Je n’y pense pas. Je pense à autre chose : au rossignol. Sinon, comment trouver les mots ? ” »

« Il faut bien qu’elle s’amuse », dit le pied-tourné.

« A moins que ce soit la vieille femme. Je ne sais pas qui a parlé : lui ou elle. Ils n’ont peut-être même rien dit, ou bien ils ont dit tout autre chose. J’ai l’impression que j’invente tout. Ils disent cependant (c’est certain, me semble-t-il) : “ Donnez votre verre ” ou “ Donne ton verre ” (selon que c’est le pied-tourné ou la vieille femme qui m’interpelle). “ Mangez, Mange. Il y a encore deux grosses assiettées de crêpes. ” J’ai soif, je donne mon verre, je bois, je mange, et je crois même que je parle. Je ne sais pas de quoi je parle. Je sais quoi dire à Loulou, mais au pied-tourné et à la vieille, non. J'ai complimenté le pied-tourné pour le vin. Des compliments compliqués, longs et embarrassés, comme les aiment ceux qui font leur vin eux-mêmes sans être vignerons. J'ai parlé longuement (et de façon embarrassée également; je sais que toutes les vieilles femmes aiment la parole embarrassée des jeunes hommes) avec la vieille femme; je ne sais plus de quoi je parlais avec elle. J'ai repris des crêpes. Loulou s'est dressée et elle est allée chercher le sucre en poudre, mais sans interrompre la conversation secrète que nous entretenons depuis un moment, sans un mot (peut-être, ce n'est pas sûr; à certains moments, il me semble qu'elle me parle, vraiment). Elle peut s'en aller là-bas à l'autre bout de la pièce chercher du sucre ou autre chose, elle peut vadrouiller de droite et de gauche, et parler à son père et à sa mère, et même à moi (pour ne rien dire), notre conversation, à elle et à moi, continue, importante et personnelle. Par exemple :

« Elle : – Ne soyez pas si timide.

« Moi : – Je ne le suis pas. Il y a déjà un bon moment que je me rince l'œil avec vos appas.

« Elle : – Des appas! Vous parlez comme le feuilleton du journal. Je ne suis pas tombée de la première pluie (sans être toutefois complètement trempée). Je mène souvent mes chèvres au bouc. Nous disons qu'elles sont "prêtes" et qu'ils faut aller les "finir". C'est pas plus simple?

« Moi : – C'est pas tellement simple. En tout cas, pour moi. Il y a des quantités de fioritures.

« Elle : – Des fioritures, pour nous, oui, quelques-unes, mais finalement il faut finir.

« Moi : – Et pourtant ma mère!...

« Elle : – Et pourtant ta Léa!

« Moi : – D'abord, elle n'est pas ma Léa. Je ne suis qu'un client; et quand elle me prend à la bonne, quelquefois, il faut que je sois gentil si je veux qu'elle caresse ma joue avec ses cheveux. Ce n'est pas son travail, les cheveux. Son travail, c'est justement de vite finir (comme vous dites).

« Elle : – Si tu veux. D'ailleurs, je ne suis pas une chèvre et tu n'es pas un bouc. Je voulais seulement te faire comprendre qu'il n'y a pas deux poids et deux mesures, il n'y en a qu'un et il n'y en a qu'une. Les cheveux (et les miens sont très beaux), les cheveux, c'est parfait, mais la finition, il faut toujours qu'on y arrive. Alors?

« Moi : – Alors rien : alors je sais. Voilà pourquoi je vous dis : C'est pas simple.

« A ce moment-là, le pied-tourné et la vieille (qui fait les réponses) se mettent à gueuler comme des ânes (non, ils ne gueulent pas comme des ânes, ils ne parlent pas très fort mais ils insistent). Je ne sais pas ce que raconte le pied-tourné. Il s'agit, je crois, de ce qu'il a dit, de ce qu'on lui a dit, de ce qu'il a répondu et qu'on lui a répondu, au sujet de je ne sais quoi : un boqueteau, un chemin mitoyen, etc. Alors ça, je m'en balance. Je fais celui qui l'écoute, mais la seule chose qui compte c'est ce que va me dire Elle :

« Elle : – Mais si, mon beau, c'est simple. Ta Léa n'a pas le temps ou plutôt elle ne veut pas perdre de l'argent. Ta Claire est trop jeune : elle ne sait pas encore que les hommes ont des mères. Moi je le sais : j'ai quarante ans. J'ai même quarante ans de dimanches.

« Moi : – Quarante ans, oui. Je l'ai pensé tout de suite quand je vous ai vue. Bien avant même de reluquer vos cuisses par-dessous la table (j'ai fait comme si mon mouchoir était tombé).

« Elle : – Gros malin! Il n'y a pas que mes cuisses. Je vais te dire autre chose : je ne m'appelle pas Loulou, ni Louise que tu craignais. Je m'appelle Léopoldine.

« Moi : – Léopoldine! Ah, voilà enfin un beau nom. Celui-là je l'aime.

« Elle : – J'en étais sûre. On n'appelle pas sa mère Loulou, il lui faut toujours un nom en or. Je te l'ai fabriqué sur mesure. Tu voulais que je te rassure, te voilà rassuré.

« Moi : – Oui, oui, je savais vaguement que tu finirais par me caresser gentiment. Je l'ai compris dès que la grive a sifflé. Je ne m'y attendais pas, et j'ignorais que c'était toi. Je me disais : " C'est drôle ! On est en train cependant de me mettre les points sur les i. Qui est-ce ? " Il n'était encore guère question que de grives (pillant les genévriers avec des cris de joie dans le petit matin), mais, le rossignol, alors là, c'était une autre histoire : un diable rouge, des braises et les quatre cents coups. Quand on prend ainsi un mot pour un autre, on trouve des trucs épatants.

« Elle : – Voilà, tu y es en plein. Un mot pour un autre, c'est mon boulot (comme Léa pour le sien), je suis imbattable. J'en ai tout un catalogue : la grive, c'est zéro ! le rossignol, de la gnognotte ; le diable rouge, la braise, les quatre cents coups, encore plus zéro pour la question ; tout ça c'est facile ; la fin du monde, c'est enfantin. Ce qui n'est pas enfantin, c'est vivre, se servir de la couleur du temps. Et la couleur du temps, essaye de l'attraper, tu verras ! Essaye, le vent, tiens, qu'est-ce que c'est le vent ? Et la pluie, non pas la pluie qui mouille, mais le bruit qu'elle fait, un luxe ? Et le passage du courrier Paris-Rome, juste au-dessus de notre tête, à trois heures de l'après-midi ? C'est très exactement à trois heures de l'après-midi que Florimond Aubergier, dit Dentelle, est mort dans une chambre de la ferme dite La Girarde, parce qu'il a tenu mordicus, c'est le cas de le dire, en cherchant à entendre une dernière fois le passage du courrier Paris-Rome (qui s'en foutait) pas à cause du courrier, mais à cause de l'habitude. Il faut toujours prendre un mot pour un autre, toujours prendre une habitude pour une autre. Je sais par conséquent imiter à la perfection la respiration de ta mère, et quand elle parle (par ta voix), et quand elle se promène dans sa grande maison (de merde), depuis ses chambres pleines d'armoires jusqu'aux caves, à travers les voûtes et les corridors. Tu verras. J'imiterai tout pour toi. Tu n'auras besoin de rien que de moi.

« Moi : – Cette fois, ma belle, je suis complètement paf.

N'allons pas par quatre chemins. Tu imiteras tout ce que tu voudras, plus tard. Maintenant, ce que je voudrais, tout de suite, c'est Léopoldine nue, et même plus. »

L'hiver de mars se débattait; tonnerres et éclairs volaient aux quatre coins. « C'est exactement le temps qu'il faut », se dit Olympe. Elle envoya un berger chercher l'abbé Lombardi. « Asticote-le, dit-elle, qu'il se dépêche, et fais-le trotter; ramasse-le-moi, sans faute. »

L'abbé arriva. Il n'était pas content.

« Ton berger m'a brutalisé, dit-il, et il a été grossier. Je ne suis pas pendu à un clou. Tu te prends pour qui?

– Ne monte pas sur tes grands chevaux, dit Olympe. Depuis que tu n'as plus de soutane, on ne sait plus sur quel pied danser. Le berger te voit en veste de velours, il n'y comprend rien : tu es n'importe qui. Même moi, je te regarde, j'hésite.

– Alors, maintenant que je suis ici, qu'est-ce que tu veux?

– Assieds-toi, et ne tourne pas comme un mouton lourd. Je veux que tu exorcises le Vieux.

– Exorciser? Qu'est-ce que tu racontes? Je m'attendais à tout, mais... les bras m'en tombent!

– Qu'est-ce qu'il y a d'extraordinaire? Il est possédé, tu l'exorcises, c'est simple.

– Alors là, non, vraiment, cette fois tu vas un peu fort. Écoute, Olympe... il faut une cérémonie; je ne suis pas un droguiste!

– Je n'ai rien contre la cérémonie, le décorum, au contraire.

– Tu dis n'importe quoi. Attends, expliquons-nous calmement, ne nous énervons pas. Possédé! De quoi, comment?

– Il a une bonne amie.

« Évidemment, toi, tu ne peux pas comprendre. J'ai appris les choses petit à petit; il y a plus d'un an. J'ai bien senti qu'il y avait des micmacs. Surtout à cause du piéton. Le Vieux partait tout le temps pour les crêtes, mais... tu sais que nous avons une maison là-haut; le piéton y passe dans sa tournée; la maison n'est pas occupée, enfin en principe, mais c'est le chemin. Un jour, le piéton vient et je lui dis sans songer à mal : " Qu'est-ce qu'il y fait le Vieux, là-haut? Il y couche? " A ce mot de coucher (je le disais en rigolant), il pique un fard. Avoue, c'était bizarre, pour un mot!

« Tu le connais : il n'a pas inventé la poudre. Ça me tarabustait. Je le guette. Une fois, je lui vois des bottes, une autre fois des gants, puis une veste en cuir, un bonnet, un bonnet de skieur, et l'air bête, tu n'imagines pas! Je lui dis : " Cette fois, ton administration a donné un sacré coup de pied à l'armoire[1]; tu es nippé comme un milord. " Il pique encore un soleil. Ah, cette fois, pas de ça Lisette. Je le prends à ma main, je le tire à l'écart. Je lui dis : " Tu files un mauvais coton, mon petit. Tu te fais des rentes sur le dos de quelqu'un, quelqu'un te paye pour que tu te taises. Eh bien, de deux choses l'une : ou bien j'en touche un mot à ton receveur, ou bien tu chantes, et juste. D'autant que si tu parles, il n'est pas sûr que tu perdes ta rente. Je sais qui te paye, c'est le Vieux, c'est pas sorcier. Je ne dirai rien et il continuera à te graisser la patte. Tu auras peut-être même du boni : de temps en temps je te glisserai la pièce, si tu es gentil. "

« Cinq minutes après, il avait tout débagoulé recta : il y a une créature là-haut, installée dans notre maison des crêtes.

– Qui?

– Je ne sais pas. Je ne l'ai pas vue et je ne cherche pas à la voir, Dieu garde! Elle est jeune, vingt, trente ans, belle paraît-il. Quand il en parle, le piéton s'extasie comme un chat qui fait dans la braise[2].

– Le Vieux nous a habitués à un sacré trapèze volant, Olympe. Ce n'est pas maintenant qu'il va s'assagir.

– Le trapèze volant ne m'inquiétait pas, Honoré. Il pouvait faire toute sa gymnastique à son aise, ça ne me gênait pas. A condition de prendre les initiatives lui-même. Je ne l'ai pas empêché, même pour Damase, et pourtant, tu le sais, je n'aimais pas cette histoire avec Damase. Cette fois-là, j'ai pris sur moi et je n'ai rien dit. Aujourd'hui, c'est le contraire : jusqu'ici il menait les autres, maintenant les autres le mènent.

– Mener le Vieux! A mon avis il faut qu'on se lève matin.

– Si elle a vingt, trente ans, c'est très matin, tu sais, curé. Tu n'es plus à la page. On fait des choses extraordinaires dans ce siècle. Il a soixante-dix ans, pour quoi veux-tu qu'il se garde?

– Pour Dieu.

– C'est très joli, mais tu rigoles. Au bout du rouleau, si on trouve un cul à proximité, c'est pas à Dieu qu'on s'accroche.

– Et l'éternité! Tu n'as jamais entendu parler de l'éternité?

– Non.

– Donc, cette femme se résume là?

– Elle ne se résume pas du tout, elle est le Dominus.

– Zéro pour la question. Rengaine ton Dominus. Le Vieux a un coup de revertigot; simple comme bonjour. Si vous étiez des gens comme tout le monde, lui et toi, il faudrait peut-être mettre le holà, mais avec vos têtes de cochons, vous ne risquez rien, vous avez tellement rôti de balais. Soixante-dix ans, qu'est-ce que tu veux qu'il fasse? Des étincelles? Il s'éteindra de lui-même.

– De lui-même! Eh bien mon vieux, tu en as une sacrée couche, c'est le cas de le dire, qu'est-ce qu'on t'a appris à l'école? Et tu veux t'habiller en civil? On ne manipule pas des hosties dans ce bas monde, on ne s'occupe que de chair à saucisse. C'est toi qui prônes l'éternité? Tu n'as jamais entendu parler d'une faim de loup?

– Je la connais, et après?

– Il n'y a pas d'après, ce qui prouve que tu ne la connais pas. Pour toi, la mort est un permis de conduire, pour nous, les carottes sont cuites. Passez muscade, et si, au dernier moment, on te repasse le plat de muscade, alors on s'en met plein la lampe.

« Quant à la donzelle (une autre faim dévorante), celle-là

elle est jeune, elle a le temps de voir venir, elle fait son beurre. L'amour et l'eau fraîche, elle s'en fout; c'est du répondant qu'il lui faut. Elle fait casquer.

– Ah, enfin, le bout de l'oreille!

– Tu n'as pas besoin de chercher le bout de l'oreille, tu peux me trouver tout entière de la tête aux pieds, en chair et en os, Olympe en personne. Tu crois que je m'inquiète de leurs mamours? J'ai eu le blanc du poireau [1]. Ce que je défends, curé, c'est la maison. J'ai fait mon enquête, je n'ai pas cherché midi à quatorze heures. Tu veux te sucrer la gaufre? Vas-y mon beau; mais les picaillons, halte au falot!

« J'ai appris que la particulière avait un mari. J'ai eu le temps (ça fait des mois) de me renseigner : c'est bien son mari. Ce n'est pas un petit rigolo. Je l'ai même vu, il est venu ici. Il est venu relancer le Vieux et le Vieux a filé doux. C'est un type de trente-cinq, quarante ans, bel homme, et pas du tout le genre de quelqu'un qui va se laisser prendre sa soupe. J'ai d'abord cru qu'il allait mettre un terme aux amourettes, mais pas du tout. Alors je me suis dit : " Toi, tu vas en manger. " Pardi! ça n'a pas manqué. Je n'ai pas les yeux dans la poche : une fois, c'est une brebis qui fout le camp (ou même quatre), une autre fois, deux petits ânes, des œufs, alors là ne les comptons pas, des centaines, des couvées de dindes; dans la maison, j'ai fait le compte (je ne sais pas comment il se débrouille), il a emporté des draps, des couvertures, des meubles. Imagine-toi : des meubles! Comment a-t-il fait? Je suis tout le temps ici. Comment a-t-il fait pour descendre des meubles du grenier, pour que je ne l'entende pas? Et qui lui a donné la main? Personne. Personne de chez nous, j'en suis sûre, j'ai fouiné de tous les côtés. Il a fallu que cet homme vienne l'aider. Du grenier, peut-être avec la poulie. Enfin, je n'en sais rien. Ce que je sais, c'est que la commode à quatre tiroirs de l'oncle Ugène a joué la fille de l'air [2], avec des chaises (je ne sais pas combien, j'en ai beaucoup : il a dû me prendre les chaises de l'ancien salon de ma mère, celles qui ont des dorures), et un lit-cage. Il a emporté de tout chez cette femme : des chevreaux, des agneaux, un quart de cochon (un jambon, une épaule), des saucisses, du boudin (que j'avais fait moi-même), des pots de graisse, de l'huile : un vrai ménage.

« Le plus beau : il a emporté le petit poulain. Nous avons cru qu'il s'était échappé : la porte était restée grande ouverte, c'était un truc. Kruger est allé chercher au tonnerre de Dieu. Tu peux courir! Le Vieux l'a emmené, va, tu peux en être sûr : il est là-haut, sur les crêtes, chez cette femme, ma tête à couper.

« Alors Honoré, comment veux-tu que ça dure? Tout va y passer!

– Oh, tout, non, il t'en restera.

– Il ne restera rien, curé, on tire un brin de fil, on prend la pelote.

– Alors, qu'est-ce que tu veux que je fasse?

– Si tu ne veux pas t'en mêler, très bien, moi je vais le faire. Seulement moi, je ne vais pas mettre des gants, je te préviens. Deux cartouches de plomb du quatre. Une pour lui, une pour elle, recta. Après je dirai : " J'ai fait venir l'abbé Lombardi, mais l'abbé Lombardi s'en est foutu... "

– Mais non, je ne m'en fous pas, Olympe, qu'est-ce que tu racontes? Qu'est-ce que tu veux que je fasse? Je n'ai pas d'autorité, moi. La loi oui, mais moi...

– La loi, la loi, qu'est-ce que tu chantes? La loi, le Vieux a toujours tourné la loi. Et qu'est-ce que je vais lui dire à cette loi, au su et au vu de tout le monde : " Mon Vieux me fait des traits [1] et il me barbotte des quantités de choses. " C'est ça que tu veux? Ça sera beau!

– Mais, Olympe, encore une fois : qu'est-ce que tu veux que je fasse? Alors, explique-toi.

– Je te l'ai dit. Je te l'ai déjà expliqué. Exorcisme. C'est la seule chose à faire; un point c'est tout.

– Alors, ma vieille, quand tu as quelque chose dans la corne, tu le gardes [2]. Exorcisme! Qu'est-ce que tu as encore imaginé? Qu'est-ce que tu crois que c'est? On exorcise les démons.

– C'est exactement ce que je te dis.

– Non, c'est pas exactement ce que tu dis : les démons, c'est Lucifer, Léviathan, Belzébuth, les diables, les esprits malins.

– Tu as des noms pour toi; moi, j'ai des noms pour moi : Marie, Marguerite, Jeanne, Thérèse, n'importe quoi (je ne sais pas comment on l'appelle), un démon, un diable, un esprit malin justement.

– Olympe! écoute! C'est l'esprit du mal en opposition...

– Il n'est pas question d'opposition, Honoré, c'est l'esprit du mal : elle a pris ma commode, mon lit-cage, mes couvées de dindes, le poulain, qu'est-ce que tu veux de plus? C'est l'esprit du mal. Tu veux du marc?

– Non. Si, un tout petit peu. Une goutte. Bon. C'est l'esprit du mal, je ne discute plus...

– Mais tu es têtu comme un âne, ne le dis pas pour me faire plaisir, c'est vraiment l'esprit du mal, rends-toi compte!...

– C'est fini, c'est fini, n'y revenons pas, d'accord, c'est entendu, c'est l'esprit du mal.

– Tu es terrible! Une commode, un lit-cage...

– D'accord, d'accord, ta commode, ton lit-cage, d'accord. Cet esprit malin, cet esprit du mal, en réalité est dans les âmes, Olympe! Mais d'accord, je ne discute plus. J'en conviens. Tu es dans la matière, restons dans la matière. Tu veux l'exorcisme? Eh bien, tu vas l'avoir. Je suis prêt, allons-y.

« Je vais d'abord écrire à l'évêque pour qu'il autorise officiellement l'exorcisme...

– On peut s'en passer.

– Mais pas du tout, Olympe, du moment que tu veux un exorcisme, et j'imagine de première classe, on ne se passera de rien. D'ailleurs, l'évêque, c'est impossible, on ne peut pas s'en passer, on ne peut pas; mais le reste non plus. Tu sais, avec les démons, il ne faut pas rigoler : la moindre des choses, si on ne fait pas attention, si on s'écarte de la règle, ils font le diable à quatre. Je te préviens, c'est très sérieux. Non seulement l'évêque, mais du latin, et de première qualité. D'abord. Ensuite il me faut le Vieux.

– Qu'est-ce que tu veux faire du Vieux?

– L'exorciser, pardi! Comment veux-tu que je l'exorcise si je ne l'ai pas sous la main?

– Je crois que tu fais fausse route...

– Pourquoi, tu crois qu'il va regimber? J'en ai vu d'autres. Je le mettrai au pied du Saint-Sacrement...

– Il cassera tout.

– Je lui ferai des discours en latin de la vie intérieure, des biens qui se trouvent dans l'union divine...

– Il nous foutra sur la gueule!

– Je le promènerai en public sur le théâtre de l'église entouré de cierges, pour faire bien voir à tout le monde le suppôt et la victime de Satan : pour témoigner du triomphe sur l'ennemi du genre humain.

– Tu te fourres le doigt dans l'œil jusqu'au coude, Honoré. Toi qui connais le Vieux, imagine : le Saint-Sacrement, les discours, la vie intérieure, le théâtre de l'église, le promener entouré de cierges? Il fera feu des quatre sabots. Mieux : tu ne le prendras pas. Il ne mettra même pas les pieds dans ton église, à moins de l'attacher et de le prendre à quatre. Et qui l'attachera? toi? et quand il sera détaché?

– Il faut ce qu'il faut.

– Il ne faut rien. Ça ne marche pas du tout. Avec ton truc, du premier coup il me saute dessus, il me nettoie. S'il ne me tue pas, il m'esquinte, et c'est pour le coup qu'il filera dare-dare chez sa typesse. Alors là, mon beau, c'est la fin des haricots, le pillage organisé.

– C'est pourtant ce que tu as dit!

– Ce n'est pas du tout ce que j'ai dit. Tu as parlé de Dieu; je ne croyais pas qu'il avait besoin de tant de décorum. Tu expliquais tout ça en latin, même à voix basse, et d'un coup de cuillère à pot c'était fait, en cachette, ni vu ni connu je t'embrouille! pas besoin de théâtre, de cierges et de saint-frusquin.

– Ma fille, tu m'as dit exorcisme...

– Eh bien oui, exorcisme, mais je voulais dire une chose normale. Il ne s'agissait pas de promener le genre humain. Nous étions tranquilles ici : il est parti (chez sa belle, sans doute); tu te mettais là, dans le fauteuil, à la papa; je te donnais un marc ou deux, ou dix, tant que tu veux, tu expliquais tout ce qu'il faut au Seigneur, tu prononçais les mots importants. Tu élevais tes mains sacrées : la rue Michel.

– Tu arranges les choses à ta façon. Tu crois qu'on manipule à son gré la puissance de Dieu?

– S'il faut faire tant de cérémonies, ta puissance de Dieu, tu peux te la mettre en conserve : qu'est-ce que tu veux que j'en fasse? Je n'ai pas besoin d'elle, j'ai des cartouches : j'aligne le Vieux et sa donzelle, et je les étends, raides. Passez muscade!

– Passez muscade? C'est vite dit. Tu ne les escamoteras pas si facilement.

– Oh que si. Ils mangeront les pissenlits par la racine.

– Méfie-toi de ces racines : elles sont sacrément amères. Les morts s'en dégoûtent vite. Ils mettent pied à terre au travers des chemins.

– Les miens sont très gentils, doux comme des moutons. Je ne les ai jamais revus.

– Regarde dans mes yeux, tu les verras, comme des lions.

– Qu'est-ce que tu veux que je fabrique de tes yeux?

– Ton mea culpa.

– Mon mea culpa! Je croyais que tout était en ordre, curé! Tu les as bénis toi-même! Jusqu'à cette femme que le canon a dispersée aux quatre coins de l'enfer! Tu as soigneusement ramassé tous les morceaux de bifteck qui pendaient aux branches des arbres; tu as béni même les débris, peut-être même un à un, et je suis sûre que tu avais ton compte. Tu es très consciencieux pour ces choses-là. Je t'ai payé. Tu as fait ton office. Oui, tout est en règle. Où est mon mea culpa?

– Tu le sais bien. Retourne en toi-même.

– Où veux-tu que j'aille? Où veux-tu que je retourne? Tu es fort, tu es superbe, tu sais peut-être (sûrement même) que deux et deux font cinq! Mais moi, un âne bâté, que veux-tu que je fasse? Que veux-tu que je sache?

« Tu parlais, il n'y a qu'un instant, des cérémonies, très bien, d'accord. Mais, pour mes morts (puisqu'il en est question), je t'ai demandé la première classe. C'est toi, toi-même, qui n'as pas voulu. Tu grognais comme un chien sur son os. Tu m'as dit : " La troisième classe suffit. Pas d'insolence, je t'en prie! " Ce sont tes propres paroles. De quelle insolence tu parlais? Je n'en ai pas la moindre idée. Je t'ai écouté. J'ai pensé que tu savais mieux que moi ce qu'il fallait faire : " S'il veut la troisième classe, eh bien, qu'il la fasse. L'important, c'est que mes morts soient bien confortables, bien enterrés, bien tranquilles, au poil! "

« Maintenant, ne va pas me raconter qu'il leur manque quelque chose; ou alors, c'est ta faute. Moi je voulais les cierges, moi je voulais les panaches, les orgues, les draps, les cordons, les poêles, les chevaux noirs, les abbétons, tout, l'évêque!

– Ne joue pas la comédie, Olympe!

– Je ne joue pas la comédie, à peine. Tu veux que je parle clair? Parlons clair. Tu as ton métier : je t'apporte quoi? un mort. Un mort réglé comme un papier à musique; eh bien, joue ta musique. C'est ton boulot, un point c'est tout. Qui est-il, ce mort? D'où vient-il? Comment est-il venu? A pied, à cheval, en voiture? C'est une autre histoire, c'est un autre boulot, tu n'as pas à t'en occuper. Basta! Ce qui te regarde, c'est la porte du ciel. Selon tes idées, tu ouvres la porte ou tu ne l'ouvres pas (avoue que ça ne t'arrive pas souvent!) Et voilà : les vaches seront bien gardées! En ce qui me concerne (mes morts qui étaient, précisément, réglés comme papier à musique), tu as joué ta musique. Tu leur as ouvert la porte du ciel. Ils y sont entrés, sans doute, peut-être, j'y crois. En avant. Où veux-tu que je retourne?

– Il y a bien un endroit par où tu as commencé?

– Mais non. Rien ne commence jamais. Les choses se font. C'est au diable!

– C'est le cas de le dire.

– Pas du tout, curé. C'est simple comme bonjour. Des flammes? des fourches? Ah là là! S'il y avait des flammes, ça se verrait, ça ferait tout rater. Ce n'est parfois qu'un mot : bonjour, tiens, par exemple, tout juste, ou bonsoir, ou rien. Tu imagines, toi, qu'on retourne d'où on vient, sur ses pas, jusqu'à l'endroit marqué d'une croix à l'encre rouge? Oh, pas du tout! C'est au diable Vauvert, très loin, tellement loin qu'on n'y revient jamais.

« Et puis, c'est une aiguille dans une meule de foin. Vas-y démêler quelque chose! On ne se dit pas : " Commençons par le commencement. " Le commencement, c'est peut-être la fin, est-ce qu'on sait? Non, je te l'ai dit : les choses se font d'elles-mêmes. On n'est pas responsable. On suit la filière. On a faim, on mange; c'est aussi bête que ça.

– On mange les autres.

– Forcément! Qui veux-tu qu'on mange? Curé, que je t'explique : descends de ton grand cheval, nous sommes sur terre. Ah, mon vieux, sur terre (tu ne l'as jamais vue), c'est la foire d'empoigne, on te tond la laine sur la tête. Il faut vivre ou mourir, pas de milieu! Tu veux vivre? Alors il te faut tout pour la gueule. Voilà le truc! Chercher midi à quatorze heures? Non, écoute : c'est fait, c'est fait. Qu'est-ce que tu y ferais? Il faut dire " bon ", c'est tout. Le monde est monde. Comment voudrais-tu l'arranger? Des prières? Disons des prières, moi je veux bien, c'est pas défendu. En réalité, les uns meurent, les autres vivent. Pourquoi? On n'en sait rien. La faute à qui? Personne. Zéro.

– Somme toute, tu n'avais pas besoin de moi?

– Si et non.

– Tu poses des jalons?

– Pas précisément des jalons; à tout hasard. Pour l'instant, j'invente.

– Tu as inventé l'exorcisme. Tu es trop intelligente pour ne pas l'avoir inventé.

– Tu n'es pas bête toi non plus : tu le savais.

– Oh, je savais même que tu le savais.

– Tu as dit tout ce que tu voulais dire?

– Pas tout. Une partie. Et tu as entendu ce que tu voulais entendre?

– A peu près.

– Alors, adieu.

– Attends, il pleut beaucoup. Il tonne.

– Non. Je préfère me mouiller. De beaucoup. On ne sait jamais. »

. . . .

NOTES

Le texte publié ici des deux versions de *Dragoon* et celui d'*Olympe* ont été établis d'après les manuscrits conservés dans deux dossiers dont la couverture porte, de la main de Giono, les titres respectifs de « Dragoon. Inachevé » et « Olympe. Inachevé ». Ces manuscrits sont dans leur presque totalité semblables à ceux que Giono faisait dactylographier avant publication. Il avait d'ailleurs fait lui-même réaliser la dactylographie de la deuxième version de *Dragoon* (dont la mise au net est, dans les dernières pages, un peu moins achevée que pour le reste) et celle d'*Olympe*. C'est un extrait de cette dernière qu'il avait donné en prépublication dans la *N.R.F.* sous le titre « Le Poulain ». Les fragments de rédactions intermédiaires de *Dragoon* font partie du dossier correspondant sous le titre de « Variantes ».

Pour le déchiffrement des manuscrits et l'établissement des textes ainsi que par des recherches destinées à l'annotation, Aline Giono m'a apporté une aide précieuse dans la réalisation de ce Cahier et je l'en remercie vivement, de même que sa mère et sa sœur, qui m'ont fourni des renseignements sur Manosque et son histoire, et sur divers points de vocabulaire. Sur d'autres questions du même ordre, Henri Fluchère a très complaisamment complété mon information. Je suis également redevable à Robert et à Luce Ricatte, à Pierre Citron, à Janine et à Lucien Miallet, tant pour leurs réponses à mes questions que pour les recherches consignées dans l'annotation des *Œuvres romanesques complètes* de la Bibliothèque de la Pléiade. J'exprime enfin ma reconnaissance à toutes les personnes que j'ai été amené à interroger sur tel ou tel point en raison de leur compétence, et notamment à Mmes Hélène Cardinali, Martine Plasman, Jacqueline Rogers, et à MM. Charles Bertin, Roland Chabannes, Gérard Collomb, P. Mazodier, W. D. Miller, Paul Morelle, Jean-Pierre Rudin et Bernard Siry.

Toutes les références aux œuvres de Giono sont données, avec indication de tome, dans l'édition des *Œuvres romanesques complètes*, à l'exception de celles qui concernent les romans non encore publiés dans cette édition, soit *Deux cavaliers de l'orage*, *Ennemonde*, et *L'Iris de Suse*, qui sont cités d'après les volumes de la Collection blanche, et *Cœurs, passions, caractères*, Gallimard, hors série, 1982.

Page 10

1. Cet historique de la genèse de *Dragoon* s'appuie sur les documents suivants :

a) deux carnets de travail dont l'étiquette de couverture porte respectivement les mentions : « Juillet 1963, op. 51 *Dragoon* – op. 52 *Ennemonde* » (en abrégé « Juillet 1963 ») et « Janvier 1967, op. 61. Une rose de Jéricho – op. 62 L'Oiseau gris » (en abrégé « Janvier 1967 »);

b) plusieurs liasses de feuillets manuscrits jointes sous le titre « Variantes » au dossier du manuscrit; les unes sont consacrées aux esquisses de phrases que l'on retrouve dans le texte; les autres donnent les parties du texte reproduites ici sous le titre « Fragments de rédactions intermédiaires »;

c) une brochure de présentation du Centre nucléaire de Cadarache, sur les pages de garde de laquelle figurent des esquisses pour le début de la deuxième version (voir p. 106);

d) quatre interviews ou entretiens : « Jean Giono attaque sur tous les fronts », par Jean Chalon, *Le Figaro littéraire,* 9 septembre 1965; « Jean Giono : "Je viens de me trouver dans trois personnages" », par André Parinaud, *Arts,* 8 décembre 1965; « Giono parle de son imaginaire », par W. D. Miller, *Bulletin de l'Association des amis de Jean Giono,* nº 12; « Giono et les métamorphoses », par Paul Morelle, *Le Monde,* 28 février 1968 (M. Morelle m'a autorisé à utiliser une version de son interview plus complète que le texte publié. Je l'en remercie).

Page 11

1. Voir l'entretien cité avec W. D. Miller, p. 55.
2. Album Giono de la Pléiade, p. 259.
3. Par exemple dans une lettre à M. J.-P. Rudin de décembre 1964, où il parle du roman « commencé il y a deux ans », ou dans l'interview d'*Arts,* en décembre 1965, où il parle du roman « en chantier depuis trois ans ».
4. Interview du *Figaro littéraire.*
5. Sur la localisation géographique de l'histoire, voir p. 20, nº 1.
6. Pour la désignation abrégée de ce carnet, voir p. 10, n. 1. Toutes les références à des folios données entre parenthèses dans le texte de présentation jusqu'à la page 107 renvoient à ce carnet.

7. Dans ce premier moment, la maison, qui plus tard sera construite dans un endroit particulièrement sec, est au contraire située dans un « lieu-dit Les Paluds, probablement ancien marécage », de sorte qu'elle est entourée de « saules, de quelques touffes de jonc, et d'une fontaine au bord de la route » (f° 20). D'autre part, loin de frapper par son élégance, c'est « une construction du début de XIXe siècle, de l'époque héroïque des conscriptions forcées de Napoléon et du banditisme qui en fut la conséquence. C'est donc une sorte de forteresse bourgeoise sans noblesse, mais solide, même légèrement ignoble dans son excès de solidité et de précautions prises ». Une nouvelle description, dans la deuxième version de *Dragoon* (voir p. 122-123), s'opposera point par point à celle-ci.

8. Voir p. 80.

Page 12

1. Le Haut Pays *(Ennemonde)*, dont on retrouve les esquisses jusqu'au folio 18 du carnet, a été achevé le 27 mars 1964.

2. *Tristan*, « Le Livre de poche » (achevé d'imprimer : 3e trimestre 1964).

Page 13

1. Ce titre est naturellement un écho de celui, antérieur, de *Cœurs, passions, caractères.*

2. Valldemosa est une ancienne chartreuse de l'île de Majorque, à dix-sept kilomètres de Palma, célèbre pour le séjour qu'y firent George Sand et Chopin en 1838-1839.

3. Lettre à M. J.-P. Rudin.

Page 15

1. Comme, dans la fiction, l'explication héréditaire peut jouer dans les deux sens, lorsque, au folio 89, Giono imaginera les questions que se pose Zacharie sur l'origine de certaines particularités qu'il constate en lui-même, il ajoutera : « doit éclairer Ebenezeh ».

2. Manuscrit daté du 18 février 1965 (voir t. V, p. 873).

3. Voir p. 11, n. 7, l'allusion au banditisme provoqué par les conscriptions de Napoléon. En ramenant à cette date les histoires de bandits qu'il imagine, Giono ne fait que se rapprocher de ses sources historiques. Sur ce point, voir t. V, p. 879-881.

4. *Les Récits de la demi-brigade*, t. V, p. 70-71.

5. *Dragoon*, Première version, p. 24. Cf. p. 66.

Page 16

1. Interview du *Figaro littéraire.*

Page 17

1. Plus loin dans le texte, p. 56, ce nom et ce prénom deviendront ceux d'un hobereau, chef du détachement des volontaires partis combattre pour les Boers; mais dans *L'Iris de Suse*, p. 113, il désignera de nouveau un brigand.

Page 18

1. Dans les récits écrits par Giono entre 1965 et 1970, ce nom connaît des vicissitudes à la fois d'orthographe et de désignation. Il avait déjà dans *La Belle Hôtesse* (*Récits de la demi-brigade,* t. V, p. 69) la forme Romané qu'il a ici. Mais à la page 38 de cette première version, il sera devenu Romanin, et c'est sous cette forme qu'il deviendra l'ancêtre de Stephen et de Florence. En 1967, dans *Provence perdue* (p. 63), devenu Romanet, il sera non plus brigand mais victime, de même qu'Auzet Jean, de Rians. Dans *L'Iris de Suse,* p. 74, il reprend sa qualité de brigand, mais sous la forme Romanès. Plusieurs autres des brigands cités dans ces pages réapparaîtront dans *L'Iris de Suse,* p. 70 : Auzet, les frères Canton (« pères » dans cette page, mais de nouveau frères p. 115), Charles et Joseph, tous deux de Cadenet.

Page 19

1. Sur cette « belle hôtesse », voir la nouvelle de ce titre dans *Les Récits de la demi-brigade* (où c'est elle qui a Baron comme nom marital; voir t. V, p. 65).

Page 20

2. Les noms des deux domaines, l'Espagne des Leduc et le Longagne des Romanin, entre lesquels doit se tisser toute l'histoire de *Dragoon,* existent réellement dans la région considérée. Soit un losange approximatif d'une trentaine de kilomètres de long et d'une vingtaine de large, dont les pointes seraient, au sommet Ginasservis, à la base Saint-Maximin, à l'ouest Rians, à l'est Varages, avec pour centre Esparron, bourgs ou villages tous reliés entre eux par des routes qui figurent les côtés de ce losange. Dans la moitié nord, sur la départementale 30 à proximité du croisement avec la route qui joint Ginasservis à Esparron, se trouve une ferme nommée « l'Espagne ». Dans la moitié sud, à quelques centaines de mètres de la route de Rians à Saint-Maximin, se trouve le lieu dit Longagne. Ces emplacements sont à peu près ceux auxquels Giono reporte les deux noms sur la carte Michelin qui lui a déjà servi à repérer les lieux de l'action des *Récits de la demi-brigade* (Album Giono de la Pléiade, document nº 473). On se souvient d'ailleurs que dans *La Belle Hôtesse,* Martial passe par le « ménage dit Espagne » (t. V, p. 70; voir n. 1).

Dans les différentes versions de *Dragoon,* Giono parle tantôt de « domaine », tantôt de « ménage » d'Espagne. Cet emploi de *ménage* pour désigner non plus la communauté qui vit sur un domaine mais, par un glissement métonymique, ce domaine lui-même, est courant dans la région.

Quant à Longagne, le nom, qui figurait déjà dans « Hélène de C. » (*Cœurs, passions, caractères,* p. 101), reparaîtra dans *L'Iris de Suse,* p. 72, où il deviendra le lieu d'un des anciens exploits de Tringlot, et p. 235, où il se révélera que son magot y est caché.

Page 22

1. Tous ces termes sont effectivement les noms anglais de divers engins de travaux publics. On les retrouve presque tous, sous une forme française ou francisée, dans *Olympe,* p. 202. Ils figurent actuellement dans les catalogues sous les désignations suivantes : excavatrice à roue pour fossés (wheel-ditcher), tombereau automoteur (superloadmaster, dumper), niveleuse (big grader, « gratteur »), décapeuse (scraper). Il ne fait pas de doute que Giono lorsqu'il écrivait ces lignes avait sous les

yeux un de ces catalogues qu'il évoque plus loin dans le texte (p. 66) : fait en Amérique, sur papier glacé, avec une typographie en rouge et vert, et des photographies « représentant des monstres ». Pour le dragoon même, voir ci-dessous, p. 67, n. 1.

2. A la page précédente, Mafalda était donnée comme Piémontaise.

Page 33

1. Dans la pièce de Théodore de Banville, le poète Gringoire récite une « Ballade des pendus » dont l'idée lui est venue, dit-il, en voyant les pendus de la forêt du Plessis. Elle se termine par ces vers :

Ce bois sombre où le chêne arbore
Des grappes de fruits inouïs
Même chez le Turc et le More,
C'est le verger du roi Louis.

(*Gringoire,* scène IV).

Page 34

1. Mafalda : lapsus probable pour Zacharie.

Page 35

1. La presque totalité de ce paragraphe est textuellement reprise d'une lettre authentique, effectivement adressée par le Commissaire du Gouvernement des Basses-Alpes à celui du Var, et citée par l'abbé Maurel dans son ouvrage *Le Brigandage dans les Basses-Alpes,* p. 342-343. La communication y concerne ce Jean-Pierre Pons, dit Turriès, dont Giono reproduit une partie supposée de l'interrogatoire au début de *La Belle Hôtesse*.

Page 41

1. Ce passage sur les « caches » sera repris, avec des variations, dans *L'Iris de Suse,* p. 68-70, 153-156, 235.

Page 46

1. Saybut est effectivement un port du Yémen, dans l'arrière-pays duquel se situe le désert de l'Hadramaout.

2. Giono affectionne cette expression dans les textes de ses dernières années. On le trouve, sous la forme plus banale « nu et cru », avec le sens tantôt de « démuni, sans défense », tantôt de « tel quel », tantôt de « réduit à sa plus simple expression », dans « Noël » (*Récits de la demi-brigade,* t. V, p. 8), dans la deuxième version de *Dragoon* (p. 150), et dans *Olympe* (p. 205, 268), dans *L'Iris de Suse* (p. 27, 160).

Page 50

1. Ces indications ne correspondent pas à la localisation réelle de Longagne (voir p. 20, n. 1).

Page 56

1. Le nom d'Esprit Arbaud a commencé par désigner un brigand (voir p. 17, n. 1).

2. Tout l'arrière-plan de cet épisode est proche de la réalité historique. En 1899-1900, la cause des Boers avait suscité dans l'opinion publique française un enthousiasme dû pour une part à l'hostilité ressentie à l'époque contre l'Angleterre.

Le président Kruger était arrivé en France, venant d'Afrique, le 23 novembre 1900, alors que la partie était déjà virtuellement perdue pour les Boers. Il espérait obtenir de plusieurs pays européens une proposition d'arbitrage qui ne vint pas, malgré la sympathie des populations. Voici l'évocation de cette arrivée dans les *Mémoires* de Kruger : « Tout Marseille avait envahi les quais [...] ce fut une immense acclamation d'un bout à l'autre de la rade. Du pont du navire, on ne distinguait qu'une houle de chapeaux et de mouchoirs agités. Tous les petits vapeurs à l'ancre étaient eux-mêmes recouverts de véritables grappes humaines. [...] Au quai attendait une manifestation plus éclatante encore. Tandis qu'il [Kruger] s'avançait au milieu des vivats de la foule, le président du " Comité pour l'indépendance des Boers " qui venait de se former en France lui souhaita la bienvenue, disant que [...] l'accueil enthousiaste que lui faisait le peuple avait plus de portée que tout ce qu'il pourrait exprimer avec des mots » (p. 315-316).

Cette effervescence est attestée dans toutes les villes de Provence. Henri Fluchère se rappelle qu'à Manosque s'était en effet formé, sous le commandement d'un M. de Loth, un détachement de volontaires. L'exemple le plus connu d'initiative de ce genre est celui du nantais Villebois-Mareuil, qui partit pour le Transvaal, combattit pour les Boers à la tête d'une centaine de volontaires étrangers, et fut tué le 5 avril 1900. Giono fait ainsi mourir à Prétoria un des personnages épisodiques de « Caractères » (*Cœurs, passions, caractères*, p. 38).

Le souvenir de ce moment était resté vivant dans la région sous la forme de prénoms tels que Kruger pour les garçons et de Prétoria pour les filles (voir Henri Fluchère, « L'ami Jean », *Magazine littéraire*, n° 162, p. 19). On les retrouvera tous deux dans *Olympe*. Dans *Dragoon* même devait intervenir un Kruger Babou, frère d'Alphonsine (Première version, p. 52).

Avant d'en faire un épisode de *Dragoon*, puis même tout un roman, sous le titre « Les Terres du Boer » (voir p. 115), Giono avait souvent pensé faire entrer cette aventure des volontaires dans un récit. En 1956, il envisage de l'intégrer au roman qu'il projette alors sous le titre « Le Duché » (ici, le chef du détachement n'est pas M. de Loth) : « Le départ des volontaires manosquins pour le Transvaal (guerre des Boers) sous la conduite du capitaine Maillard » (carnet « Mai 56 », f° 7). Fin 1960, il semble s'agir d'un projet de film « Dans " La Guerre des Boers ", la caméra est le personnage de l'ami du frère » (carnet « Novembre 59 », f° 72). On trouve enfin ce même « départ des volontaires pour le Transvaal » noté une nouvelle fois dans le carnet « Juillet 61 », f° 99, à propos d'un « op. 50 » qui n'a finalement pas été écrit.

Aucune des histoires de la guerre des Boers que j'aie pu consulter ne mentionne d'internement en Inde de prisonniers faits par les Anglais.

Page 62

1. Jalna et Aurangabad sont deux villes de l'Inde relativement proches l'une de l'autre. Je n'ai pas retrouvé trace d'un camp qui aurait été prévu dans cette région pour accueillir les prisonniers faits en Afrique (v. note précédente).

Page 64

1. *Sic* dans le manuscrit; il faut comprendre : « Les douairières [...] connaissaient *trop* le comportement de mon père pour avoir la moindre inquiétude. »

2. Des mesures de suspension des dettes et d'ajournement des échéances furent prises dès le début de la guerre en 1914.

Page 67

1. Il ne semble pas exister, dans les catalogues, de machine qui porte exactement ce nom de Dragoon S.A. Mais on en retrouve aisément les éléments constitutifs : il existe une marque d'engins de cette gamme nommée Dragon, un type de « finisseur » (c'est-à-dire de machine à asphalter les routes) désigné par les initiales S.A., et, dans ce type, un engin qui correspond aux caractéristiques prêtées à « Dragoon », notamment pour le déroulement d'un tapis d'alphalte de 6 mètres de large.

2. « Chercher des poux sur une tête de marbre » : l'expression, malgré son allure de proverbe, n'est pas attestée sous cette forme, mais elle est familière à Giono; voir *Faust au village* t. V, p. 130, et n. 1, *Olympe,* p. 243 etc.

Page 75

1. Ailleurs, à propos de la pluie qui tombe sur Repentance le jour de l'interrogatoire, Giono évoque par contraste la « violence solaire » d'Ebenezeh (f° 92).

2. Dans la tradition familiale, cette mort dans un incendie aurait été celle du grand-père « carbonaro » de Giono, qui un moment a pensé la prêter à Angelo (voir t. IV, p. 1146).

3. La Commune de Marseille a également figuré dans le projet du cycle du Hussard (*ibid.* p. 1133).

Page 76

1. Jean Grenier, *Portrait de Jean Giono,* Robert Morel, 1979, p. 55-56.

2. Voir dans l'Album Giono de la Pléiade, documents n°s 516 et 517, la reproduction des folios 62 et 76-77 du carnet.

Page 77

1. Courant 1964, Giono a lui-même été atteint de troubles cardiaques.

2. Interview du *Figaro littéraire.*

3. Peut-être faut-il rattacher à ce départ l'étonnante esquisse de dialogue du folio 85 : « " Le mal dans lequel on ne s'attarde pas est toujours pardonné " (sens général; puis) " Je suis moi-même une pécheresse " (et Mlle Alphonsine qui a 90 ans s'humilie devant Stephen qui vient de lui dire son intention de partir). »

4. Cf. dans *Dragoon,* Première version, p. 71, l'allusion à la « bataille de cerfs avec le fameux Kruger Babou ».

Page 78

1. Interview du *Figaro littéraire.*

Page 79

1. Interview d'*Arts.*

Page 81.

1. Allusion au célèbre roman « noir » d'Horace Walpole, *Le Château d'Otrante* (1764).

Page 85

1. Cette nouvelle rédaction enchaîne dans le manuscrit avec les récits intitulés « Caractères » (voir *Cœurs, passions, caractères;* sur l'enchaînement lui-même, voir p. 82).

Page 86

1. Semer du sel sur l'emplacement d'une ville ennemie après l'avoir rasée, afin d'en rendre le sol même stérile, était pour les Romains le geste rituel de la malédiction. Pour un emploi figuré de l'expression, voir *Les Ames fortes,* t. V, p. 358, et la note 1.

Page 87

1. Cette rédaction reprend ici, en des termes assez proches de la première version pour que nous ne les reproduisions pas, le récit de la première rencontre de Zacharie et de Stephen en 1944, pendant l'orage de vent, et celui de la naissance de l'amour entre Stephen et Florence.

Page 100

1. Grand-oncle : lapsus. Juste est le grand-oncle de Stephen et de Florence, mais l'oncle de Roger-Hector.

2. Florence Nightingale, 1820-1910, connue pour son action humanitaire. Pendant la guerre de Crimée, elle se dépensa pour améliorer les services sanitaires de l'armée.

Page 101

1. Quelques phrases jetées sur des pages volantes glissées ensuite dans un carnet de travail semblent prolonger l'histoire de cette initiation de Roger-Hector : « Mais le résultat ne fut pas celui qu'on aurait pu attendre. Il ne mordit pas à l'appât des ménagères très directes que contentait le bossu. Sorti brusquement des mathématiques pour la bagatelle, Roger-Hector cultiva l'élégie – dans ces pays de simplicité – et plongé tout vif dans le cul et chemise – ces amours de cul sans tête. »

Page 103

1. « Mane Thecel Farès » : ce sont les mots, écrits par une main invisible, qui apparurent sur le mur devant le festin de Balthazar (Daniel, V, 25).

Page 105

1. Entretien avec W. D. Miller, p. 55-56.

Page 106

1. Entretien avec W. D. Miller, p. 56-57.

Page 107

1. Toutes les références à des folios renvoient désormais à ce second carnet de travail dont on trouvera l'intitulé complet p. 10, n. 1.

Page 108

1. Cf. *Dragoon,* Deuxième version, p. 170. Une lettre de Giono, écrite de Majorque au printemps de 1967, confirme qu'il travaillait alors à *Dragoon.*

Page 109

1. Sur ces caractéristiques techniques de *Dragoon,* évoquées ici avec tant de précision et d'assurance, voir p. 67, n. 1.

Page 110

1. Interview de Paul Morelle dans *Le Monde.*

Page 113

1. Il n'est pas impossible qu'en excluant l'interprétation de « roses minérales, pures cristallisations », Giono ait à l'esprit le titre du roman de Montherlant *La Rose de sable,* dont la version définitive paraît chez Gallimard à la même époque.

2. James Joyce, *Dedalus,* Gallimard, 1943, p. 123.

Page 115

1. Sur la série de titres prévus pour compléter *Les Récits de la demi-brigade,* voir la notice consacrée à ce recueil, t. V, p. 869-870, et l'Album Giono de la Pléiade, document n° 477.

Page 116

1. Ce numéro et ce titre figurent, ajoutés de la main de Giono, en tête de la dactylographie qu'il avait fait réaliser de la deuxième version de *Dragoon.* Sur les roses de Jéricho et sur la citation de *L'Ecclésiastique,* voir p. 113. Le numéro implique que Giono considère le début de récit auquel il donne ce titre comme une première partie ou un premier chapitre.

2. Je n'ai trouvé cet apparent proverbe dans aucun des dictionnaires de proverbes que j'ai consultés, y compris les trois qui figuraient dans la bibliothèque de Giono. Il était déjà noté dans un carnet de travail antérieur à cette rédaction (carnet « Juillet 1963 », f° 38), avec une formulation légèrement différente qui permet peut-être d'approcher sa signification : « Les gants les plus fins se mettent dans des noix », c'est-à-dire : il existe une matière si fine que les gants qui en sont faits peuvent tenir dans une noix, ou encore : ce qui est le plus fin ou délicat peut se réduire à un volume minuscule. Ainsi Stephen et Florence, quand ils ne sont plus qu'un peu de matière carbonisée?

Page 118

1. Dans *L'Iris de Suse,* p. 222, Murataure et la baronne de Quelte ne feront de même plus qu'« un bloc de charbon ».

Page 119

1. « En galère! » au sens de « Au diable! » est courant sous la plume de Giono. Voir déjà *Regain,* t. I, p. 328, n. 1.

2. Désireux, dans cette deuxième version, de renouveler noms et prénoms, à l'exception de ceux de Stephen et de Florence, Giono semble ici abandonner le nom de la famille Romanin. Mais il n'a pas encore choisi celui qui le remplacera : le C. que l'on a ici deviendra un M. p. 149 et 155.

Page 120

1. Le provençalisme « de ce temps », pour « pendant ce temps-là », est courant chez Giono. Voir par exemple *Que ma joie demeure,* t. II, p. 516, ou *Noé,* t. III, p. 706 et la note 1.

Page 122

1. *Sic* dans le manuscrit.

Page 123

1. Comparer p. 11, n. 7, la première vision donnée de Longagne.

Page 125

1. Fer à cheval, Roue, Palme : ces marques de savon existent, ont existé.

Page 128

1. Dans *L'Iris de Suse,* p. 96, Tringlot emploiera lui aussi le mot comme substantif, et donnera aussi un sens personnel (l'or) à cette substance merveilleuse, ici insaisissable, dont le nom vient d'un mot de la pharmacopée grecque.

Page 129

1. Giono avait d'abord écrit : « et les serres avec les roses ».

Page 132

1. L'appareil dénommé « fixe-moustache » a bien existé. Giono le mentionnera de nouveau dans *L'Iris de Suse,* p. 85.

Page 134

1. Qu'il les trouve dans des documents ou qu'il les invente, Giono prend manifestement plaisir à ces dénominations de coupes de barbe. Il évoquera dans *L'Iris de Suse,* p. 194, la « barbe à la Henri IV » et p. 234, la « barbe à la Léopold ».

Page 135

1. Il était déjà question en 1930, dans « Le Voyageur immobile », de « la belle étiquette du fil au Chinois » (*L'Eau vive,* t. III, p. 119).

2. Des six jeux énumérés ici, quatre sont bien attestés. Je n'ai pas retrouvé trace du « chinchola » ni du « cinquante-six ».

Page 137

1. Une relecture de *L'Ile mystérieuse* ne m'a pas permis d'y retrouver cette phrase. Le souvenir peut venir d'un autre roman de Jules Verne.

Page 140

1. « Faire le Michel l'hardi » est une expression courante dans le français de la région. Giono l'emploie souvent. Voir par exemple *Un de Baumugnes,* t. I, p. 241 et la note 1, ou *Batailles dans la montagne,* t. II, p. 987.

Page 142

1. Le mot de *champoreau* peut désigner divers mélanges de café et d'alcool. Dans *Noé,* le cireur de bottes de l'Arsenal de Toulon le prend « Café et Kirsch. Bouillant » (t. III, p. 659).

Page 145

1. Dans *Le Maître de forges* de Georges Ohnet, 1882, un riche propriétaire de forges épouse une aristocrate qui le méprise d'abord, puis finit par l'estimer et l'aimer, quand il a su s'éloigner d'elle avec dignité.

Page 147

1. T. S. Eliot a été fait docteur *honoris causa* de l'université d'Aix-en-Provence en avril 1948 sur l'initiative d'Henri Fluchère qui traduisait certains de ses essais (*Essais choisis,* Le Seuil, 1950). A cette occasion, Henri Fluchère conduisit T. S. Eliot chez Giono à Manosque (voir la dédicace d'Eliot à Giono dans l'Album Giono de la Pléiade, document nº 379).

Page 149

1. Sur cette initiale du nom de la famille de Longagne, voir n. 2 p. 119.

Page 150

1. « Nu et cru » : voir p. 46, n. 2.

Page 152

1. Harrods : célèbre grand magasin de Londres, parmi les plus élégants.

Page 155

1. « Longtemps, la vie des rats » : expression courante dans le français de la région. Comparer, en parlant cette fois de l'espace, la variante « un endroit perdu, la fin des rats », *Olympe,* p. 232.

Page 157

1. « Sainte-Hélène, petite île » : formule prémonitoire retrouvée dans les notes de Bonaparte au collège de Brienne.

Page 158

1. Leçon du manuscrit.
2. Leçon du manuscrit.

Page 159

1. La forme « Tatan » est attestée à côté de « Tata » dans *Lou Tresor dou felibrige.*

Page 160

1. Giono a écrit deux versions des explications de Juste. Voici la première, raturée par la suite :

« On vient de me toucher le bras, dit-il, donc je comprends que vous êtes réveillée. Je suis aveugle et, pour comble d'infortune, je suis également sourd, c'est beaucoup pour un seul homme. Je ne vous ai pas vue et je n'ai pas entendu vos cris. Je n'ai été guidé que par votre parfum ou, plus exactement, par un parfum que je connais et à partir duquel je prends le plus grand plaisir, le seul qui me reste. » Il expliqua pourquoi il s'était précipité sur elle. « Je suis un ogre, un très vieil ogre; évidemment j'ai besoin de chair fraîche, mais je suis un ogre bien élevé et bien excusable. Je ne m'occupe que de chair (encore n'est-ce que deux fois par semaine, et qu'est-ce que deux fois par semaine?), de chair consentante, rassurez-vous, consentante et tarifiée; si hautement tarifée même que, quoique consentante, elle se débat, mais par conscience professionnelle et pour que j'aie ainsi l'impression qu'elle passe à la casserole. Il y a toujours des artistes partout, heureusement! Et pour moi, que me resterait-il? Vous vous débattiez et j'étais bien loin d'imaginer que vous n'en connaissiez pas le ragoût. Brusquement, je vous ai sentie toute molle et dénouée. Je n'y comprenais plus rien. Vos cris avaient fait accourir Mademoiselle. Quand elle a arrêté mon bras, je lui ai dit : « Quelle est cette petite gourde que vous m'avez envoyée cette fois-ci? Qu'est-ce qui lui arrive? Qu'est-ce qu'elle a? Elle dort? Elle ne bouge plus? » On m'a fait comprendre alors que vous êtes la femme de mon neveu. Je le savais bien mais je n'avais pas encore l'honneur de vous connaître et je n'imaginais pas (j'imagine tout le temps, bien sûr) que vous étiez... comment dire? aussi... intéressante que votre parfum. (Il y a tellement d'oies, madame...) Ah! non, celui-là a été choisi judicieusement, croyez-moi. »

Page 162

1. Il existe une fresque célèbre de Pisanello, peinte dans l'église Sant'Anastasia de Vérone, qui est habituellement désignée sous le titre « Saint Georges délivre la Princesse de Trébizonde ». La scène représentée est sans rapport avec l'agression que Juste vient de commettre sur la personne d'Apollonie. Elle n'explique pas non plus (la princesse y est vêtue d'une ample robe tombant aux pieds) l'allusion énigmatique qui suit à des pantalons de houris.

Page 165

1. Cette allusion à une absence « chinoise » d'« esprit de synthèse » chez Roger-Hector ne se laisse qu'imparfaitement déchiffrer. Le contexte de ces pages impose l'idée qu'il s'agit d'une métaphore appliquée au comportement sexuel (voir d'ailleurs p. 101, n. 1). Il est vrai qu'une pratique couramment attestée dans les mœurs chinoises au moins anciennes consiste pour l'homme à prolonger la pénétration en s'abstenant de toute émission de sperme, ce qui est effectivement rester d'une certaine manière en deçà d'une « synthèse ». Le but, d'après les théories développées à ce sujet, serait de renforcer ses propres pouvoirs vitaux en s'enrichissant de l'essence *yin* ainsi activée de la femme, sans perdre lui-même rien de son principe mâle *yang*. Mais le plaisir de la femme n'en est en principe aucunement amoindri. C'est du moins ce qui ressort de la savante étude de R. Van Gulik, *La Vie sexuelle dans la Chine ancienne* (trad. française, Gallimard, 1971; voir en particulier les pages 75 et

suiv.). Il est vrai que dans ce domaine déformations et légendes sont monnaie courante, ce qui pourrait expliquer le caractère approximatif de l'allusion.

Page 167

1. Le « mal de la terre » est effectivement une désignation provençale de l'épilepsie. Voir *Noé,* t. III, p. 637, n. 1.

2. Gaby Deslys était une actrice de music-hall célèbre pendant et après la guerre de 1914. Elle animait des « revues ».

Page 168

1. Le père Surin, 1600-1665, est l'auteur de nombreux ouvrages de dévotion, dont des *Lettres spirituelles.*

Page 169

1. Madame Andrée : « Florence » p. 155-156.

Page 173

1. « Il n'y avait plus de goût » : comparer dans *Les Ames fortes* ces mots que Thérèse adresse intérieurement à Mme Numance, tandis qu'elle se montre à elle sans se laisser aborder : « Prends du goût, je suis en vitrine » (t. III, p. 436 et la note 1).

Page 175

1. On se rappelle, dans *Noé,* ces premiers mots de la revue des voyageurs du tramway 54 : « Il y avait devant moi un jeune homme supérieurement fringué d'un tissu prince de Galles » (t. III, p. 792 et la note 4).

2. Dans les rédactions intermédiaires et précédemment dans cette version même, le personnage se prénommait Juste, et Giono soulignait lui-même ce que le prénom avait d'ironique : « Quel drôle de nom pour ce que c'était ! » (p. 90) : « Un prénommé Juste, et bravo pour celui qui avait eu l'idée de ce prénom, car c'était le plus beau pignouf que la terre ait jamais porté » (p. 94-95). Voici l'anomalie rendue moins violente.

3. En écrivant ce paragraphe, Giono n'a pas pris la peine (ou n'était pas, à l'endroit où il écrivait, en mesure) de retrouver (p. 155) les prénoms qu'il avait précédemment donnés aux deux frères de Juste-Justin. Il les a provisoirement remplacés dans le manuscrit par les numéros 1 et 2. Je les rétablis pour la commodité de la lecture.

Page 177

1. Giono a déjà fait référence à cet air du Catalogue des victimes de Don Juan dans le *Don Giovanni* de Mozart (voir *Les Grands Chemins,* t. V, p. 598 et la note 1).

2. « Avoir le pain et le couteau », c'est-à-dire tout ce qu'il faut, est une expression courante chez Giono (voir par exemple *Noé,* t. III, p. 682, *Les Ames fortes,* t. V, p. 237, ou *L'Iris de Suse,* p. 237).

3. Le manuscrit est à cet endroit surchargé de corrections. Le mot *entre* n'y figure pas, bien qu'il soit nécessaire pour le sens.

Page 178

1. Cheveux coupés et mollets nus sont deux des marques de la femme moderne des années vingt, dite « à la garçonne », par référence au titre du roman (1922) de Victor Margueritte.

Page 179

1. Je n'ai pas retrouvé trace de cette citation du « psalmiste » (désignation elle-même bien vague).

Page 180

1. A propos du plus courant *bobéchon,* le *Trésor de la langue française* rend compte du suffixe par un rapprochement avec « bourrichon »; c'est sans doute expliquer du même coup cette forme *bobichon* fréquente chez Giono et attestée dans le français de la région.

2. Revertigot : forme, bien attestée dans les dictionnaires de provençal, du *vertigo* que connaît Littré, avec les deux sens de : 1) caprice; 2) maladie des chevaux. Giono emploie tantôt le premier (ici, dans *Le Grand Troupeau,* t. I, p. 556, dans *Que ma joie demeure,* t. II, p. 647, *L'Iris de Suse,* p. 63, etc.), tantôt le second (*Deux cavaliers de l'orage,* p. 23, etc.).

3. De ces quatre « saints humiliés », seul le premier, Benoît-Joseph Labre, est connu, pour avoir méprisé son corps au point de lui refuser tout soin.

4. Le souvenir biblique de Charlotte est en effet approximatif. C'est bien devant Moïse que Yahvé marche pour lui indiquer le chemin sous la forme d'une colonne, mais c'est une colonne de nuée pendant le jour et de feu pendant la nuit (*Exode,* 13, 21-22).

Page 181

1. On peut hésiter sur le sens de cette expression de « matières purpurines » « tripatouillées » par Justin. Elle semble, d'après l'histoire qui précède, désigner toutes ces chairs de femmes qui sont passées entre ses mains, la pourpre étant celle du sang et par là du désir (ainsi, p. 73, des soupçons ont-ils pu se porter sur le vicaire parce qu'il était « rouge » et « sanguin »). P. 182, l'expression sera curieusement glosée par la métaphore de « poupée de porcelaine », qui doit associer les idées de couleurs éclatantes ou appétissantes, et de manque d'âme. Face à ce corps-matière et à cette pourpre de sang, la foudre, qui tombe du ciel et n'a de contact avec le corps que pour l'anéantir, ne répond-elle pas à l'aspiration opposée? Déjà, dans *Que ma joie demeure,* elle était, sans métaphore, ce qui faisait sortir Bobi des impasses du désir.

2. Charlotte et Madame Hélène ont de la lecture. Entre elles, une allusion comme celle-ci, au premier vers de *La Mort des amants* de Baudelaire (« Nous aurons des lits pleins d'odeurs légères »), n'a pas besoin d'être explicitée.

Page 183

1. Les personnages du Giono se servent volontiers des *filioles,* c'est-à-dire des petits canaux d'irrigation dérivés, pour se repérer. Quelque part dans la plaine lombarde, l'Angelo du *Bonheur fou* décide de suivre un canal « jusqu'à l'embranchement

d'une filiole d'arrosage; celle-là conduirait sûrement à une ferme » (t. IV, p. 725; voir la note 1).

Page 184

1. Ici et dans toutes les pages qui suivent, de même que p. 175, Giono substitue dans le manuscrit deux signes (ici non plus des chiffres mais les lettres X et Y) aux prénoms manquants.

Page 187

1. Comme dans la chanson « Auprès de ma blonde » : « Que donn'riez vous la belle, / Pour voir votre mari? / – Je donnerais Versailles / Paris et Saint-Denis. »

Page 188

1. Mademoiselle n'a pas oublié ce qu'elle a entendu en fréquentant si assidûment l'église; devant l'abîme du puits, c'est une des paroles du Christ à son Père, juste avant la Passion dans le Jardin des Oliviers, qui lui vient à l'esprit (Luc, 22, 42, etc.). Olympe aura la même culture (voir p. 268).

Page 193

1. Le 12 juillet 1967, d'après la date portée en tête du manuscrit.

2. Interview de Paul Morelle, *Le Monde,* 28 février 1968.

3. « Le Poulain », *La Nouvelle Revue Française,* avril 1970 (p. 272-291 de la présente édition).

Page 194

1. On suit la genèse d'*Olympe* dans les documents suivants :

a) deux carnets de travail intitulés respectivement : « Janvier 1967, op. 61, Une Rose de Jéricho – op. 62, L'Oiseau gris » (en abrégé « Janvier 1967 », cf. p. 10, n. 1) et « 26-2-68, L'Oiseau gris ou Olympe, op. 62, n° 2 » (en abrégé « 28-2-68 »);

b) une liasse de « Variantes » jointe au manuscrit.

2. Sauf mention contraire, tous les passages cités dans cette présentation proviennent de ce premier carnet; le second, commencé tardivement, ne contient guère que des esquisses destinées au dialogue final d'Olympe et du curé.

3. Ce nom de « Grec » est peut-être à mettre en relation avec son origine supposée (*Olympe,* p. 233), si l'on se souvient qu'à propos de Stephen et de Florence dans *Dragoon,* Giono associe l'idée d'inceste à une certaine vision ou évocation « grecques » des passions (voir p. 13).

Page 195

1. Le fragment est répété dans le carnet « 26-2-68 », f° 9.

Page 196

1. Le prénom apparaissait déjà, sans commentaire ironique, dans *Triomphe de la vie,* où il était question de « mon ami Cather» fermier de Silence » (Éd. Bernard Grasset, 1942, p. 132.)

2. Son prénom avait d'abord été Clorinde (f° 91; v. *Cœurs, passions, caractères,* p. 47 et suiv.)

A propos des noms de personnes et de lieux cités dans *Olympe,* l'étude du carnet permet deux observations. D'une part, avant d'être appelé « Le Vallon », le domaine sur lequel règnent le Vieux et Olympe a d'abord été ce Silance que Giono n'a jamais fini de « placer » dans son monde imaginaire (voir *Faust au village*, etc.). Dans le texte, il désignera pour finir, non pas la maison de la puissance et de l'orgueil, mais celle où Kruger aura la révélation de la tendresse. D'autre part les pages qui contiennent les esquisses d'*Olympe* sont parsemées de listes de noms qui, au témoignage d'Élise Giono, sont ceux de Manosquins des années 1900. Plusieurs passent dans le récit rédigé. Le Giono de quelque soixante-douze ans qui commence ce nouveau roman laisse remonter à la surface de sa mémoire, pour les intégrer à l'univers de la fiction, les noms d'hommes et de femmes disparus depuis le temps de son enfance.

3. Au début des *Euménides* d'Eschyle, la Pythie, entrée dans le temple d'Apollon, en ressort épouvantée par la vue d'une « troupe étrange de femmes » repoussantes endormies autour d'Oreste. Ce passage avait vivement frappé Giono, qui en parle encore à Robert Ricatte en août 1969 (*Œuvres romanesques complètes,* Préface, t. I, p. XLVIII-XLIX).

Page 197

1. A cette idée correspondent peut-être deux titres isolés inscrits sur la page en regard, « Un gros soleil », et « Portrait du soleil » (voir aussi la note suivante).

2. Une autre note, plus loin dans le carnet, associe ce personnage à « l'argot du trimard » que l'on retrouvera dans *L'Iris de Suse :* « Explication du nom de soleil (Reluit de Jorne) par le marchand de lunettes. C'est lui qui connaît cet argot de trimard. Ce qu'on voit dans ce soleil *spécial* » (f° 105; la même page mentionne, avec deux autres, le nom de Casagrande). En regard, au folio 104, cette désignation argotique du soleil se retrouve dans une série de trois synonymes disposés en colonne, chacun avec une majuscule, comme des essais de titres :

« Héliotrope
Reluit de Jorne
Le luisard »

« Reluit » et « Jorne » sont effectivement mentionnés dans le *Dictionnaire de la langue verte* d'Alfred Delvau (1886), l'un et l'autre avec le sens de *jour*.

Page 198

1. L'autre titre envisagé, « L'Oiseau gris », sous lequel Giono annonce à plusieurs reprises le roman, se trouve inscrit dans le carnet en plusieurs endroits, toujours isolé, et sans explication. Pour finir, c'est *Olympe* que Giono porte en couverture du dossier dans lequel il réunit manuscrit et variantes.

Page 201

1. *Débéloire;* Giono rapportait le nom de ce genre de cafetière, fréquemment mentionné dans ses romans (voir par exemple *Colline,* t. I, p. 195, *Le Grand Troupeau, ibid.* p. 637, *Que ma joie demeure,* t. II, p. 428), à son inventeur au XVIIIe siècle, Jean-Baptiste de Belloy (voir la note 1, p. 637 du tome II, et M. Rheims, *Dictionnaire des mots sauvages,* Larousse, 1969).

Page 202

1. Sur ces noms d'engins de travaux publics, voir *Dragoon,* Première version, p. 22, n. 1.

2. Giono avait pendant son enfance connu un abbé Lombardi qu'il évoque dans un entretien avec Robert Ricatte de septembre 1969; voir t. II, p. 1214.

Page 203

1. Sur cette arrivée du président Kruger à Marseille, voir p. 56, n. 2.

Page 204

1. « Faire la rue Michel » : faire le compte, par calembour sur la rue Michel-le-Comte (Paris, 3e art). Giono, qui note dans son carnet (« Janvier 1967 », fo 124) l'origine de cette expression populaire, prend manifestement plaisir à l'employer à cette époque (voir plus loin, p. 226, 298, *L'Iris de Suse,* p. 21, 45, etc.)

Page 205

1. Tous les noms de plantes de cette énumération sont authentiques. L'origan est la marjolaine; la piloselle, ou oreille de souris, est un des noms de l'épervière.
2. Tuthie et calamine, sinon pierre calaminaire, existent bien. Ce sont deux minerais contenant du zinc. Mais aucun apiculteur ni aucun spécialiste que j'aie consulté n'ont jugé possible de faire butiner à des abeilles, même privées de toute autre nourriture, de la poudre de pierre.

Page 206

1. Il y a un flottement entre les diverses indications susceptibles de situer le temps de l'histoire. Pretoria a ici vingt ans. Si, selon l'indication de la page 208, elle est née en 1940, cela situerait l'histoire en 1960. Mais, p. 223, une autre indication repousse après 1964, et une dernière, p. 226 après 1965. L'exemple du cycle du Hussard et celui des *Récits de la demi-brigade* montrent que Giono ne s'est jamais beaucoup soucié de cohérence chronologique.

Page 207

1. « Avoir cent ans de dimanches » : être extrêmement vieux. Giono n'emploie pas moins de trois fois dans ce début d'*Olympe* (voir encore p. 258, 289; cf. *L'Iris de Suse,* p. 32) cette expression, usuelle dans la région; elle existe en provençal sous une forme qui souligne encore l'hyperbole : « a belier cent an, rèn que de dimenche », cite Mistral dans *Lou Tresor dou Felibrige* au mot *dimenche.*

Page 211

1. « Tirelis » est une variante de « tire-lire », mot onomatopéique désignant le chant de l'alouette. Je n'ai pas retrouvé le « Joyeux Tirelis ».

Page 212

1. « De vieilles *Croix* » : de vieux exemplaires du journal *La Croix.*

Page 213

1. A partir de la page 231, le futur mari d'Olympe sera non plus « celui du milieu », mais « le jeune ».

Page 214

1. « Surverse » : terme commun dans la région pour désigner le déversoir d'un bassin, d'une citerne, etc. Voir *Faust au village,* t. III, p. 159, n. 1.

Page 215

1. Un café Pécoul existait à Manosque, place de l'Hôtel-de-Ville.

2. La pierre de Rognes, d'une belle couleur dorée, provient des environs d'Aix-en-Provence.

Page 223

1. « Gouverner » : Giono glose lui-même ce verbe dans *Noé :* « un mot qui, ici, dans notre façon régionale de comprendre les mots, signifie s'occuper des bêtes, les faire boire et les faire manger » (t. III, p. 672). En réalité, l'emploi est moins local qu'il ne le pense; Littré le signale (*gouverner,* 11°).

Page 226

1. « La Sociale » pour « la Sécurité sociale », est, sinon une invention de Léonce, du moins une abréviation qui ne paraît pas lexicalisée.

Page 230

1. Pour Giono, sans doute depuis le moment de petite enfance passé dans l'école manosquine tenue par les sœurs de la Présentation, les pensionnats de Présentines sont par excellence le lieu d'éducation des jeunes filles de la bonne société. Voir déjà p. 95 dans une des rédactions intermédiaires de *Dragoon.*

Page 231

1. L'« en-cas » est en général, dit Littré, « une chose préparée en cas de besoin ». Ainsi dans « Noël », Martial emporte-t-il « pistolets pour l'en-cas et sabre pour le plaisir » (*Récits de la demi-brigade,* t. V, p. 5). Ce peut être aussi, plus bourgeoisement, comme ici, « une sorte d'ombrelle pouvant servir à se protéger aussi bien du soleil que de la pluie ».

Page 232

1. « La fin des rats » : variante spatiale de l'expression temporelle plus courante « la vie des rats » (voir p. 155).

Page 233

1. Dans *Le Chant du monde* (t. II, p. 241, n. 1), puis dans le surnom même de Jason dit l'Entier dans *Deux cavaliers de l'orage* (p. 45), Giono s'est plu à jouer sur les divers sens de cet adjectif.

Page 235

1. Ainsi par exemple Marceau Jason tue-t-il son frère avec une serpe dans *Deux cavaliers de l'orage* (p. 223).

Page 239

1. Giono met entre guillemets ce verbe qui est effectivement un provençalisme

signifiant « babiller, caqueter » (voir *Lou Tresor dou Felibrige,* au mot *barjaca* et S.-J. Honnorat, *Dictionnaire provençal-français,* au mot *bargear*).

Page 250

1. Giono ne connaissait sans doute pas les douze cents pages du roman *La Porteuse de pain,* de Xavier de Montépin (1884), mais il avait pu voir, au témoignage d'Henri Fluchère (*Magazine littéraire,* nº 162, p. 20), l'adaptation théâtrale, qui faisait partie du répertoire du théâtre Dray. On y voit dès la première scène une jeune femme, la future porteuse de pain, et son petit garçon, fuyant après l'incendie de l'usine où ils étaient hébergés, arriver au matin chez un curé de campagne qui les recueille.

Page 257

1. Cette variante du dicton plus connu sous la forme « Rome ne s'est pas faite en un jour » est attestée.

Page 259

1. « N'avoir plus qu'à (ou que la force de) bailler-mourir », c'est-à-dire pousser son dernier soupir est une expression familière à Giono (voir *Batailles dans la montagne,* t. II, p. 985; *Les Ames fortes,* t. V, p. 407 et 1112). C'est semble-t-il un provençalisme.

Page 261

1. Olympe suit en cela l'exemple de Louis XVI tel que le rapporte Stendhal, qui évoque la « haine profonde » de ce roi pour Franklin : « Ce prince trouva une manière vraiment bourbonnique de se venger : il fit peindre la figure du vénérable vieillard au fond d'un pot de chambre de porcelaine. » (*Souvenirs d'égotisme,* chap. IX.)

2. Cette anecdote, que l'on imagine tirée d'un livre de lectures pour enfants, ne provient pas de la vie de Franklin, mais, semble-t-il, de celle de Washington.

3. Précédemment, p. 259, le collège où était élevée Olympe était le Sacré-Cœur. Giono avait lui-même dans son enfance fait quelques années d'études primaires dans une école Saint-Charles (voir *Jean le Bleu,* t. II, p. 20 et la note 1).

Page 262

1. *Le Deuil des primevères* est un recueil d'élégies de Francis Jammes (1901). Les suggestions du titre lui-même, de flétrissure ou de perte d'une « fleur » de jeunesse ou d'innocence, doivent compter plus que les poèmes de Jammes dans l'emploi métaphorique qu'en fait la directrice du pensionnat.

2. Le langage d'Olympe est particulièrement imagé et expressif dans cette page. « Requinquillé », dérivé de « requinqué », était déjà dans *Le Hussard sur le toit* et dans *Le Bonheur fou* (t. IV, p. 298 – v. la note 1 – et 394).

Page 263

1. Emploi savoureux de l'expression « au hasard de la fourchette », qui dans son sens premier appartient au langage de la restauration.

2. « Fumer des mauves » pour « mourir » ou « être mort » est une locution attestée. Elle semble procéder d'un principe d'inversion en vertu duquel les morts mangent

ou fument ce qui n'est pas consommable pour les vivants (voir Martine Chatelain-Courtois, « Mille mots pour le dernier voyage », *Le Monde*, 1er novembre 1981).

Page 266

1. Olympe, ce n'est pas un hasard, affectionne cette expression (voir déjà p. 258, qui tourne en dérision l'ignorant qui cherche à instruire plus savant que lui.

2. C'est ici le sens premier, provenant de la fable de La Fontaine « Le Singe et le Chat », de cette expression désormais souvent prise au contraire au sens de : tirer avantage pour soi-même d'une entreprise d'autrui.

Page 267

1. Giono a plusieurs fois fait état du souvenir d'un enfant qui était mort à Manosque, dans une maison en face de la sienne, de la typhoïde, après avoir bu de l'eau du ruisseau (voir la notice de *Jean le Bleu*, t. II, p. 1220).

Page 268

1. « Éloignez de nous... » : voir p. 188, n. 1.

2. « Nu et cru » : voir p. 46, n. 2.

Page 271

1. Ce poil de bichard, qui est apparemment de la chèvre, se retrouve souvent chez Giono; voir *Les Ames fortes*, t. V, p. 505 et la note 1; *Angelo*, t. IV, p. 36; *L'Iris de Suse*, p. 46 et 85.

Page 274

1. Un boiteux (*goï* en provençal) habitant la ferme de Silence située dans un creux de terrain (« Rien tout à fait, sauf cette courbe de terre toute nue et, au fond, la ferme de Silence ») apparaissait déjà dans le premier chapitre de la version de *Deux cavaliers de l'orage* publiée en 1942-1943.

Page 277

1. Giono écrit bien « cafougnes » et prend soin de mettre entre guillemets cette forme inusuelle du plus commun *cafouche* « recoin, débarras » (voir *Les Ames fortes*, t. V, p. 431), formé sur le provençal *cafoucho* que l'on trouve aussi sous la forme *caffourna* ou *caffournoun*.

Page 282

1. « Barque à travers » : usuel dans le français de la région pour « dans un grand désordre ».

Page 284

1. Le jaquet est un raisin local destiné à faire du vin.

Page 287

1. Aucun dictionnaire ne signale ce sens particulier du mot *répondant*. Il pourrait s'agir d'une création à partir du terme de vénerie *appelant*, qui désigne un oiseau dressé, « qui attire ses congénères libres soit par le mouvement auquel on le pro-

voque, soit par son chant. L'appelant répond au chant de l'oiseau en vol et l'attire » (*Trésor de la Langue française*; citation de J. de Pesquidoux). Une indication du carnet « Janvier 1967 », f° 128, va dans le sens de cette hypothèse : « La fille de Silence (les " appelants "). »

Page 292

1. « Donner un coup de pied à l'armoire », pour « s'habiller de neuf », est déjà dans *Les Grands Chemins,* t. V, p. 542, n. 1. Voir encore *L'Iris de Suse,* p. 241.

2. « Avoir des yeux de chat qui fait dans la braise » : autre exemple (cf. p. 266, n. 2) d'une locution imagée qui se prête à des interprétations contradictoires. Giono est toujours (voir *Faust au village,* t. V, p. 175, n. 1; *Les Ames fortes, ibid.*, p. 1110 – var. *c* de la page 397; *L'Iris de Suse,* p. 89) de ceux qui la prennent comme marque de plaisir, alors qu'elle est comprise par d'autres comme marque d'inconfort (voir Rey-Chantreau, *Dictionnaire des expressions et locutions,* « Les Usuels du Robert », 1979).

Page 294

1. « Voir le blanc du poireau », pour « avoir le meilleur de quelque chose » : traduction et aménagement d'une expression provençale. Mistral la donne dans une citation et traduit par « [il n'aura pas] la victoire, il ne s'en vantera pas » *(Lou Tresor dou Felibrige,* au mot *porre).*

2. « Jouer la fille de l'air » : le cocasse de l'expression est accentué ici par le sujet de la phrase. Elle remonte, paraît-il, au titre d'une comédie de 1836 dans laquelle deux héroïnes, débarquant d'un ballon, réglaient les problèmes d'un couple d'amoureux et repartaient par la même voie (B. de Castelbajac, *Qui a dit quoi?,* Éd. Tallandier, 1978, p. 42).

Page 295

1. « Faire des traits » : Littré connaît l'expression, qu'il juge « très familière ». Il la glose par « tromper, faire des infidélités, particulièrement en affaire d'amour ».

2. « Avoir quelque chose dans la corne » : dans la tête. Traduction du provençal (voir *Les Ames fortes,* t. V, p. 417, n. 1).

DU MÊME AUTEUR

Aux Éditions Gallimard :

Romans – Récits – Nouvelles – Chroniques :

LE GRAND TROUPEAU.
SOLITUDE DE LA PITIÉ.
LE CHANT DU MONDE.
BATAILLES DANS LA MONTAGNE.
L'EAU VIVE.
UN ROI SANS DIVERTISSEMENT.
LES AMES FORTES.
LES GRANDS CHEMINS.
LE HUSSARD SUR LE TOIT.
LE MOULIN DE POLOGNE.
LE BONHEUR FOU.
ANGELO.
NOÉ.
DEUX CAVALIERS DE L'ORAGE.
ENNEMONDE ET AUTRES CARACTÈRES.
L'IRIS DE SUSE.
POUR SALUER MELVILLE.
LES RÉCITS DE LA DEMI-BRIGADE.
LE DÉSERTEUR ET AUTRES RÉCITS.
LES TERRASSES DE L'ÎLE D'ELBE.
FAUST AU VILLAGE.
ANGÉLIQUE.
CŒURS, PASSIONS, CARACTÈRES.

Essais :

REFUS D'OBÉISSANCE.
LE POIDS DU CIEL.
NOTES SUR L'AFFAIRE DOMINICI, *suivies d'un* ESSAI SUR LE CARACTÈRE DE PERSONNAGES.

Histoire :

LE DÉSASTRE DE PAVIE.

Voyage :

VOYAGE EN ITALIE.

Théâtre :

THÉÂTRE (Le Bout de la route – Lanceurs de graines – La Femme du boulanger).
DOMITIEN, *suivi de* JOSEPH A DOTHAN.
LE CHEVAL FOU.

Cahiers Giono :

1. CORRESPONDANCE JEAN GIONO — LUCIEN JACQUES 1922-1929.

Cahiers du cinéma / Gallimard :

ŒUVRES CINÉMATOGRAPHIQUES (1938-1959).

Éditions reliées illustrées :

CHRONIQUES ROMANESQUES, tome I (Le Bal – Angelo – Le Hussard sur le toit).

En collection « Soleil » :

COLLINE.
REGAIN.
UN DE BAUMUGNES.
JEAN LE BLEU.
QUE MA JOIE DEMEURE.

En collection « Pléiade » :

ŒUVRES ROMANESQUES COMPLÈTES, I, II, III, IV et V.

Traductions :

Melville : MOBY DICK *(en collaboration avec Joan Smith et Lucien Jacques).*

Tobias G. S. Smollett : L'EXPÉDITION D'HUMPHRY CLINKER *(en collaboration avec Catherine d'Ivernois).*

Cet ouvrage
a été composé
et achevé d'imprimer
par l'Imprimerie Floch
à Mayenne le 6 mai 1982.
Dépôt légal : mai 1982.
N° d'imprimeur : 19879.